Para sempre sua

TERCEIRO VOLUME DA SÉRIE CROSSFIRE

SYLVIA DAY

Para sempre sua

Tradução
ALEXANDRE BOIDE

10ª reimpressão

A Editora Paralela é uma divisão da Editora Schwarcz S.A.

Grafia atualizada segundo o Acordo Ortográfico da Língua Portuguesa de 1990, que entrou em vigor no Brasil em 2009.

TÍTULO ORIGINAL Entwined with You

IMAGEM DE CAPA Patrice de Villiers/ Gallery Stock

PREPARAÇÃO Lilia Zambon

REVISÃO Renato Potenza Rodrigues e Larissa Lino Barbosa

Dados Internacionais de Catalogação na Publicação (CIP)
(Câmara Brasileira do Livro, SP, Brasil)

Day, Sylvia
Para sempre sua / Sylvia Day ; tradução Alexandre Boide. — 1ª ed. — São Paulo : Paralela, 2013.

Título original: Entwined with You.
ISBN 978-85-65530-24-8

1. Erotismo 2. Ficção norte-americana I. Título.

13-04997 CDD-813

Índice para catálogo sistemático:
1. Ficção : Literatura norte-americana 813

[2022]

EDITORA SCHWARCZ S.A.
Rua Bandeira Paulista, 702, cj. 32
04532-002 — São Paulo — SP
www.editoraparalela.com.br
atendimentoaoleitor@editoraparalela.com.br
facebook.com/editoraparalela
instagram.com/editoraparalela
twitter.com/editoraparalela

1

Os taxistas de Nova York eram criaturas singulares. Destemidos ao extremo, arremessavam-se em alta velocidade pelas ruas abarrotadas com uma tranquilidade excepcional. Para preservar minha sanidade mental, eu havia aprendido a me concentrar na tela do meu celular em vez de ficar vendo os carros passarem ao meu lado a milímetros de distância. Sempre que cometia o erro de prestar atenção ao tráfego, eu me via o tempo todo apertando o pé contra o chão, instintivamente tentando acionar um pedal de freio imaginário.

Mas, pela primeira vez em muito tempo, eu não precisava procurar nenhuma distração. Estava grudenta de suor depois de uma aula de krav maga das mais intensas, e minha cabeça ainda estava a mil em razão do que o homem que eu amava tinha feito.

Gideon Cross. Só de pensar em seu nome eu já sentia uma onda de calor por todo o corpo. Desde a primeira vez em que o vi — quando notei o lado obscuro e perigoso que havia por trás de um homem fascinante e inacreditavelmente lindo —, senti uma atração irresistível, que só poderia ter acontecido porque eu havia encontrado minha alma gêmea. Eu precisava dele assim como precisava do meu coração batendo, e ele por sua vez arriscou *tudo* o que tinha para ficar comigo.

O barulho de uma buzina me trouxe de volta ao presente.

Pelo vidro do carro, vi o sorriso de um milhão de dólares do meu colega de apartamento estampado em um anúncio publicitário na lateral de um ônibus. Os lábios sedutores de Cary Taylor e seu rosto fino e alongado estavam bloqueando o cruzamento. O taxista buzinava sem parar, como se isso pudesse liberar o caminho.

Sem chance. Cary se manteve imóvel, assim como eu. Estava deitado de lado, descalço e sem camisa, com a calça jeans aberta a fim de mostrar o elástico de sua cueca e os músculos bem definidos de seu abdome. Seus cabelos castanhos estavam sugestivamente despenteados, e seus olhos verdes brilhavam com malícia.

Só nesse momento, de repente, me dei conta de que seria obrigada a esconder do meu melhor amigo um segredo de enorme importância.

Cary era meu porto seguro, minha voz da razão, meu melhor ombro amigo — um irmão para mim em todos os sentidos. Eu odiava a ideia de não poder contar a ele o que Gideon tinha feito por mim.

Eu precisava desesperadamente conversar sobre aquilo, procurar ajuda para tentar assimilar melhor o fato, mas nunca poderia abrir a boca para ninguém. Nem mesmo o nosso terapeuta poderia saber a respeito, pois se tratava de um caso em que a regra do sigilo profissional não precisava necessariamente ser seguida.

Um guarda de trânsito corpulento, vestindo um colete fluorescente, apareceu e mandou que o ônibus voltasse para sua faixa fazendo um gesto autoritário com a mão coberta pela luva branca e um grito que não deixou dúvidas de que estava falando sério. Ele fez um sinal para que atravessássemos o cruzamento pouco antes de o semáforo fechar.

O trajeto entre a cobertura de Gideon na Quinta Avenida e o meu apartamento no Upper West Side era bem curto, mas dessa vez pareceu ter durado uma eternidade. A informação que a detetive da Polícia de Nova York, Shelley Graves, havia compartilhado comigo poucas horas antes tinha transformado minha vida para sempre.

E me obrigava a abandonar a única pessoa com quem eu *precisava* de fato ficar.

Tive que deixar Gideon sozinho porque não acreditei na sinceridade das palavras de Graves. Eu não podia me arriscar. E se ela tivesse revelado suas suspeitas apenas para ver se eu voltava correndo para Gideon e fornecia a prova de que seu rompimento comigo havia sido apenas uma farsa friamente planejada?

Minha nossa! O turbilhão de sentimentos no qual eu estava envolvida fez meu coração disparar. Gideon estava precisando de mim agora — assim como eu precisava dele, se não mais —, e ainda assim tive que lhe virar as costas.

A desolação em seus olhos quando a porta de seu elevador privativo se fechou foi de cortar o coração.

Gideon.

O táxi virou a esquina e parou na frente do meu prédio. O porteiro da noite abriu a porta do carro antes que eu cedesse à vontade de pedir ao motorista para me levar de volta, e o ar quente e úmido de agosto invadiu o ambiente, anulando o efeito do ar-condicionado.

"Boa noite, srta. Tramell." Além da saudação, o porteiro bateu com a ponta do dedo na aba do quepe e esperou pacientemente enquanto eu passava o cartão de débito. Quando o pagamento foi concluído, aceitei sua ajuda para descer do táxi e percebi que olhava discretamente o meu rosto marcado pelas lágrimas.

Sorrindo como se estivesse tudo bem, entrei no saguão e fui direto para o elevador, fazendo apenas um breve aceno de cabeça na direção da recepção.

"Eva!"

Virei a cabeça e vi uma morena elegante vestida com um conjuntinho estiloso de calça e blusa se levantando de uma das poltronas do saguão. Seus cabelos escuros e ondulados iam até os ombros, e seus lábios estavam cobertos de batom cor-de-rosa. Não a reconheci e franzi a testa.

"Pois não?", eu respondi, pondo-me na defensiva. Havia um brilho ambicioso em seus olhos escuros que me deixou desconfiada. Apesar do abatimento que sentia, e provavelmente aparentava, endireitei os ombros e a encarei com firmeza.

"Deanna Johnson", ela disse, estendendo a mão direita e exibindo suas unhas bem-feitas. "Repórter freelance."

Eu levantei as sobrancelhas. "Ora."

Ela riu. "Não precisa ficar tão assustada. Eu só queria conversar com você um minutinho. Estou trabalhando em uma matéria, e seria ótimo se você pudesse me ajudar."

"Sem querer ofender, mas eu sinceramente não consigo pensar em nada que tenha a dizer para uma repórter."

"Nem sobre Gideon Cross?"

Os cabelos da minha nuca se arrepiaram. "Principalmente sobre ele."

Como um dos vinte e cinco homens mais ricos do mundo, e com uma lista absurdamente longa de propriedades em Nova York, Gideon sempre era notícia. Mas também era notícia o fato de que ele havia rompido a relação comigo e reatado com a ex-noiva.

Deanna cruzou os braços, acentuando seu decote, algo em que reparei apenas porque a estava medindo novamente da cabeça aos pés.

"Vamos lá", ela insistiu. "Eu prometo deixar seu nome fora disso, Eva. Não vou mencionar nada que possa identificá-la. É a sua chance de recuperar um pouco a sua autoestima."

Senti um nó no fundo do estômago. Ela fazia exatamente o tipo de Gideon — alta, esguia, cabelos escuros, pele morena. Nada a ver comigo.

"Você tem certeza de que quer se envolver nisso?", eu perguntei baixinho, enquanto algo dentro de mim me dizia que algum dia ela já tinha trepado com o meu homem. "Eu não iria querer ter alguém como ele como inimigo."

"Você tem medo dele?", ela rebateu. "Pois eu não tenho. O dinheiro dele não lhe dá o direito de fazer o que quiser sem nenhuma consequência."

Eu respirei fundo e me lembrei de uma ocasião em que o dr. Terrence Lucas — outra pessoa com quem Gideon não mantinha boas relações — me disse mais ou menos a mesma coisa. Agora que eu sabia do que Gideon era capaz, até onde ele chegaria para me proteger, eu podia responder com sinceridade e sem nenhum pudor: "Não, eu não tenho medo. Mas aprendi a escolher somente as batalhas que valem a pena. Seguir em frente é a melhor vingança".

Ela levantou o queixo. "Nem todo mundo tem astros do rock à espera como segunda opção."

"Que seja." Eu suspirei mentalmente ao ouvir a menção a Brett Kline, meu ex-namorado, vocalista de uma banda que começava a fazer sucesso e um dos homens mais atraentes que já conheci. Assim como Gideon, ele irradiava sex appeal. Mas, ao contrário de Gideon, não era o amor da minha vida. Minha relação com ele era uma página virada.

"Escute só", Deanna sacou um cartão de visita do bolso da saia, "em breve todo mundo vai saber que Gideon Cross estava simplesmente usando você para deixar Corinne Giroux com ciúmes e conquistá-la novamente. Quando cair na real, me ligue. Vou ficar esperando."

Eu peguei o cartão. "Por que você acha que eu tenho alguma coisa interessante para dizer?"

Sua boca sensual se estreitou. "Porque apesar da motivação de Gideon quando tudo começou ser outra, você mexeu com ele. O homem de gelo se derreteu um pouquinho por sua causa."

"Talvez, mas agora acabou."

"Isso não significa que você não tenha nada para dizer, Eva. Eu posso ajudar você a filtrar o que vale a pena."

"Qual é a sua intenção com essa matéria?" Eu jamais ficaria parada observando enquanto alguém apontava suas armas para Gideon. Se a intenção dela era prejudicá-lo, a minha era atrapalhar os planos dela.

"Aquele homem tem um lado obscuro."

"E nós também não temos?" O que ela teria visto em Gideon? O que ele poderia ter revelado na... interação entre os dois? Isso *se* houve de fato uma.

Eu duvidava que algum dia seria capaz de pensar em Gideon com outra mulher sem ser dominada por um ciúme brutal.

"Por que não vamos até algum lugar para conversarmos melhor?", ela sugeriu.

Dei uma olhada para a recepção, e todos ignoravam educadamente a nossa conversa. Eu estava abalada demais emocionalmente para lidar com Deanna, e minha cabeça ainda girava a mil por hora depois da conversa com a detetive Graves.

"Talvez outra hora", eu falei, deixando o canal de comunicação aberto porque pretendia me manter informada sobre os passos dela.

Como se tivesse notado meu desconforto, Chad, um dos funcionários da recepção, veio até nós.

"A srta. Johnson já está de saída", eu informei, tentando parecer mais relaxada. Se uma policial como a detetive Graves não tinha conseguido nada contra Gideon, uma repórter freelance enxerida não seria capaz de fazer muito melhor.

Felizmente, eu sabia que tipo de informação poderia ser divulgada pela polícia, e o quão facilmente isso foi feito em diversas ocasiões. Meu pai, Victor Reyes, era policial, e eu tinha ouvido falar bastante sobre esse assunto.

Eu me virei na direção do elevador. "Boa noite, Deanna."

"A gente se fala", ela respondeu atrás de mim.

Entrei no elevador e apertei o botão do meu andar. Quando a porta se fechou, eu desabei sobre a barra de apoio do elevador. Eu precisava avisar Gideon, mas não tinha como entrar em contato com ele sem deixar nenhum rastro que pudesse ser seguido mais tarde.

A dor no meu peito se intensificou. Nosso relacionamento estava indo de mal a pior. Não podíamos nem conversar um com o outro.

Saí do elevador e entrei no apartamento, atravessando a sala de estar espaçosa para largar minha bolsa em um banquinho na cozinha. A vista de Manhattan, que eu tinha da minha janela de parede inteira, daquela vez não exerceu nenhum efeito sobre mim. Eu estava agitada demais para me dar conta de onde estava. A única coisa que importava era que eu não estava com Gideon.

Quando entrei no corredor para o meu quarto, ouvi o som de uma música vindo do quarto de Cary. Será que estava com alguém? Se estivesse, quem seria? Meu melhor amigo havia decidido manter dois relacionamentos simultâneos — com uma garota que o aceitava como era e com um cara que não suportava a ideia de que ele pudesse ter mais alguém.

Deixei as roupas espalhadas pelo chão do banheiro à medida que caminhava para o chuveiro. Enquanto me ensaboava, era impossível não me lembrar das vezes em que tomei banho com Gideon, momentos em que nosso tesão um pelo outro proporcionou cenas de muito erotismo. Eu sentia muito a falta dele. Eu precisava de seu toque, seu desejo, seu amor. A saudade que eu sentia de tudo isso me consumia, me deixava inquieta e à beira de um ataque de nervos. Eu não sabia como iria conseguir dormir se não conseguisse falar com Gideon. Nós tínhamos tanto o que conversar.

Eu me enrolei na toalha e saí do banheiro...

Gideon estava do outro lado da porta. Dar de cara com ele ali me causou uma reação abrupta, como se tivesse recebido um soco no estômago. Perdi o fôlego, e o meu coração se acelerou — meu corpo inteiro reagiu à presença dele com uma onda poderosa de desejo. Parecia que não nos encontrávamos fazia anos, apesar de termos nos despedido havia menos de uma hora.

Eu tinha dado a ele a chave do meu apartamento e, além disso, ele era o proprietário do prédio. Dessa forma, poderia chegar até mim sem deixar rastros... assim como havia feito com Nathan.

"É perigoso você vir até aqui", eu falei. O que não me impedia de ficar muito animada por ele estar ali. Eu o devorava com os olhos, percorrendo seu corpo esguio e seus ombros largos.

Ele estava usando calça preta de agasalho e o moletom da Universidade de Columbia de que tanto gostava, um visual que revelava o homem de vinte e oito anos que ele era e não o bilionário poderoso que o restante do mundo conhecia. Um boné dos Yankees escondia sua testa na penumbra, mas nada podia fazer para diminuir o brilho arrebatador de seus olhos azuis. Eles me encaravam ferozmente, seus lábios sensuais desenhados em uma linha fina. "Eu não consegui ficar longe de você."

Gideon Cross era um homem incrivelmente belo, tão lindo que as pessoas paravam para olhá-lo enquanto ele caminhava. Uma vez cheguei a pensar que ele poderia ser uma espécie de deus sexual, e suas frequentes — e entusiásticas — proezas provavam que eu estava certa, mas eu também descobri que ele era muito humano. Como eu, ele também havia sido corrompido.

As probabilidades eram contra o nosso sucesso.

Meu peito se expandiu em um grande suspiro, meu corpo reagindo à proximidade do dele. Mesmo a alguns metros de distância, eu ainda era capaz de sentir a vibração magnética de estar perto da pessoa que fazia minha alma se sentir completa. Era sempre assim, desde o nosso primeiro encontro — sentíamos uma atração irresistível um pelo outro. No começo, nós confundimos esse desejo mútuo e feroz com luxúria, mas com o tempo nos demos conta de que éramos incapazes de respirar sem o outro.

Lutei para reprimir o desejo de me jogar em seus braços, onde eu gostaria desesperadamente de estar. Ele, por sua vez, tinha um autocontrole implacável. Esperei ansiosamente pelo que ele tinha a me dizer.

Minha nossa, como eu o amava.

Ele fechou as mãos nas laterais do corpo. "Eu preciso de você."

Meu ventre se contraiu em resposta a sua voz áspera, afetuosa e cheia de luxúria.

"Você não parece tão feliz por isso", eu provoquei, tentando criar um clima mais descontraído para quando ele estivesse em cima de mim.

Eu o amava demais, e o amava do fundo do coração. Estava disposta a aceitá-lo fosse como fosse, mas fazia tanto tempo... Minha pele estava sensível com a expectativa, pronta para se render ao seu toque. Fiquei com medo de saber como meu corpo reagiria se ele viesse com tudo para cima de mim enquanto eu estivesse com tanto tesão. Havia o sério risco de uma explosão incontrolável.

"Isso está acabando comigo", ele falou em um tom de sofrimento. "Ficar sem você. Sentir tanto a sua falta. Sinto que minha sanidade depende de você, Eva, e você quer que eu finja que estou *feliz*, porra?"

Passei a língua pelos lábios ressecados, e ele grunhiu ao me ver fazer isso, provocando um arrepio em todo o meu corpo. "Bom... *eu* estou feliz em ver você."

A tensão em sua postura visivelmente diminuiu um pouquinho. Ele devia estar preocupado sobre como eu reagiria quando descobrisse o que fez por mim. Para ser sincera, *eu* também teria ficado. O fato de me sentir grata significava que eu era ainda mais perturbada do que imaginava?

Então eu me lembrei das mãos do filho do meu padrasto passando pelo meu corpo... seu peso me esmagando em cima do colchão... a terrível dor no meio das minhas pernas enquanto ele investia contra mim sem parar...

Estremeci ao sentir o ódio se renovar dentro de mim. Não fazia a menor diferença se o alívio trazido pela morte daquele filho da puta significava que eu era uma pessoa perturbada.

Gideon respirou fundo. Ele levou a mão até o peito e massageou a área onde sentia seu coração se comprimir.

"Eu te amo", falei, e meus olhos se encheram de lágrimas. "Eu te amo demais."

"Meu anjo." Ele chegou até mim com passos rápidos, jogando a chave no chão e agarrando meus cabelos molhados com as duas mãos. Ele estava tremendo, e eu chorei ao sentir mais uma vez o quanto ele precisava de mim.

Inclinando minha cabeça no ângulo que ele queria, Gideon me beijou com um sentimento poderoso de possessividade, me saboreando com movimentos lentos e profundos com a língua. Sua paixão e seu desejo levaram os meus sentidos à loucura. Eu gemi e me agarrei com força ao tecido de sua blusa. O grunhido que ele soltou em reação reverberou pelo meu corpo, endurecendo meus mamilos e fazendo a minha pele inteira se arrepiar.

Eu me derreti nos braços dele, e arranquei o boné de sua cabeça para poder enfiar os dedos por entre seus cabelos pretos e sedosos. Abaixei a cabeça, arrebatada pela sensualidade carnal de seu beijo, e deixei escapar um soluço.

"Não faça isso", ele sussurrou, afastando-se para segurar meu queixo. Gideon me olhou nos olhos. "Você acaba comigo quando chora."

"É demais para mim." Eu comecei a tremer.

Seus lindos olhos pareciam exaustos como os meus. Ele balançou a cabeça, com uma expressão de tristeza. "O que eu fiz..."

"Não, não é isso. É o que eu sinto por você."

Ele me acariciou com a ponta do nariz, tocando meus braços nus com as mãos — mãos que, eu sabia, estavam manchadas de sangue, o que só fazia com que as desejasse ainda mais.

"Obrigada", eu murmurei.

Os olhos dele se fecharam. "Minha nossa, quando você foi embora... Sem eu saber se iria voltar... Se eu tivesse perdido você..."

"Eu também preciso de você, Gideon."

"Eu não me arrependo. Faria tudo de novo." Ele apertou as mãos contra mim. "As opções eram interdições judiciais, contratar guarda-costas, manter a vigilância... pelo resto da sua vida. Não havia nada que garantisse a sua segurança enquanto Nathan não estivesse morto."

"Você me afastou. Se fechou para mim. Nós dois..."

"Para sempre." Ele encostou o dedo nos meus lábios entreabertos. "Acabou, Eva. Não adianta discutir sobre algo que não pode ser mudado."

Eu afastei a mão dele. "Acabou *mesmo*? Nós já podemos voltar a ficar juntos, ou ainda precisamos esconder nosso relacionamento da polícia? Aliás, o nosso relacionamento ainda *existe*?

Gideon manteve seu olhar em mim sem esconder nada, permitindo que eu visse seu medo e seu sofrimento. "Eu vim até aqui para perguntar isso a você."

"Se depender de mim, nunca mais saio de perto de você", eu disse com veemência. "Nunca mais."

As mãos de Gideon deslizaram pelos meus ombros, fazendo a temperatura da minha pele subir. "É só disso que eu preciso", ele disse baixinho. "Fiquei apavorado com a ideia de que você fosse fugir... que ficaria com medo. De *mim*."

"Gideon, não..."

"Eu jamais machucaria você."

Eu agarrei a barra do moletom dele e puxei, mesmo sabendo que não tinha força para fazê-lo se dobrar até mim. "Eu *sei* disso."

Em termos físicos, não havia a menor dúvida — ele sempre foi muito cuidadoso comigo, cauteloso. Mas, em termos emocionais, o amor que eu sentia por ele já havia sido usado contra mim de forma meticulosamente calculada. Eu ainda não estava convencida por completo de que Gideon compreendia meus sentimentos, se ele sabia que o meu coração partido ainda não estava totalmente cicatrizado.

"Sabe mesmo?" Ele olhou bem nos meus olhos, procurando por algo que eu não tivesse revelado. "Abrir mão de você acabaria comigo, mas é isso que eu prefiro se estiver fazendo você sofrer."

"É com você que eu quero estar."

Ele suspirou audivelmente. "Meus advogados vão falar com a polícia amanhã para descobrir em que pé as coisas estão."

Levantei a cabeça e beijei de leve sua boca. Nós éramos cúmplices na ocultação de um crime, e eu estaria mentindo se dissesse que isso não me incomodava — afinal de contas, eu era filha de um policial —, mas a outra opção era tenebrosa demais para ser considerada.

"Você precisa ter certeza de que vai ser capaz de conviver com o que eu fiz", ele disse baixinho, enrolando meus cabelos em torno do dedo.

"Acho que consigo. E você?"

Ele me beijou de novo. "Eu sou capaz de suportar qualquer coisa se eu tiver você."

Enfiei a mão por baixo de sua blusa e encontrei sua pele morena e quente. Seus músculos firmes se enrijeceram ao meu toque, seu corpo era um monumento sedutor e viril. Eu lambi a boca dele e mordi de leve seu lábio inferior. Gideon gemeu. Seu ruído de prazer me envolveu como uma carícia.

"Quero sentir o seu toque." Suas palavras eram autoritárias, mas seu tom era de súplica.

"Eu estou bem aqui."

Ele estendeu a mão para trás, agarrou meu pulso e puxou minha mão para a frente. Depois tirou o pau para fora sem nenhum pudor, e soltou um gemido. Meus dedos envolveram seu membro grande e grosso, e meu coração disparou quando me dei conta de que ele estava aquele tempo todo sem cueca.

"Minha nossa", eu sussurrei. "Você me deixa com tanto tesão."

Seus olhos azuis me encaravam fixamente. Seu rosto estava vermelho, e seus lindos lábios se abriram. Gideon nunca tentou esconder o efeito que eu causava sobre ele, nunca fingiu que sabia se controlar melhor que eu quando estávamos juntos. Isso tornava seu domínio sobre mim na cama ainda mais excitante, pois eu sabia que ambos estávamos entregues ao mesmo impulso arrebatador.

Senti meu peito se apertar. Ainda não conseguia acreditar que ele era meu, que eu poderia tê-lo por inteiro, entregue, sedento e gostoso como o pecado...

Gideon arrancou a toalha em que eu estava enrolada. Ele respirou fundo ao me ver completamente nua. "Ah, Eva."

Sua voz tremia de emoção, fazendo os meus olhos arderem. Ele arrancou a blusa e a jogou de lado. Depois foi até mim a passos lentos, adiando o momento em que nossa pele nua se encontraria.

Ele apertou meus quadris, remexendo inquietamente os dedos, com a respiração ofegante. Meus mamilos foram a primeira parte a tocá-lo, espalhando uma onda de calor por todo o meu corpo. Eu perdi o fôlego. Ele me puxou com força para si com um grunhido, arrancando meus pés do chão e me carregando até a cama.

2

Minhas coxas sentiram o colchão e eu apoiei a bunda, caindo de costas com Gideon por cima de mim. Ele me puxou com um dos braços posicionado nas minhas costas, e me ajeitou melhor na cama antes de se colocar sobre mim. Antes que eu me desse conta, sua boca já estava nos meus seios, seus lábios quentes e macios me chupavam com vontade enquanto sua mão acalentava meu desejo, apertando meu peito possessivamente.

"Meu Deus, como eu senti a sua falta", ele gemeu. Senti sua pele quente contra o meu corpo frio, a pressão de seu peso sobre mim depois de tantas noites de ausência.

Envolvi suas panturrilhas com as pernas e estendi a mão para apertar sua bunda firme e musculosa. Eu o puxei para mim, arqueando os quadris para sentir seu pau por baixo do tecido de algodão que nos separava. Só quando ele estivesse dentro de mim eu teria certeza de que Gideon ainda era meu.

"Diga para mim", eu pedi, desesperada para ouvir aquelas palavras que ele dizia ser inadequadas.

Gideon ergueu o tronco e me olhou, tirando gentilmente os cabelos que cobriam minha testa. Ele engoliu em seco.

Eu me inclinei para a frente e beijei sua boca de contornos encantadores. "Eu digo primeiro: eu amo você."

Gideon fechou os olhos e estremeceu. Envolveu-me em seus braços e me apertou com tanta força que eu mal conseguia respirar.

"Eu te amo", ele sussurrou. "Demais."

Sua declaração emocionada reverberou pelo meu corpo todo. Eu enterrei a cabeça no ombro dele e chorei.

"Meu anjo." Ele agarrou os meus cabelos.

Levantei a cabeça e cobri sua boca com um beijo temperado pelo gosto salgado das minhas lágrimas. Meus lábios se movimentavam desesperadamente contra os dele, como se Gideon fosse desaparecer a qualquer momento e eu não tivesse tempo para senti-lo por inteiro.

"Eva. Me deixe..." Ele pegou meu rosto entre as mãos e me deu um beijo profundo. "Me deixe amar você."

"Por favor", eu sussurrei, juntando os dedos em sua nuca para agarrá-lo.

Senti sua ereção quente e sólida contra os lábios do meu sexo, exercendo a pressão perfeita sobre o meu clitóris trêmulo. "Não para."

"Nunca. Eu não consigo."

Ele apertou a minha bunda com a mão e me suspendeu com um hábil movimento de quadris. Prendi a respiração ao sentir o prazer se espalhando pelo meu corpo, meus mamilos enrijecidos se esfregando com força contra seu peito nu. O roçar de leve de seus cabelos na minha pele era um estímulo quase insuportável. Meu ventre doía, implorando pela penetração de seu pau duro.

Minhas unhas arranharam suas costas dos ombros até os quadris. Ele arqueou o corpo diante daquela carícia mais brusca e soltou um grunhido, jogando a cabeça para trás e mostrando que estava deliciosamente entregue ao prazer.

"De novo", ele ordenou asperamente, com o rosto vermelho e a boca entreaberta.

Inclinando o corpo para a frente, dei uma mordida em seu peito, bem onde ficava o coração. Gideon sibilou e estremeceu.

Eu não conseguia mais conter a ferocidade dos sentimentos que precisavam ser liberados naquele momento — o amor e o desejo, a raiva e o medo. E a dor. Minha nossa, quanta dor. Ela ainda reverberava dentro de mim. Eu queria atingi-lo por inteiro. Puni-lo e também lhe dar prazer. Fazê-lo sentir pelo menos uma pequena dose de tudo o que eu havia sofrido quando ele se afastou de mim.

Acariciei com a língua as marcas que tinha deixado com os dentes, e ele investiu com os quadris contra mim, esfregando o pau pelos lábios separados do meu sexo.

"Minha vez", ele sussurrou, ameaçador. Apoiando-se sobre um dos braços, exibindo seu bíceps volumoso e lindamente definido, ele apertou o meu peito com a outra mão. Gideon abaixou a cabeça e abocanhou meu mamilo pontudo com os lábios. Sua boca era quente e ardente, e sua língua aveludada se esfregava contra a minha pele sensível. Quando seus dentes agarraram de leve a pontinha do mamilo, eu dei um grito bem alto, sentindo meu corpo inteiro se contrair como se uma agulha tivesse sido encravada no meu ventre.

Eu agarrei os cabelos dele com força. Estava tomada demais pelo desejo para ser carinhosa. Minhas pernas o envolveram em um aperto desesperado, que ecoava meu desejo de tê-lo para mim. Possuí-lo. Fazer com que voltasse a ser meu.

"Gideon", eu gemi. Minhas têmporas estavam lavadas de lágrimas, e eu sentia um tremendo nó na garganta.

"Estou aqui, meu anjo", ele sussurrou, passando a língua pelo meu colo até chegar ao outro seio. Seus dedos diabólicos começaram a brincar com o mamilo úmido que ele havia deixado para trás, beliscando-o suavemente até que eu agarrasse sua mão. "Não tente resistir. Me deixe amar você."

Foi quando me dei conta de que o estava puxando pelos cabelos, tentando afastá-lo mesmo quando era eu quem forçava a aproximação. Gideon me tinha à sua mercê, seduzida por sua atordoante perfeição masculina e seu conhecimento detalhado do meu corpo. E eu estava me rendendo. Meus peitos estavam contraídos, meu sexo estava inchado e molhado. Minhas mãos percorriam incansavelmente seu corpo enquanto eu o prendia entre minhas pernas.

Ainda assim, ele conseguiu escapar do meu abraço, percorrendo o meu corpo enquanto dizia palavras tentadoras junto à minha barriga. "Senti tanto a sua falta... preciso de você... quero você agora..." Senti um líquido quente na lateral do meu corpo e, quando olhei para baixo, vi que ele também estava chorando, com seu lindo rosto contorcido pela mesma explosão de sentimentos que tomavam conta de mim.

Com os dedos trêmulos, eu toquei suas bochechas, tentando enxugar as lágrimas que caíam uma após a outra. Ele recebeu meu toque com um gemido baixinho de sofrimento, e eu não consegui mais aguentar. A dor dele me machucava muito mais do que a minha.

"Eu te amo", falei.

"Eva." Ele ficou de joelhos, abriu minhas pernas com as coxas dele e se deitou sobre mim, com seu pau grande e duro latejando sob seu peso.

Tudo dentro de mim se comprimiu de tesão. Seu corpo grande e pesado era inteiro revestido por músculos firmes como rochas, e sua pele morena brilhava de suor. Ele era pura elegância, a não ser pelo seu pau, que era brutalmente animalesco, com veias inchadas por toda sua extensão até a base bem grossa. Seu saco também era grande e pesado. Ele daria uma escultura tão perfeita quanto o *Davi* de Michelangelo, mas com um viés explicitamente erótico.

Sem sombra de dúvidas, o corpo de Gideon Cross havia sido feito para levar uma mulher à loucura.

"Você é meu", eu disse em um tom de voz áspero, estendendo os braços e me agarrando a ele, apertando o meu peito contra o dele. "Meu."

"Meu anjo." Ele beijou minha boca com vontade, cheio de tesão. Erguendo o meu corpo, ele foi se movendo pela cama até que chegássemos à cabeceira com o meu corpo estendido sobre o dele. Nós nos esfregávamos um no outro sem parar, molhados de suor.

Suas mãos me tocavam por inteiro, seu corpo musculoso se esticou sobre mim, assim como o meu. Eu envolvi seu rosto, lambendo rapidamente a sua boca, tentando satisfazer a minha sede por ele.

Sua mão se moveu entre minhas pernas, seus dedos penetrando meu sexo. As partes ásperas acariciavam meu clitóris e evitavam a abertura trêmula do meu sexo. Com meus lábios pressionados ao dele, eu gemi, mexendo meus quadris. Ele me acariciava, estimulando meu tesão, e seu beijo carinhosamente levava minha boca ao prazer.

Meu corpo todo tremeu quando ele enfiou o dedo do meio em mim, devagar, sem pressa. A palma da mão dele roçava o meu clitóris, e com a ponta dos dedos ele ia acariciando meus tecidos mais sensíveis. Com a outra mão, ele segurava meu quadril para me manter onde queria e restringir meus movimentos.

O controle de Gideon parecia absoluto, com movimentos sedutores de precisão cirúrgica, mas ele tremia mais do que eu e respirava com dificuldade. Os sons que exalavam de seu corpo pareciam tingidos de sofrimento e súplica.

Eu me inclinei para trás e peguei no pau dele com as duas mãos, segurando bem firme. Eu também conhecia bem o corpo dele, sabia o que ele desejava e precisava. Comecei a masturbá-lo acariciando toda a sua extensão, fazendo com que o líquido pré-ejaculatório brotasse em sua cabeça larga. Ele gemeu e se apoiou na cabeceira da cama, curvando o dedo que estava dentro de mim. Eu o apertei com força, fazendo com que o líquido se espalhasse por toda a glande, e depois desci até a base para começar tudo de novo com ainda mais força.

"Não", ele disse, ofegante. "Estou quase gozando."

Eu ainda o acariciei mais uma vez, e senti água na boca ao ver mais um pouco de líquido sair de seu pau. Fiquei excitadíssima ao contemplar seu prazer, por saber que era capaz de exercer um efeito tão profundo sobre uma criatura tão ostensivamente sensual.

Ele soltou um palavrão e tirou o dedo de dentro de mim. Depois me agarrou pelo quadril e me forçou a soltá-lo. Ele me puxou para a frente e depois para baixo, erguendo a cintura e enfiando seu pau furioso em mim.

Eu gritei e apertei os ombros dele, sentindo meu sexo se contrair em torno daquela penetração volumosa.

"Eva." Seu maxilar e seu queixo se contraíram quando seu jorro quente e espesso se espalhou dentro de mim.

Com o auxílio da lubrificação proporcionada por seu gozo, meu sexo escorregou por ele até que chegasse quase até o limite do meu corpo. Eu cravei as unhas em seus músculos tensos, lutando para respirar mesmo com a boca aberta.

"Eu sou seu", ele falou, posicionando o meu corpo para receber a última parte que ainda faltava para uma penetração completa. "Todo seu."

Eu gemi diante da sensação dolorida e familiar de tê-lo profundamente dentro de mim. O orgasmo me pegou de surpresa, e fez minhas costas se arquearem e meu corpo se render ao prazer arrebatador.

Nesse momento o instinto tomou conta, e meus quadris começaram a se remexer involuntariamente, minhas coxas se contraíam e relaxavam e eu não pensava em nada além de desfrutar daquele momento, de tomar posse do meu homem. Do dono do meu coração.

Gideon obedecia aos comandos dos meus movimentos.

"Isso mesmo, meu anjo", ele me incentivou com sua voz áspera, com o pau ainda duro, como se não tivesse acabado de gozar até ranger os dentes.

Os braços dele desabaram sobre a cama. Ele agarrou o edredom com os punhos fechados. Seus bíceps se contraíam a cada movimento. Seus músculos abdominais se enrijeciam a cada balanço meu, com o suor escorrendo sobre a pele. Seu corpo era uma máquina bem azeitada, e eu o estava levando ao limite.

E ele deixou. Se entregou a mim por inteiro.

Ondulando os quadris, eu extraía todo o prazer que ele era capaz de oferecer, murmurando seu nome. Aos poucos, meu ventre ia pulsando novamente, um sinal de que outro orgasmo estava próximo. Eu hesitei, com medo do que aquele excesso de estímulo poderia provocar no meu sistema nervoso.

"Por favor", eu sussurrei, quase sem fôlego. "Por favor, Gideon."

Ele me agarrou pela nuca e pela cintura e me deitou de barriga para cima na cama. Deitado sobre mim, ele me imobilizou e me penetrou... de novo e de novo... atacando o meu sexo com estocadas poderosas. O atrito do seu pau grosso se esfregando e entrando e saindo sem parar foi demais para mim. Eu me contorci violentamente e gozei mais uma vez, cravando as unhas nas laterais de seu corpo.

Estremecendo, Gideon também gozou e me abraçou com força até que eu mal conseguisse respirar. Sua respiração frenética junto ao meu rosto preenchia meus pulmões inflamados. Eu estava absolutamente entregue, completamente sem defesa.

"Meu Deus, Eva." Ele enterrou o rosto no meu pescoço. "Como eu preciso de você. Muito, demais."

"Meu amor." Eu o abracei com força. Ainda com medo de perdê-lo.

Piscando os olhos enquanto olhava para o teto, eu percebi que tinha dormido. Foi quando o pânico bateu, o medo inevitável de despertar de um sonho feliz para o pesadelo da realidade. Eu me sentei às pressas, tentando arejar o meu peito apertado.

Gideon.

Quase chorei quando o vi deitado ao meu lado, com a boca entreaberta e a respiração tranquila e ritmada. O homem que partira o meu coração tinha voltado para mim.

Minha nossa...

Apoiada contra a cabeceira, eu tentei relaxar, saborear o raro prazer de vê-lo dormir. Seu rosto se transformava quando ele estava assim vulnerável e me fazia lembrar que ainda era um jovem, uma coisa bem fácil de esquecer quando Gideon estava acordado, irradiando uma força interior que literalmente me fez cair para trás quando o vi pela primeira vez.

Admirando-o, tirei os cabelos caídos sobre seu rosto com os dedos, observando as linhas de expressão que haviam se formado recentemente em torno dos olhos e da boca. Percebi também que ele estava mais magro. Ao que parecia, nossa separação tinha sido muito custosa para ele também. Ou então era eu que costumava enxergá-lo como uma pessoa invulnerável.

Na verdade, fui incapaz de esconder o quanto fiquei arrasada. Acreditava mesmo que estava tudo acabado entre nós, e isso era visível para todos que olhavam para mim. Gideon contava com isso para seu plano dar certo. "Um álibi plausível", foram as palavras que ele usou. Para mim, a expressão certa para descrever aquilo era inferno, e só acabaria quando parássemos de fingir que estávamos separados.

Me movendo com cuidado, apoiei a cabeça na mão e observei o homem deitado ao meu lado na cama. Estava abraçado ao travesseiro, revelando os bíceps bem torneados e as costas musculosas marcadas por meus arranhões. Eu havia cravado as unhas na bunda dele também, enlouquecida de tesão enquanto ele me comia incansavelmente, enfiando seu pau grande e grosso bem fundo dentro de mim.

De novo e de novo...

Minhas pernas começaram a ficar inquietas, meu corpo todo se agitava novamente. Apesar de toda sua elegância e seu autocontrole, entre quatro paredes, Gideon era uma criatura indomável, que me revelava até sua alma toda vez que fazia amor comigo. Eu era incapaz de resistir ao seu toque, ao prazer inebriante que sentia quando abria minhas pernas para um homem tão viril e passional...

Ele abriu os olhos, mais uma vez me deixando maravilhada com suas íris azuis. Ele me lançou um olhar sedutor que fez meu coração bater mais forte. "Humm... Você está com cara de quem quer ser comida", ele provocou.

"É porque você é gostoso demais", eu respondi. "Acordar do seu lado é... como ganhar presentes no Natal."

Ele sorriu. "E, para sua conveniência, eu já venho desembrulhado. E não preciso de pilhas."

Meu peito se apertou mais uma vez. Eu o amava demais. E morria de medo de não conseguir segurá-lo. Era como tentar engarrafar um sonho, tentar tocar com os dedos algo que era intangível.

Soltei um suspiro trêmulo. "Você é o sonho de qualquer mulher, sabia? Um sonho sensual, excitante..."

"Pare com isso." Ele se virou e subiu em cima de mim antes mesmo que eu me desse conta do que estava acontecendo. "Eu sou podre de rico, mas você só está comigo por causa do meu corpo."

Eu olhei para ele, admirando os cabelos que emolduravam tão lindamente o seu rosto. "O que eu quero é o coração que bate aí dentro."

"Isso você já tem." Suas mãos desceram pelo meu corpo, e nossas pernas se enroscaram. Eu suspirei, percebendo que um pouco do meu sentimento de medo e angústia tinha acabado de sossegar.

"Eu não deveria ter dormido aqui", ele disse baixinho.

Eu acariciei seus cabelos, reconhecendo que ele estava certo, que os pesadelos gerados por sua parassonia sexual atípica podiam representar um perigo para mim quando dormíamos juntos. Gideon às vezes se tornava violento enquanto dormia e, se eu estivesse por perto, acabava me tornando o alvo da raiva que ele carregava dentro de si. "Mas eu gostei de ter acordado ao seu lado."

Ele pegou a minha mão, levou-a até a boca e beijou meus dedos. "Precisamos aproveitar todo o tempo que tivermos sem ninguém vigiando a gente."

"Ai, meu Deus. Eu quase esqueci. Deanna Johnson esteve aqui." Eu me arrependi no mesmo instante de ter dito aquilo em um momento de tamanha intimidade entre nós.

Gideon piscou os olhos, e em uma fração de segundo a expressão de afetuosidade em seu rosto não existia mais. "Fique longe dela. É uma jornalista."

Eu o abracei. "Ela está querendo ir pra cima de você."

"Então vai ser obrigada a rever os seus planos."

"Por que ela está tão interessada em você, se é uma freelance? Não é uma matéria encomendada por alguém nem nada do tipo."

"Esqueça isso, Eva."

A recusa dele em conversar sobre o assunto me deixou irritada. "Eu sei que você já trepou com ela."

"Não sabe coisa nenhuma. E você devia se focar no fato de que eu estou prestes a trepar com *você*."

Era a confirmação de que eu precisava. Eu o soltei e o empurrei. "Você mentiu."

Ele jogou a cabeça para trás como se tivesse levado um tapa na cara. "Eu nunca menti pra você."

"Você me disse que tinha feito sexo comigo mais vezes do que em sua vida inteira, mas no consultório do dr. Petersen contou que costumava transar duas vezes por semana. Qual das duas coisas era mentira?"

Ele se deitou de costas e franziu a testa, olhando para o teto. "Precisamos mesmo falar sobre isso? Justo agora?"

Sua linguagem corporal revelou uma tensão tamanha que a minha irritação com suas evasivas se desfez na hora. Eu não estava a fim de brigar, muito menos por coisas que faziam parte do passado. O que importava era o presente, e o futuro. Eu precisava acreditar na fidelidade dele.

"Não, na verdade não", eu disse baixinho e me virei para o lado, apoiando a mão sobre seu peito. Quando o dia nascesse, nós voltaríamos a fingir que não estávamos mais juntos. E eu não fazia ideia de por quanto tempo precisaria continuar com aquele teatro, ou se algum dia poderíamos ficar juntos novamente. "Só queria avisar que ela anda perguntando sobre você por aí. Tome cuidado com ela."

"O dr. Petersen perguntou a respeito de encontros sexuais, Eva", ele disse sem se alterar, "o que não significa necessariamente transar, até onde eu sei. Não sabia que estava sendo levado tão ao pé da letra quando respondi a essa pergunta. Então é melhor deixar bem claro de uma vez por todas: eu levava mulheres para o hotel, mas nem sempre transava com elas. Isso era a exceção, e não a regra."

Eu me lembrei do matadouro dele, uma suíte repleta de parafernálias sexuais em um dos muitos hotéis do qual era dono. Gideon não mantinha mais aquele lugar, mas era uma coisa que havia ficado gravada na minha mente. "Acho melhor deixarmos esse assunto pra lá."

"Foi você que começou", ele rebateu. "Agora aguenta."

Eu suspirei. "É verdade."

"Às vezes eu não suportava mais ficar sozinho, mas também não estava a fim de conversar. Não queria nem *pensar*, muito menos sentir alguma coisa. Precisava de alguma distração, me concentrar em outra coisa, mas sem a intimidade do sexo propriamente dito. Você me entende?"

Infelizmente eu entendia, e me lembrei de várias ocasiões em que chupei o pau de um cara só para desligar minha cabeça por um tempo. E de fato isso não envolvia nenhum tipo de desejo ou intimidade.

"Então, ela é uma das mulheres com quem você transou ou não?" Eu detestei ter que fazer essa pergunta, mas era uma coisa que precisava ser esclarecida.

Ele virou o rosto e me olhou. “Uma vez.”

“Deve ter sido uma transa e tanto pra ela não ter conseguido esquecer você até hoje.”

“Isso eu não sei”, ele murmurou. “Eu não lembro.”

“Você estava bêbado?”

“Não. Claro que não.” Ele esfregou o rosto. “O que foi que eu acabei de falar para você?”

“Não foi nada pessoal, certo. Mas ela disse que você tem um ‘lado obscuro’. Eu percebi que ela estava falando de sexo, mas não quis entrar em detalhes. Ela mencionou isso pra criar alguma forma de afinidade entre nós, porque ambas tínhamos sido rejeitadas por você. Um tipo de ‘Irmandade das Abandonadas por Gideon’.”

Ele me encarou com um olhar de frieza. “Não me venha com essa conversa. Isso não combina com você.”

“Ei.” Eu franzi a testa. “Desculpa aí. Eu não estava querendo dar uma de pobre coitada. Quer dizer, só um pouquinho. Acho que eu tenho esse direito, não? Depois de tudo o que aconteceu...”

“E o que você queria que eu fizesse, Eva? Eu nem sabia que você existia.” Gideon assumiu um tom mais grave, mais sério. “Se soubesse, teria ido atrás de você. Ou teria esperado o quanto fosse preciso. Mas eu não sabia, então tinha que me contentar com o que aparecesse. Assim como você. Eu não fui o único a perder tempo com gente que não prestava.”

“É verdade. Somos dois idiotas.”

Houve um instante de silêncio. “Você está brava?”

“Não, está tudo bem.”

Ele me encarou.

Eu dei risada. “Você estava se preparando pra começar a brigar, né? A gente pode brincar disso, se você quiser. Da minha parte, eu prefiro transar de novo.”

Gideon subiu em cima de mim. O olhar no seu rosto era um misto de alívio e gratidão, e provocou uma dor aguda no meu peito. Eu me lembrei de como era importante para ele poder falar a verdade.

“Você está diferente”, ele comentou, acariciando meu rosto.

Claro que estava. O homem que eu amava havia chegado ao ponto de matar por minha causa. Não são poucas as coisas que se tornam desimportantes diante de um sacrifício como esse.

3

"Meu anjo."

Senti o cheiro de café antes mesmo de abrir os olhos. "Gideon?"

"Hum?"

"Se ainda não forem sete horas, você vai se ver comigo."

O som da risada dele fez os dedos dos meus pés se curvarem. "Está cedo, mas precisamos conversar."

"Ah, é?" Eu abri primeiro um olho, depois o outro, e então pude admirá-lo por inteiro, já vestido com seu terno completo. Ele estava tão gostoso que me deu vontade de arrancar peça por peça — com os dentes.

Gideon sentou na beirada da minha cama, a tentação em pessoa. "Preciso ter certeza de que está tudo bem entre nós antes de ir embora."

Eu me sentei e me apoiei à cabeceira, sem fazer qualquer esforço para cobrir meus seios, pois sabia que acabaríamos falando sobre a ex-noiva dele. Eu jogava sujo quando era preciso. "Vou precisar daquele café para falar sobre isso."

Gideon me entregou a caneca e depois acariciou meu mamilo com o polegar. "Você é tão linda", ele murmurou. "Cada pedacinho de você."

"Está tentando me distrair?"

"Você é que está. E a sua estratégia está dando certo."

Será que ele admirava o meu corpo da mesma maneira que eu admirava o dele? Só de pensar nisso, abri um sorriso.

"Estava com saudade do seu sorriso, meu anjo."

"Eu sei bem como é essa sensação." Toda vez que eu o via e ele não sorria para mim, era como se uma faca se enterrasse no meu coração. Eu não conseguia nem pensar nessas ocasiões sem relembrar toda a dor que senti. "Onde você escondeu esse terno, garotão? No bolso eu sei que não foi."

Com a troca de roupa, ele havia se transformado de novo no executivo poderoso e bem-sucedido. O terno estava impecável, a camisa e a gravata combinavam perfeitamente. As abotoaduras brilhavam, refletindo toda a sua elegância. Por outro lado, os cabelos que chegavam até o colarinho eram um aviso de que ele estava muito longe de ser certinho.

"Isso é uma das coisas que precisamos conversar." Ele se endireitou, mas a expressão afetuosa em seu rosto permanecia. "Eu peguei pra mim o apartamento aqui ao lado. Vamos ter que fazer com que a nossa reconciliação pareça gradual, então vou continuar usando o meu apartamento pra manter as aparências, mas vou ficar todo o tempo que puder aqui, como seu novo vizinho."

"E isso é seguro?"

"Eu não sou um suspeito, Eva. Não sou nem uma testemunha nesse caso. Meu álibi é perfeito, e não existe nenhum motivo plausível para me acusarem por esse assassinato. Isso é só uma demonstração de respeito pelos detetives, porque nós não queremos duvidar da inteligência deles. Só estamos facilitando a conclusão de que chegaram a um beco sem saída."

Dei um gole no meu café e pensei a respeito do que ele falou. Não havia perigo imediato, era verdade, mas nem por isso Gideon deixava de ser culpado. Ele estava se sentindo pressionado, por mais que não quisesse deixar transparecer.

Mas, no fundo, eu sabia que todo aquele esforço era para que nós voltássemos a ficar juntos, e era exatamente o que eu precisava depois de todo o sofrimento da separação das semanas anteriores.

Assumi um tom deliberadamente bem-humorado na minha resposta. "Então o meu ex-namorado vai continuar morando na Quinta Avenida, mas eu tenho um novo vizinho gostosão para me divertir? Isso parece interessante."

Ele ergueu uma das sobrancelhas. "Você quer brincar de representar, é isso?"

"Quero manter você satisfeito", eu admiti com uma sinceridade chocante até para mim mesma. "Quero que você encontre em mim tudo o que procurou nas outras mulheres com que já se envolveu." As mulheres que ele levava para o seu matadouro cheio de brinquedinhos sexuais.

Seus olhos azuis faiscaram, mas seu tom de voz se manteve tranquilo e sereno. "Eu não consigo ficar longe de você. Isso deve bastar como prova de que não quero saber de mais ninguém."

Ele se levantou, pegou minha caneca e pôs em cima do criado-mudo. Depois disso, agarrou a beirada do lençol e jogou para o outro lado, revelando o meu corpo por inteiro.

"Deita aí", ele mandou. "E abra as pernas."

Eu obedeci, e senti meu coração acelerar, deslizando sobre a cama e afastando as pernas. Senti instintivamente o impulso de me cobrir de novo — o sentimento de vulnerabilidade provocado por seu olhar era intenso —, mas consegui resistir. Eu estaria mentindo se dissesse que não me sentia excitada ao me ver nua enquanto ele estava impecavelmente vestido com um de seus ternos lindíssimos. Isso criava uma sensação inequívoca de que era ele quem estava no poder, o que me deixava morrendo de tesão.

Ele passou um dedo pelos lábios do meu sexo, brincando com o meu clitóris. "Essa bocetinha linda é só minha."

Meu ventre tremeu quando ouvi sua voz áspera.

Ele me controlava com a palma da mão, quando seu olhar encontrou o meu. "Eu sou um homem muito possessivo, Eva, você já deve ter reparado nisso a esta altura."

Eu estremeci ao sentir a ponta de seu dedo penetrando de leve a minha abertura úmida. "Sim."

"Brincar de representar, ser algemado, transar em veículos em movimento e em vários lugares diferentes... Quero explorar tudo isso com você." Com os olhos faiscando, ele enfiou um dedo de maneira torturantemente lenta dentro de mim. Soltando um leve gemido, deu uma mordidinha no lábio inferior que me arrebatou como se estivesse recebendo seu sêmen dentro do meu corpo.

Ser penetrada com tanta suavidade me deixou sem fala por um momento.

"Você gosta disso", ele disse baixinho.

"Humm."

Seu dedo foi um pouco mais fundo. "Não quero mais saber de nada de plástico, vidro, metal ou couro fazendo você gozar. O seu amiguinho movido à pilha vai ter que procurar outras ocupações."

O calor se espalhou pela minha pele como se eu estivesse febril. Ele entendeu o recado.

Inclinando-se sobre mim, Gideon apoiou uma das mãos sobre o colchão e levou sua boca até a minha. Com o polegar, ele massageava deliciosamente o meu clitóris, me tocando por dentro e por fora. O prazer do seu toque se espalhou, fazendo minha barriga se encolher e meus mamilos endurecerem. Agarrei os seios com as mãos, sentindo-os inchar. O toque e o desejo de Gideon eram pura magia. Como eu pude viver sem ele?

"Eu quero tanto você que chega a doer", ele falou com a voz rouca. "O tempo todo. É só você estalar os dedos que eu já fico de pau duro." Ele passou a língua pelo meu lábio inferior, inalando meus suspiros ofegantes. "Quando eu gozo, é só pra você. Por causa de você e da sua boca, das suas mãos, da sua bocetinha insaciável. E é assim que vai ser com você também. A minha língua, os meus dedos, a minha porra dentro de você. Só você e eu, Eva. Sem barreiras, só tesão."

Eu não tinha dúvidas de que me tornava o centro do seu mundo quando Gideon me tocava, a única coisa que importava para ele naquele momento.

Mas essa conexão física não podia durar o tempo todo. De alguma forma, eu tinha que aprender a acreditar em algo que nos unia mesmo *à distância*.

Sem nenhuma vergonha, meu corpo estremeceu e eu comecei a mexer em torno de seu dedo. Ele enfiou mais um, e eu me apoiei sobre os calcanhares, arqueando o corpo na direção de suas investidas. "Por favor."

"Quando seus olhos se perderem desse jeito, vai ser por *minha* causa, e não por um brinquedo." Gideon mordeu de leve meu queixo, e depois desceu até o meu peito, afastando minhas mãos com seus lábios. Ele abocanhou meu mamilo com uma mordida leve, seguida por uma sucção suave. Senti uma dor aguda, e meu desejo se intensificou com a percepção de que havia uma certa distância entre nós, algo que ainda não tinha sido reconhecido nem enfrentado.

"Quero mais", eu disse ofegante, precisando que ele sentisse tanto prazer quanto eu.

"Sempre", ele murmurou, abrindo um sorriso malicioso junto do meu corpo.

Eu grunhi de frustração. "Quero o seu pau dentro de mim."

"Como você quiser." Ele passou a língua no outro mamilo, provocando de leve até que eu chegasse ao ponto de implorar para que o chupasse. "O seu desejo precisa ser todo por *mim*, meu anjo, não pelo orgasmo. Pelo *meu* corpo, pelas *minhas* mãos. Quero que você se torne incapaz de gozar sem o toque da minha pele contra a sua."

Eu concordei freneticamente com a cabeça, com a boca seca demais para conseguir falar. O desejo se concentrava como uma mola comprimida dentro do meu ventre, apertando-se um pouco mais a cada movimento do polegar de Gideon contra meu clitóris e dos dedos que estavam dentro de mim. Lembrei do meu amiguinho movido a pilha, meu sempre confiável vibrador, e sabia que, se Gideon tirasse as mãos de mim naquele momento, nada mais seria capaz de me fazer gozar. Minha paixão era *toda* por ele, meu desejo era inflamado pelo desejo dele por mim.

Minhas pernas tremeram. "E-eu vou gozar."

Ele me beijou na boca com seus lábios macios e tentadores. O amor que senti naquele beijo me levou ao clímax. Eu gritei e estremeci em um orgasmo rápido e intenso. Soltei um gemido longo e rasgado, e meu corpo se contorceu violentamente. Enfiei a mão por baixo do paletó dele para puxá-lo mais para perto, só abandonando a boca dele quando a onda de prazer cessou.

Lambendo os dedos, ele murmurou: "Me diga no que está pensando".

Tentei controlar os batimentos do meu coração. "Não estou pensando em nada. Eu só quero ficar olhando pra você."

"Não é bem assim. Às vezes você fecha os olhos."

"É porquc você fala bastante na cama, e a sua voz é uma delícia." Eu engoli em seco ao pensar em tudo que havia sofrido. "Eu adoro ficar ouvindo você, Gideon. Preciso saber se estou fazendo você se sentir tão bem quanto você me faz."

"Chupa o meu pau agora", ele sussurrou. "Quero gozar pra você."

Levantei da cama correndo, ofegante, e minhas mãos foram voando até sua braguilha. Seu pau grande e grosso estava bem duro. Afastando a camisa e baixando sua cueca, eu o libertei. Ele caiu pesadamente sobre as minhas mãos, com a ponta já toda úmida. Eu lambi o líquido que comprovava sua excitação, admirando seu controle e a forma como ele colocava a minha satisfação sempre em primeiro lugar.

Meus olhos estavam fixos nos dele quando abocanhei a cabeça macia do seu pau. Vi quando seus lábios se abriram, ele respirou fundo e suas pálpebras caíram, como se o prazer que sentisse fosse inebriante.

"Eva." Seus olhos entreabertos estavam direcionados para mim. "Ah... Isso. Assim mesmo. Minha nossa, como eu adoro a sua boca."

O prazer dele me estimulou ainda mais. Tentei enfiar o máximo possível na boca. Eu adorava fazer aquilo com ele, a masculinidade de seu gosto e seu cheiro. Percorri toda a sua extensão com os lábios, sugando-o de levinho. Como se o idolatrasse. Para mim, não havia nada de errado em reverenciar a virilidade dele — eu merecia.

"Você adora isso", ele falou com a voz rouca, enfiando a mão no meio dos meus cabelos e segurando minha cabeça. "Tanto quanto eu."

"Até mais. Eu poderia passar horas fazendo isso. Vendo você gozar uma vez atrás da outra."

Um rugido reverberou em seu peito. "E eu ia gostar. Nunca me canso disso."

Com a ponta da língua, acompanhei uma veia pulsante que ia até a cabeça do pau e o abocanhei de novo, arqueando o pescoço enquanto me sentava sobre os calcanhares, com as mãos nos joelhos, oferecendo a visão do meu corpo para ele.

Gideon abaixou a cabeça, e seus olhos brilharam de tesão e carinho.

"Não para." Ele afastou um pouco as pernas, empurrou o pau até a minha garganta e depois puxou de volta, deixando na minha língua um rastro de líquido pré-ejaculatório. Eu engoli tudo, saboreando seu gostinho bom.

Ele grunhiu e agarrou o meu queixo com as duas mãos. "Não para, meu anjo. Me chupa até eu gozar."

Minhas bochechas ficaram côncavas quando eu peguei o ritmo, o *nosso ritmo*, sincronizando as batidas do nosso coração, nossa respiração e nosso desejo. Nossos desentendimentos podiam ser frequentes, mas nossos corpos nunca se estranhavam. Quando começávamos a nos tocar, ambos sabiam exatamente o que fazer para saciar o desejo do outro.

"É bom pra caralho." Ele rangeu os dentes. "Ah, nossa, eu vou gozar."

O pau dele inchou na minha boca. Suas mãos agarraram e puxaram meus cabelos, e seu corpo inteiro tremeu quando ele gozou dentro de mim.

Gideon falou um palavrão enquanto eu engolia tudo. Ele se esvaziava em jorros espessos e quentes, inundando minha boca como se não gozasse fazia tempo. Quando seu orgasmo chegou ao fim, eu estava toda trêmula e sem fôlego. Ele me pôs de pé e me deitou de volta na cama, desabando comigo ao meu lado. Seu peito subia e descia intensamente, e suas mãos estavam ansiosas quando ele me puxou para perto.

"Não era isso que eu tinha em mente quando vim até aqui trazer um café." Ele me deu um beijo apressado na testa. "Não que eu tenha alguma reclamação."

Eu me enrolei nele, mais do que grata por tê-lo nos braços de novo. "Então vamos ficar em casa e compensar o tempo perdido."

Sua risada saiu rouca, ainda por causa do orgasmo. Ele me segurou por um tempo, passando os dedos pelos meus cabelos e acariciando meus braços.

"Fiquei arrasado", ele disse baixinho. "Por ver você sofrendo, com raiva. Saber que a culpa era toda minha, por ter me afastado... Foi um inferno pra nós dois, mas não podia correr o risco de deixar que as suspeitas caíssem sobre você."

Eu fiquei tensa. Nunca havia pensado nessa possibilidade. Gideon poderia ser acusado de ter cometido o assassinato por minha causa. O que poderia significar que eu sabia de tudo. Ele não me manteve na ignorância apenas para me proteger — o álibi tinha sido pensado para mim também. Ele estava sempre tentando me proteger — não importava o risco.

Ele se afastou um pouco. "Deixei um telefone pré-pago clonado na sua bolsa. Tem um número na memória para você entrar em contato com Angus quando for preciso. Quando quiser falar comigo, é só ligar pra ele."

Fechei as mãos de raiva — eu ia precisar ligar pro chofer quando quisesse falar com o meu namorado. "Eu odeio isso."

"Eu também. Resolver essa situação é a minha prioridade número um."

"E não é perigoso envolver Angus em tudo isso?"

"Ele é um ex-agente do MI6. Telefonemas clandestinos são brincadeiras de criança pra ele." Ele fez uma pausa antes de concluir: "Não vou mentir pra você, Eva. Eu consigo rastrear você através desse telefone, e vou fazer isso".

"Quê?" Eu levantei da cama e fiquei de pé. Minha cabeça estava a mil.

MI6 — o serviço secreto britânico! — celulares rastreáveis... Eu não sabia o que pensar. "De jeito nenhum."

Ele também se levantou. "Se eu não posso estar ao seu lado nem falar com você, preciso ao menos saber onde você está."

"Não faça isso comigo, Gideon."

Seu rosto permanecia inalterado. "Eu não precisava ter contado nada."

"Está falando sério?" Eu fui caminhando até o closet para pegar um robe. "Não venha me dizer que o fato de me avisar absolve você pelo seu comportamento ridículo."

"Colabora comigo."

Olhando para ele, enfiei as mãos nas mangas de um robe de seda vermelho e amarrei com um nó bem apertado. "Não. Eu acho que você é um maníaco controlador que gosta de me monitorar o tempo todo."

Ele cruzou os braços. "Eu gosto de te manter viva."

Eu fiquei paralisada. Por um instante, minha mente reviveu todos os acontecimentos das semanas anteriores — acrescentando Nathan à confusão toda. De repente, tudo fez sentido: o chilique de Gideon no dia em que fui a pé para o trabalho, o fato de Angus me seguir pela cidade o tempo todo, a bronca que ele me deu quando me forçou a subir até seu andar pelo elevador...

Todas as vezes em que o odiei por ser um cretino, ele estava tentando me proteger de Nathan.

Meus joelhos fraquejaram, e eu fui ao chão sem a menor preocupação com a elegância.

"Eva."

"Eu preciso pensar um pouco." Boa parte daquilo eu já tinha entendido durante o período em que ficamos separados. Tinha certeza de que Gideon jamais permitiria que Nathan aparecesse em seu escritório com fotos minhas sendo abusada e violada e ainda saísse impune. Por muito menos, por causa de um *beijo*, ele deu uma tremenda surra em Brett Kline. Nathan havia me *estuprado* repetidas vezes durante anos, e documentou tudo com fotos e vídeos. A reação de Gideon quando se viu cara a cara com Nathan pela primeira vez deve ter sido violenta.

A visita de Nathan ao Crossfire provavelmente aconteceu no dia em que encontrei Gideon recém-saído do chuveiro com uma mancha vermelha no punho da camisa. O que eu imaginava ser uma marca de batom era o sangue de Nathan. O sofá e as almofadas do escritório de Gideon estavam bagunçados por causa da briga entre os dois, e não por uma rapidinha na hora do almoço com Corinne.

Com a testa franzida, ele se agachou ao meu lado. "Droga. Você acha que eu *quero* ficar vigiando você o tempo todo? Foram as circunstâncias que exigiram isso. Tente entender que, apesar de me esforçar para respeitar sua independência, eu também preciso manter você em segurança."

Uau. Olhando para trás, eu não apenas entendi tudo como fui atingida brutalmente por uma dose cavalar de bom senso. "Eu entendo."

"Acho que não. Isto aqui" — ele apontou para si mesmo com um gesto impaciente — "é só fachada. Só o que me importa é *você*, Eva. Custa muito você entender isso? Eu sou seu de corpo e alma. Se acontecesse alguma coisa com você, a minha vida chegaria ao fim. Manter você em segurança é também um ato de autopreservação! Aprenda a tolerar isso por mim, se pensar em si mesma não é motivação suficiente pra você."

Eu pulei em cima dele, fazendo com que se desequilibrasse e caísse. Depois o beijei com força, sentindo meu coração disparar e a minha pulsação acelerada rugir nas minhas orelhas.

"Detesto deixar você aflito desse jeito", eu murmurei entre beijos sucessivos, "mas isso também não é nada fácil pra mim."

Soltando um grunhido, ele me apertou com força. "Então estamos conversados?"

Eu torci o nariz. "Talvez não sobre o celular clonado. E essa história de me rastrear pelo telefone é loucura. Sério. Não estou gostando nada disso."

"É uma coisa temporária."

"Eu sei, mas..."

Ele cobriu a minha boca com a mão. "Eu deixei instruções sobre como rastrear o *meu* telefone na sua bolsa."

Fiquei sem saber o que dizer.

Gideon deu uma risadinha. "Quando é comigo, não parece uma ideia tão ruim, não?"

"Cala a boca." Eu saí de cima dele e dei um soco no seu ombro, de brincadeira. "Nós somos completamente anormais."

"Eu prefiro 'moderadamente excêntricos'. Mas isso só entre nós."

O clima afetuoso entre nós se desfez, substituído por um toque de pânico diante da ideia de que precisávamos manter nosso relacionamento às escondidas. Quanto tempo demoraria para eu poder vê-lo de novo? Alguns dias? Eu não suportaria viver outras semanas como as da nossa separação. Só de pensar em ficar tanto tempo sem ele, já ficava desesperada.

Engoli em seco, sentindo um nó na garganta. "Quando vamos poder ficar juntos de novo?"

"Hoje à noite. *Eva*." Seus lindos olhos azuis pareciam atormentados. "Eu não suporto ver esse olhar no seu rosto."

"Quero você comigo", eu sussurrei, sentindo os olhos ardendo. "Eu preciso de você."

Gideon me acariciou de leve com os dedos. "Você estava comigo. O tempo todo. Você nunca saiu dos meus pensamentos. Eu sou seu, Eva. Onde quer que esteja, e o que quer que esteja fazendo, estou pensando em você."

Eu me inclinei na direção de seu toque, contando com seu calor para desfazer o frio que se instalou na minha barriga. "E nada de ficar passeando por aí com a Corinne. Eu não aguento mais isso."

"Certo", ele concordou, me pegando de surpresa. "Até já conversei isso com ela. Esperava que pudéssemos ser amigos, mas ela queria retomar a nossa relação, e eu só quero você."

"Na noite em que o Nathan morreu... ela foi o seu álibi." Não consegui continuar. Doía imaginar que ele havia passado tanto tempo com ela.

"Não, o incêndio na cozinha foi o meu álibi. Passei a maior parte daquela noite conversando com os bombeiros, com a seguradora, e providenciando uma solução de emergência pra comida que ia servir na festa. Corinne ficou por perto só durante um tempo, e além dela tenho uma porção de funcionários pra comprovar que estava lá o tempo todo."

O alívio que eu senti deve ter ficado estampado na minha cara, porque a expressão de Gideon se atenuou e passou a demonstrar aquela sensação de tristeza à qual eu já estava começando a me acostumar.

Ele se levantou e estendeu a mão para mim. "O seu novo vizinho gostaria de convidar você pra jantar hoje à noite. Às oito horas. As chaves do apartamento dele, e do meu também, estão no seu chaveiro."

Eu peguei sua mão e tentei manter o clima de sedução com uma resposta divertida. "Ele é muito gato. Será que transa no primeiro encontro?"

Ele abriu um sorriso tão malicioso que fez o meu coração bater mais forte. "Acho que as suas chances de ser comida hoje à noite são bem grandes."

Soltei um suspiro dramático. "Quanto romantismo."

"Se quer romantismo, é isso que você vai ter." Gideon me puxou até ele e tirou meus pés do chão com a maior facilidade.

Agarrada aos seus quadris com os calcanhares e inclinada para trás, senti que meu robe se abria, expondo os meus seios. Ele me inclinou ainda mais para trás, até que meu sexo encostasse em sua coxa musculosa, usando sua ótima capacidade física para suportar o peso do seu corpo e do meu também.

Rapidamente, ele me seduziu. Apesar das horas e horas de prazer noturno e de ter tido um orgasmo momentos antes, eu o desejei mais uma vez naquele momento, excitada por sua força e sua personalidade — o controle que ele exibia sobre si mesmo e sobre mim.

Comecei a me esfregar em sua perna, lambendo os lábios. Ele grunhiu e abocanhou meu mamilo, passando a língua pelo lugar mais enrijecido. Ele me tomou sem esforço, me excitou, me possuiu.

Eu fechei os olhos em sinal de rendição.

Por causa do calor e da umidade, decidi usar um vestidinho leve de linho e prender meus cabelos loiros em um rabo de cavalo. Para completar o visual, escolhi um par de brincos de argola e fiz uma maquiagem leve.

Tudo havia mudado. Gideon e eu estávamos juntos novamente. Nathan Barker não fazia mais parte do meu mundo, nem do de ninguém. Não existia mais o risco de virar uma esquina e dar de cara com ele, ou que ele batesse do nada na porta da minha casa. Eu não precisava mais ter medo de que o meu passado arruinasse a minha relação com Gideon. Ele já sabia de tudo, e queria ficar comigo mesmo assim.

No entanto, aquela paz era maculada pelo temor que eu sentia por Gideon — eu precisava da garantia de que ele iria se safar. Como seria possível que jamais fosse acusado por um crime que havia *de fato* cometido? Nós teríamos que conviver para sempre com o peso dessa ameaça pairando sobre nós? Como isso iria afetar o nosso relacionamento? Eu sabia que as coisas entre nós nunca mais seriam como antes. Não depois de um acontecimento tão grave.

Saí do meu quarto já com a cabeça voltada para o trabalho, ansiosa pelas horas de distração que teria na Waters Field & Leaman, uma das maiores agências de publicidade do país. Quando fui pegar minha bolsa no balcão da cozinha, dei de cara com Cary. Ele claramente havia passado a noite se dedicando às mesmas atividades que eu.

Estava apoiado no balcão, com as mãos agarradas à beirada de pedra, enquanto Trey, seu namorado, segurava seu rosto e o beijava apaixonadamente. Trey estava propriamente vestido, com jeans e uma camiseta branca, enquanto Cary se limitava a uma calça de moletom cinza bem folgada em sua cintura estreita e sensual. Ambos estavam com os olhos fechados, e tão concentrados um no outro que nem perceberam que não estavam mais sozinhos.

Era uma tremenda falta de noção ficar ali parada olhando para os dois, mas foi algo inevitável para mim. Para começo de conversa, eu sempre adorei ver dois homens lindos se beijando. E, além disso, a posição de Cary era bem reveladora. Apesar da vulnerabilidade estampada em seu rosto, o fato de estar agarrado ao balcão e não ao namorado traía seu desejo de manter uma certa distância.

Peguei a minha bolsa da maneira mais discreta possível, e saí na ponta dos pés do apartamento.

Como não queria chegar toda suada ao trabalho, chamei um táxi em vez de ir caminhando. Do assento traseiro do carro, vi o Edifício Crossfire, que pertencia a Gideon, surgindo na paisagem. Aquela torre azulada e inconfundível abrigava a sede das Indústrias Cross e também os escritórios da Waters Field & Leaman.

Meu emprego de assistente do gerente de contas júnior Mark Garrity era um sonho para mim. Apesar de certas pessoas — mais especificamente meu padrasto, o magnata das finanças Richard Stanton — não entenderem por que preferi começar por baixo, deixando de lado o fato de ter muito dinheiro e muitos contatos, eu tinha muito orgulho de ter feito a minha própria carreira. Mark era um ótimo chefe — trabalhava muito e sabia delegar, o que significava que eu estava aprendendo tanto com a orientação dele quanto me virando sozinha.

O táxi virou a esquina e parou atrás do Bentley preto que eu conhecia tão bem. Senti meu coração se acelerar ao saber que Gideon estava por perto.

Paguei a corrida e deixei o ar-condicionado do carro para enfrentar o ar quente e úmido da manhã. Meus olhos perscrutaram o Bentley, ansiosos por algum sinal de Gideon. Era maluquice ficar excitada pela ideia de vê-lo, principalmente depois de passar a noite toda desfrutando de sua nudez gloriosa e absoluta.

Com um sorriso malicioso, atravessei a porta giratória de vidro com armação de cobre do Crossfire e entrei no saguão espaçoso. O piso e as paredes revestidos em mármore transmitiam uma imagem de riqueza e poder, enquanto a fachada azulada fascinava pela beleza, assim como os ternos de Gideon feitos sob medida. Em seu conjunto, o Crossfire era sensual, elegante e ameaçador — assim como o homem que o havia criado. Eu adorava trabalhar lá.

Passei pelas catracas e tomei o elevador para o vigésimo andar. Assim que saí, vi Megumi, a recepcionista, já a postos em sua mesa. Ela liberou a entrada pela porta de vidro e ficou de pé quando me aproximei.

"Oi", ela me cumprimentou, toda chique com sua calça preta e sua blusa de seda dourada. Seus olhos escuros e puxados brilhavam de empolgação, e sua boca bem delineada exibia um batom vermelho dos mais ousados. "O que você vai fazer no sábado à noite?"

"Ah..." Eu queria ficar com Gideon, mas não havia garantia nenhuma de que isso iria acontecer. "Não sei. Ainda nem pensei nisso. Por quê?"

"Um amigo do Michael vai se casar, e a festa de despedida de solteiro é no sábado. Se eu ficar em casa sozinha, vou acabar enlouquecendo."

"Michael é aquele cara que você acabou de conhecer?", eu perguntei, lembrando que ela tinha topado encontrar esse cara, arranjado por sua colega de apartamento, sem saber exatamente quem ele era.

"Pois é." O rosto de Megumi se iluminou por um instante, mas logo depois o desânimo tomou conta dela. "Eu gostei dele, e acho que ele gostou de mim, mas..."

"Mas...", eu a incentivei a continuar.

Ela encolheu um dos ombros e desviou os olhos. "Ele é do tipo que morre de medo de compromisso. Sei que ele está curtindo ficar comigo, mas sempre faz questão de dizer que não é nada sério, que a gente só está se divertindo. Só que a gente anda passando cada vez mais tempo juntos", ela contou. "Ele abriu mão de um monte de coisas pra poder me ver mais vezes. E não só pra transar."

Eu torci a boca, pois conhecia bem o tipo. Pular fora de um relacionamento assim não era uma decisão tão fácil. As atitudes contraditórias mantinham o componente dramático e a adrenalina sempre em alta, e a possibilidade de dar certo caso o cara resolvesse assumir o risco era um tremendo atrativo. Que mulher não gostaria de segurar um homem impossível de fisgar?

"Pode contar comigo pro sábado à noite", eu falei, oferecendo o meu apoio sincero. "O que você tem em mente?"

"Dançar, beber, curtir." O sorriso voltou ao rosto de Megumi. "De repente a gente até consegue alguém pra consolar você."

"Hã..." Nossa. Que constrangedor. "Eu estou muito bem, pra dizer a verdade."

Ela ergueu uma sobrancelha. "Você parece estar bem cansada."

Passei a noite inteira na cama com Gideon Cross... "A aula de krav maga de ontem à noite foi bem pesada."

"Quê? Ah, esquece. Enfim, não custa nada ficar de olho, né?"

Eu ajeitei a minha bolsa no ombro. "Não estou precisando do consolo de ninguém", insisti.

"Ei." Ela pôs as mãos na cintura. "Só estou dizendo pra você não se fechar pra nenhuma possibilidade. Eu sei que Gideon Cross deve ser um cara difícil de substituir, mas, pode acreditar, seguir em frente é o melhor que você pode fazer pra se vingar."

Abri um sorriso. "Eu vou tentar manter a mente aberta, pode deixar", prometi.

O telefone da recepção tocou, e eu me despedi acenando um tchau enquanto entrava no corredor, a caminho do meu cubículo. Eu precisava me planejar um pouco melhor se queria continuar fingindo que era solteira. Gideon era meu, e eu era dele. Eu não conseguia me imaginar com mais ninguém.

Quando comecei a pensar em como dizer a Gideon que iria sair no sábado à noite, Megumi me chamou no corredor. Eu me virei para olhar.

"Tem uma ligação pra você", ela falou. "E espero que seja pessoal porque, minha nossa, que voz gostosa esse cara tem. É do tipo que faz a gente pensar imediatamente em sexo com muito chocolate e chantilly."

Senti os cabelos da minha nuca se arrepiarem. "E ele falou o nome dele?"

"Sim, sim. Brett Kline."

4

Caminhei até a minha mesa e desabei sobre a cadeira. Fiquei com as mãos suadas só de pensar em falar com Brett. Com certeza eu ia gostar de ouvir a voz dele, e também não tinha dúvida de que ia me sentir culpada por isso. Não que eu o quisesse de volta nem nada do tipo, mas nós tínhamos uma história juntos, marcada por uma atração sexual puramente hormonal. Não era algo que eu pudesse controlar, apesar de não ter nenhum interesse em fazer algo a respeito desse desejo.

Guardei a bolsa e a sacola com meus tênis de corrida na última gaveta, e bati os olhos na colagem de fotos minhas com Gideon, emoldurada em um porta-retrato em cima da mesa. Era um presente dele para que eu não o esquecesse nem por um momento, como se isso fosse preciso. Eu pensava nele até dormindo.

O telefone tocou. A chamada havia sido transferida da recepção. Brett não tinha desistido. Determinada a manter o tom profissional, uma forma de dizer que estava no trabalho e não podia receber ligações pessoais, eu atendi: "Escritório de Mark Garrity. Eva Tramell falando".

"Eva. Encontrei você. É o Brett."

Fechei os olhos para absorver melhor sua voz de sexo com chocolate. Com ela, ele levou sua banda, a Six-Ninths, ao sucesso. Ele tinha sido contratado pela Vidal Records, a gravadora dirigida por Christopher Vidal Sr., que inexplicavelmente também era controlada por seu enteado, Gideon.

Por falar em mundo pequeno...

"Olá", eu o cumprimentei. "Como vai a turnê?"

"É uma coisa surreal. A ficha ainda não caiu."

"É algo que você sempre quis, e que realmente merece. Aproveita."

"Valeu." Brett ficou em silêncio por um instante, e enquanto isso, sua imagem surgiu na minha mente. Ele estava lindo na última vez que o vi, com os cabelos espetados com as pontas descoloridas e os olhos verdes brilhando de desejo por mim. Ele era alto e musculoso, mas sem aquela hipertrofia dos homens bombados — seu corpo bem definido estava sempre em forma devido à atividade constante que a vida de um astro do rock exigia. Sua pele bronzeada era coberta de tatuagens, e ele tinha piercings no mamilo com os quais eu brincava com a língua sempre que queria sentir seu pau ficar ainda mais duro dentro de mim...

Perto de Gideon, porém, ele não era nada. Como toda mulher de bom senso, eu era capaz de admirar a beleza de Brett, mas Gideon pertencia a uma categoria à parte.

"Escuta só", disse Brett. "Sei que você está trabalhando, por isso não vou tomar muito do seu tempo. Estou voltando pra Nova York, e quero ver você."

Eu cruzei as pernas sob a mesa. "Acho que não é uma boa ideia."

"O clipe de 'Golden' vai ser exibido em primeira mão na Times Square", ele continuou. "Quero você lá comigo."

"Lá com... Uau." Eu esfreguei a testa com os dedos. Para distrair minha atenção do fato de ter me sentido atraída por sua proposta, pensei no que a minha mãe diria se me visse esfregando o rosto. Ela certamente afirmaria que isso provocava rugas. "Fico muito honrada com o convite, mas preciso saber... tudo bem se a gente for só amigos?"

"De jeito nenhum." Ele deu risada. "Você está solteira agora, loirinha. A derrota de Cross é a minha vitória."

Ai, merda. Fazia quase três semanas que as fotos da falsa reaproximação entre Gideon e Corinne circulavam pelos blogs de fofoca. Aparentemente, todos concordavam que já era hora de eu partir para outra. "Não é bem assim. Eu ainda não estou pronta pra outro relacionamento, Brett."

"Eu estou pedindo pra você me acompanhar em um evento, não pra casar comigo."

"Brett, é sério..."

"Você precisa ir, Eva." Sua voz assumiu o tom grave e sedutor que costumava me fazer cair de quatro por ele. "É a sua música. Você não pode me negar isso."

"Mas eu tenho que negar."

"Vou ficar muito chateado se você não for", ele disse baixinho. "Sem brincadeira. Podemos ir como amigos, se é esse o problema, mas você precisa estar lá comigo."

Eu suspirei e me debrucei sobre a mesa. "Não quero dar falsas esperanças pra você." *E nem irritar Gideon...*

"Seria um favor que você faria pra um amigo."

Até parece. Eu não disse nada.

Ele não desistiu. Não desistiria nunca. "Tudo bem?", ele perguntou.

Um copo de café se materializou junto ao meu braço, e eu vi Mark de pé ali ao meu lado. "Tudo bem", eu concordei para poder começar logo a trabalhar.

"Beleza." Havia um tom de triunfo em sua voz, e fiquei com a impressão de que ele havia acabado de dar um soco no ar. "Vai ser na quinta ou na sexta à noite, ainda não sei. Me passa o seu celular que eu mando uma mensagem pra confirmar."

Falei o número de forma apressada. "Anotou? Preciso desligar."

"Um bom dia de trabalho pra você", ele falou, fazendo com que me sentisse culpada por dispensá-lo de maneira tão grosseira. Ele era um cara legal, e poderia ser um ótimo amigo, mas essa possibilidade foi arruinada quando nós nos beijamos.

"Valeu. Brett... Eu estou muito feliz por você. Tchau." Pus o telefone de volta no gancho e sorri para Mark. "Bom dia."

"Está tudo bem?", ele perguntou, com a testa levemente franzida. Estava vestindo um terno azul-marinho e uma gravata roxa que combinavam superbem com sua pele escura.

"Sim. Obrigada pelo café."

"De nada. Está pronta para começar?"

Eu sorri. "Claro."

Não demorou muito para que eu percebesse que havia algo errado com Mark. Ele estava disperso e mal-humorado, o que não era nem um pouco comum. Estávamos trabalhando na campanha de um software dedicado ao ensino de idiomas, mas ele não conseguia se concentrar. Sugeri que conversássemos sobre outra campanha, de mercados de alimentos orgânicos, sem muito sucesso.

"Está tudo bem?", eu perguntei por fim, assumindo um tom desconfortavelmente pessoal, algo que sempre fazíamos questão de evitar quando estávamos trabalhando.

Quando saíamos para almoçar com Steven, seu companheiro, deixávamos de lado nossa relação profissional, mas sempre tomando o cuidado de não permitir que a amizade interferisse em nossas funções como chefe e funcionária. Era uma atitude respeitável da parte dele, ainda mais por saber que meu padrasto era rico. Para mim era importante poder contar com um chefe que levasse em conta apenas os meus próprios méritos.

"Quê?" Ele me olhou, e depois passou a mão pelo cabelo bem cortado. "Desculpa."

Eu pus o meu tablet em cima do colo. "Pelo jeito tem alguma coisa incomodando você."

Ele encolheu os ombros, recostando-se na cadeira. "Domingo faz sete anos que eu e Steven estamos juntos."

"Que demais." Eu sorri. Mark e Steven formavam o casal mais estável e amoroso que eu já tinha conhecido na vida. "Parabéns."

"Obrigado." Ele abriu um sorriso sem graça.

"Vocês vão sair pra comemorar? Já fizeram reserva em algum lugar ou quer que eu cuide disso?"

Ele sacudiu a cabeça. "Ainda não decidi. Não estou conseguindo escolher."

"Vamos conversar a respeito, então. Infelizmente nunca pude comemorar muitos aniversários de relacionamentos, mas a minha mãe é uma especialista nesse tipo de celebração. Eu aprendi umas coisinhas com ela."

Depois de ser casada com três homens ricos com uma intensa agenda social, Monica Tramell Barker Mitchell Stanton era mais do que qualificada para ser uma promotora de eventos profissional caso precisasse trabalhar para ganhar a vida.

"Vocês estão pensando em uma coisa mais íntima a dois, ou querem que os amigos e parentes também participem? Vocês costumam trocar presentes?"

"Eu quero casar!", ele respondeu.

"Ah. Entendi." Eu me recostei na cadeira. "Em termos de romance, nada supera isso."

Mark abriu um sorriso amarelo e lançou um olhar aflito para mim. "É pra ser uma coisa romântica. Quando Steven me pediu em casamento uns anos atrás, havia corações e flores por toda parte. Você sabe como ele é dramático. Ele caprichou."

Eu pisquei os olhos, incrédula. "Você recusou?"

"Eu adiei a ocasião. Tinha acabado de entrar na agência, ele também ainda não estava muito bem estabelecido em termos profissionais, e foi logo depois de reatarmos depois de uma briga horrorosa. Não parecia ser a hora certa, e eu não queria casar só por casar."

"Nunca dá pra saber quando é ou não a hora certa", eu disse baixinho, mais para mim mesma do que para ele.

"Mas eu não queria que ele levasse a coisa pro lado pessoal", continuou Mark, como se não tivesse me ouvido, "então disse que a minha recusa era à instituição do casamento, o que foi uma tremenda babaquice da minha parte."

Eu tive que segurar o riso. "Mas isso não torna você um babaca."

"E, nos últimos dois anos, ele já comentou mais de uma vez que eu fiz a coisa certa ao dizer não."

"Mas você não disse não. Só adiou a ocasião, certo?"

"Sei lá. Minha nossa, já nem sei mais o que eu falei." Ele se inclinou para a frente, apoiando o cotovelo sobre a mesa e escondendo o rosto entre as mãos. Sua voz saiu baixa e abafada. "Eu entrei em pânico. Tinha vinte e quatro anos de idade. Algumas pessoas se sentem prontas pra assumir um compromisso nessa idade, mas eu... Eu não."

"E, agora que tem vinte e oito, já se sente mais pronto?" A mesma idade de Gideon. Estremeci ao pensar nisso, em parte porque tinha a mesma idade de Mark quando recusou o pedido, e conseguia entender muito bem suas razões.

"Sim." Mark levantou a cabeça e me olhou. "Mais do que pronto. Estou contando os minutos, e cada vez mais ansioso. Isso sem falar no medo de que ele diga não. Isso era o que ele queria quatro anos atrás, mas agora pode muito bem estar em outra."

"Odeio dizer o óbvio, mas isso você só vai saber se perguntar." Eu abri um sorriso reconfortante. "Ele é apaixonado por você. Acho que as suas chances são excelentes."

Ele sorriu, revelando seus dentes charmosamente tortos. "Obrigado."

"Me avise se precisar de ajuda com as reservas."

"Eu agradeço muito." Sua expressão se acalmou. "Desculpa por ter tocado nesse assunto logo agora que você acabou de encarar uma separação."

"Não esquenta comigo. Eu estou ótima."

Mark me observou por um momento, e então balançou a cabeça positivamente.

"Quer sair pra almoçar?"

Desviei os olhos de cima da mesa e dei de cara com o rosto sincero de Will Granger. Will era o mais novo contratado da Waters Field & Leaman, e eu estava ajudando em seu período de adaptação à nova empresa. Ele usava costeletas e óculos de armação quadrada que lhe conferiam um ar retrô, meio beat, que combinava muito bem com sua personalidade. Will era supertranquilo e gente boa, e eu o adorava. "Claro. Está a fim de comer o quê?"

"Alguma massa, acompanhada de pão italiano. E depois um bolo. E talvez uma batata assada."

Eu ergui as sobrancelhas. "Certo. Mas se eu acabar vomitando na mesa e entrar em coma pelo excesso de carboidratos, você vai ter que limpar a minha barra com o Mark."

"Você é uma santa, Eva. A Natalie cismou que não vai comer mais carboidratos, e eu não aguento nem mais um dia sem amido e açúcar. Eu estou definhando. Dá só uma olhada."

Pelas histórias que ele contava, Will e Natalie, sua namorada desde os tempos do colégio, pareciam ser feitos um para o outro. Ele era louco por ela, apesar de estar sempre reclamando em tom de brincadeira de seus caprichos, e o contrário também parecia ser verdadeiro.

"Combinado", eu falei, me sentindo um tanto melancólica. Não poder assumir minha relação com Gideon era uma tortura. Principalmente depois de passar tanto tempo discutindo o relacionamento dos amigos.

Logo deu meio-dia, e enquanto esperava por Will mandei uma mensagem de texto para Shawna — a cunhada de Mark — perguntando se ela tinha planos para o sábado à noite. Tinha acabado de apertar o botão de envio quando o telefone da minha mesa tocou.

Atendi ao primeiro toque. "Escritório de Mark Garrity..."

"*Eva.*"

Os dedos do meu pé se contorceram quando ouvi a voz grave e rouca de Gideon. "Oi, garotão."

"Me diz que está tudo bem entre nós."

Eu mordi o lábio inferior, sentindo meu coração se contorcer dentro do peito. Ele parecia estar preocupado pelo mesmo motivo que eu. "Está tudo bem. Por que não estaria? Aconteceu alguma coisa?"

"Não." Ele fez uma pausa. "Eu só queria ter certeza."

"Eu não deixei isso bem claro ontem à noite?" *Quando estava arranhando as suas costas...* "Ou hoje de manhã?" *Quando estava chupando o seu pau...*

"Eu precisava ouvir isso em um momento em que você não estivesse olhando para mim." A voz de Gideon era um alento para os meus sentidos. Fiquei vermelha de vergonha.

"Desculpa", eu sussurrei, me sentindo sem graça. "Eu sei que você reage mal quando as mulheres tratam você como objeto. Eu não devia fazer isso."

"Eu nunca disse que não gostava que você se sentisse atraída por mim, Eva. Pelo amor de Deus." Seu tom de voz se tornou mais áspero. "Fico feliz que você goste do meu corpo, porque eu gosto pra caralho do seu."

Eu fechei os olhos, invadida pelo desejo. Agora que sabia o quanto era importante para ele, era cada vez mais difícil para mim ficar longe de Gideon. "Estou sentindo tanto a sua falta. E, pra completar, todo mundo acha que a gente está separado, e que eu preciso partir pra outra..."

"Não!" Seu grito reverberou ao telefone, fazendo com que eu levasse um susto. "Puta que pariu. Promete que vai me esperar, Eva. Eu esperei por você a minha vida toda."

Engoli em seco e abri os olhos bem a tempo de ver Will caminhando na minha direção. Eu baixei meu tom de voz. "Desde que você seja meu, posso esperar até o fim dos tempos."

"Não vai demorar tanto assim. Estou fazendo o possível. Acredite em mim."

"Eu acredito."

Um outro telefone tocou no escritório de Gideon. "Vejo você às oito em ponto", Gideon falou, um tanto apressado.

“Certo.”

Ele desligou, e no mesmo momento fui invadida por um sentimento profundo de solidão.

“Está pronta pra comilança?”, perguntou Will, esfregando as mãos de ansiedade. Megumi ia almoçar com seu novo namorado que não gostava de compromissos, então seríamos apenas eu, Will e toda a massa que fôssemos capazes de comer em uma hora.

Um estupor movido a carboidrato era tudo o que eu precisava, então me levantei e disse: “Vamos lá!”.

Comprei um energético light no caminho de volta do almoço. Às cinco horas, eu sabia que seria preciso encarar a esteira depois do trabalho.

Eu estava matriculada na academia Equinox, mas na verdade estava a fim de ir à CrossTrainer. A distância entre mim e Gideon estava pesando mais do que nunca. Passar um tempo em um lugar que me trazia boas lembranças ao lado dele ajudaria a aliviar essa sensação. Além disso, havia um sentimento de lealdade envolvido. Gideon era o meu amor. Eu faria de tudo para passar o resto da vida ao lado dele. Para mim, isso significava também apoiá-lo em tudo que ele fizesse.

Voltei andando para casa, sem me preocupar se ficaria suada, já que mais tarde iria à academia. Quando o elevador se abriu no meu andar, meus olhos se dirigiram imediatamente para a porta do apartamento ao lado. Brinquei com os dedos com a chave que Gideon havia me dado. A ideia de dar uma espiadinha no apartamento dele era bem sedutora. Seria parecido com sua cobertura na Quinta Avenida? Ou bem diferente?

O apartamento em que Gideon morava era deslumbrante, com seu charme europeu característico da arquitetura do pré-guerra. Era espaçoso e luxuosíssimo, mas sem deixar de ser acolhedor. Era um lugar apropriado tanto para crianças como para chefes de estado.

E como seria seu lar temporário? Pouca mobília, nenhuma arte nas paredes, uma cozinha sem nenhum equipamento? O quanto aquele lugar teria a cara dele?

Parada diante do meu apartamento, olhei para a porta ao lado e fiquei seriamente em dúvida. No fim, acabei resistindo à tentação. Queria que ele mesmo me apresentasse sua casa nova.

Ao entrar na sala de casa, fui recebida pelo som de uma risada feminina. Não fiquei nem um pouco surpresa ao encontrar uma loira de pernas compridas no meu sofá branco ao lado de Cary, com a mão no colo dele, acariciando-o por cima da calça de moletom. Ele ainda estava sem camisa, com o braço sobre os ombros de Tatiana Cherlin, passando os dedos pelos braços dela.

"Oi, gata", ele me cumprimentou com um sorriso. "Como foi seu dia?"

"O mesmo de sempre. Oi, Tatiana."

Ela respondeu com um aceno de cabeça. Era lindíssima, o que na verdade era de esperar, já que trabalhava como modelo. Visual à parte, desde o começo eu não fui com a cara dela, e isso não tinha mudado desde então. Mas, observando sua relação com Cary, eu era obrigada a admitir que ela fazia bem para ele.

Os hematomas no rosto dele já haviam sumido, mas Cary ainda se recuperava de uma agressão brutal, uma emboscada armada por Nathan que deu início à sequência de eventos que provocaram meu rompimento com Gideon.

"Vou me trocar para ir à academia", eu falei, tomando o caminho do corredor.

Atrás de mim, ouvi Cary dizer a Tatiana: "Espera um pouco, preciso conversar com a minha amiga".

Entrei no quarto e larguei a bolsa em cima da cama. Estava remexendo na cômoda quando Cary apareceu à porta. "Como você está?", eu perguntei.

"Já estou melhor." Seus olhos verdes brilharam maliciosamente. "E você?"

"Também."

Ele cruzou os braços sobre o peito nu. "Por causa daquela sacanagem toda que rolou aqui ontem à noite?"

Fechei a gaveta com os quadris e respondi: "Está falando sério? Eu não consigo ouvir nada do que acontece no seu quarto. Como você consegue ouvir o que rola no meu?".

Ele bateu com o dedo na cabeça. "Radar sexual. Eu ainda tenho isso."

"E isso quer dizer o quê? Que eu não tenho?"

"Acho que o Cross danificou os seus circuitos numa daquelas maratonas sexuais. Ainda não consigo entender como ele é capaz de fazer isso. E por que não pode fazer *comigo*."

Eu atirei meu top de ginástica nele.

Ele pegou com facilidade, dando risada. "Então? Quem foi?"

Eu mordi o lábio, pois não queria mentir para a única pessoa que sempre era sincera comigo, mesmo quando isso significava dizer algo que não iria me agradar. "Um cara que trabalha no Crossfire."

Já sem o sorriso no rosto, Cary entrou no quarto e fechou a porta. "E do nada você decidiu trazer ele pra casa e trepar a noite toda? Pensei que você tivesse ido à aula de krav maga."

"Eu fui. Ele mora ali perto, e a gente se encontrou por acaso depois da aula. Uma coisa levou à outra, e..."

"Eu preciso me preocupar com alguma coisa?", ele perguntou baixinho, olhando bem para mim enquanto devolvia o meu top. "Fazia um tempão que você não transava com um estranho."

"Não é bem assim." Tive que me esforçar para olhar nos olhos de Cary, pois sabia que, caso não o fizesse, ele não acreditaria em mim. "Nós estamos... saindo juntos. Vou jantar com ele hoje à noite."

"E você vai me apresentar esse cara?"

"Claro. Mas não hoje. Vamos jantar na casa dele."

Ele sorriu. "Você está me escondendo alguma coisa. Desembucha."

Tentei mudar de assunto. "Vi você e o Trey se beijando hoje de manhã na cozinha."

"Sei."

"Está tudo bem entre vocês dois?"

"Não tenho do que reclamar."

Puxa vida. Quando Cary cismava com alguma coisa, nada era capaz de fazê-lo desistir. Tentei mudar de assunto de novo.

"Conversei com Brett hoje de manhã", disse de forma meio casual, como se não fosse nada de mais. "Ele me ligou lá no trabalho. E não, não era ele ontem à noite."

Cary ergueu as sobrancelhas. "O que ele queria?"

Tirei os sapatos e fui até o banheiro tirar o que havia sobrado de maquiagem no meu rosto. "Ele vai vir pra Nova York lançar o clipe daquela música, 'Golden', e ligou pra me convidar pro evento."

"Eva...", ele começou naquele tom de voz que os pais costumam usar com crianças travessas.

"Queria que você fosse junto."

Isso pareceu fazê-lo mudar de ideia. "Por quê? Você não confia em si mesma?"

Eu encarei seu reflexo no espelho. "Não vai rolar nada entre nós, Cary. Nosso caso nunca foi sério de verdade, então não precisa nem se preocupar. Quero que você vá porque vai ser divertido, e eu não quero dar falsas esperanças pro Brett. Nós combinamos de ir como amigos, mas acho melhor ter alguém por perto pra reforçar essa ideia. Só por precaução."

"Você não devia ter aceitado esse convite."

"Eu tentei recusar."

"É só dizer não, gata. Não é tão difícil assim."

"Ah, cala a boca!" Esfreguei um dos olhos com um lencinho de tirar maquiagem. "Já me basta o quanto estou me sentindo culpada por ter aceitado!

E justo você vem com essa conversa, depois de ter achado tanta graça quando fui ao show dele sem saber de quem se tratava. Você é a última pessoa que pode vir me dizer alguma coisa."

Porque Gideon com certeza iria falar poucas e boas...

Cary franziu a testa. "E por que diabos você está se sentindo culpada?"

"Brett levou uma tremenda surra por minha causa!"

"Nãããão, ele levou uma surra porque beijou uma linda garota sem medir as consequências. Ele devia ter imaginado que você estaria acompanhada. E que bicho mordeu você, por falar nisso?"

"Eu não preciso ouvir sermão nenhum a respeito do Brett, certo?" O que eu precisava era contar tudo sobre o meu relacionamento com Gideon e compartilhar minhas preocupações com o meu melhor amigo, mas isso não era possível, o que só tornava as atribulações pelas quais estava passando ainda piores. Estava me sentindo sozinha e perdida. "Eu já falei, esse erro eu não cometo mais."

"Ainda bem."

Decidi compartilhar o que era possível sem comprometer nosso segredo, pois sabia que Cary não iria me julgar. "Eu ainda sou apaixonada pelo Gideon."

"Isso está na cara", ele falou. "E aliás, tenho certeza de que ele está sofrendo tanto quanto você."

Eu o abracei. "Obrigada."

"Pelo quê?"

"Por você existir."

Ele deu uma risadinha. "Não estou dizendo pra você ficar esperando por ele. Se o lance com Cross acabou, paciência. Mas acho que você ainda não está pronta pra levar outro cara pra cama. Sexo casual não combina com você, Eva. No seu caso, é preciso ter algum sentimento envolvido. É por isso que você se sente tão mal quando chuta o balde."

"É verdade, isso nunca funciona", eu concordei, e continuei limpando o rosto. "Você vai ao lançamento do clipe comigo?"

"Vou, sim."

"E vai querer levar Trey ou Tatiana?"

Ele sacudiu a cabeça, virou para o espelho e arrumou o cabelo com movimentos habilidosos com a mão. "Mas aí pareceriam dois casais. Prefiro só eu e você. Assim tem mais impacto."

Eu o olhei pelo espelho e abri um sorriso. "Eu adoro você."

Ele me mandou um beijo. "Então se cuida, gata. É só isso que eu quero de você."

O presente que eu mais gostava de dar para quem se mudava para uma casa nova eram copos de martíni Waterford. Para mim, eram a mistura perfeita de luxo, diversão e utilidade. Já tinha dado um conjunto para uma amiga de faculdade que não sabia nem o que era cristal Waterford, mas que adorava martínis, e para minha mãe, que não bebia martínis, mas adorava cristal Waterford. E era um presente que me parecia adequado para Gideon Cross, um homem com dinheiro de sobra.

Mas não era isso que eu tinha em mãos quando bati à sua porta.

Nervosa, eu alternava o peso do corpo entre uma perna e outra, alisando meu vestido. Me arrumei toda depois de voltar da academia, caprichando no meu penteado Nova Eva e na sombra escura nos olhos. O batom cor-de-rosa era do tipo que não borrava, e eu estava vestida com um vestidinho preto com um decote cavado e quase todo aberto nas costas.

A saia curta do vestido mostrava boa parte das minhas pernas, assim como os sapatos Jimmy Choos, que deixavam os dedos de fora. Estava também com as argolas de diamantes que usei no nosso primeiro encontro, e o anel que ele havia me dado, com cruzes incrustadas de diamantes ao redor da joia, simbolizando nossos pontos em comum.

A porta se abriu e eu senti minhas pernas vacilarem um pouquinho, abalada pela beleza e a sensualidade do homem que me recebeu. Gideon também devia estar meio nostálgico. Usava o mesmo suéter preto que vestia na balada onde tínhamos conversado pela primeira vez fora do Crossfire. Ele ficava lindo daquele jeito — uma mistura perfeita de elegância e casualidade. Combinado com a calça cor de chumbo e os pés descalços, o efeito que causava era arrebatador.

"Minha nossa", ele exclamou. "Você está linda. Da próxima vez me avisa antes de eu abrir a porta."

Eu abri um sorriso. "Olá, moreno perigoso."

5

A boca de Gideon se curvou em um sorriso devastador quando estendeu a mão para mim. Quando meus dedos tocaram os seus, ele me puxou para perto e beijou de leve os meus lábios. A porta se fechou atrás de mim e ele a trancou, deixando o mundo todo do lado de fora.

Agarrei com força seu suéter com a mão. "Você está usando a minha blusa favorita."

"Eu sei." Ele se sentou em um sofá, puxando a mão que me segurava e a colocando sobre o ombro. "Fique à vontade, meu anjo. Você só vai precisar desses sapatos quando estiver prontinha pra dar pra mim."

Meu ventre se contraiu de ansiedade. "E se eu já estiver pronta agora?"

"Não está. Você vai saber quando chegar a hora."

Enquanto Gideon tirava um dos meus sapatos, eu apoiei o peso do corpo no outro pé. "Ah, é? Como?"

Ele me encarou com seus olhos azuis e intensos. Estava quase de joelhos diante de mim, mas ainda assim controlava a situação. "O meu pau vai estar prestes a entrar em você."

Minhas pernas se inquietaram novamente, dessa vez por outro motivo. *Sim, por favor...*

Ele se endireitou e mais uma vez me olhou de cima a baixo. Seus dedos passearam pelo meu rosto. "O que tem na sacola?"

"Ah." Tive que me esforçar para desfazer o feitiço sexual em que ele havia me envolvido. "Um presente pra casa nova."

Dei uma olhada ao redor. Era um apartamento do mesmo tamanho do meu, bem decorado e acolhedor. Eu meio que esperava um espaço semivazio, equipado apenas com o essencial. Mas no fim parecia mesmo a casa de alguém. Só que iluminada à luz de velas, lançando um brilho dourado sobre uma mobília bastante familiar para mim, por ser uma mistura da *minha* casa *com* a dele.

Atordoada, nem percebi quando ele tirou a sacola da minha mão. Já descalça, passei por ele e vi mesinhas como as que havia na minha sala posicionadas ao lado do sofá e das poltronas idênticas às que ele tinha em sua cobertura. O hack era igual ao meu, mas sobre ele estavam as coisas de Gideon e fotos emolduradas de nós dois. As cortinas eram como as minhas, e os abajures eram os mesmos do apartamento dele.

Na parede, onde na minha casa estava a TV, havia uma imagem minha jogando um beijo, uma versão para lá de ampliada da foto que eu tinha dado para ele pôr sobre sua mesa no Crossfire.

Eu me virei lentamente, tentando observar todas as coincidências. Ele já havia me surpreendido assim outra vez, quando criou uma réplica exata do meu quarto em sua cobertura, para me oferecer um refúgio quando as coisas ficassem intensas demais.

"Quando foi que você se mudou pra cá?" Eu adorei aquilo. A mistura do meu estilo moderno com a elegância europeia dele parecia perfeita. Ele tinha juntado todas as peças para criar um espaço que era... a *nossa* cara.

"Na semana em que Cary ficou internado no hospital."

Eu o encarei. "Está falando sério?"

Foi quando Gideon começou a se afastar de mim, a me evitar. Depois começou a andar de novo com Corinne, e logo depois eu não conseguia mais falar com ele.

A decoração do apartamento também deve ter tomado boa parte de seu tempo.

"Eu precisava estar por perto", ele falou distraído, olhando dentro da sacola. "Tinha que ter como chegar até você bem depressa. Antes de Nathan."

Fiquei atordoada. No período em que senti Gideon mais distante de mim, ele estava logo ao lado. Me protegendo. "Quando eu liguei do hospital..." Eu engoli com dificuldade, sentindo um nó na garganta. "Tinha alguém com você..."

"Raúl. Ele estava cuidando da mudança. Eu precisava terminar tudo antes que Cary voltasse pra casa." Ele me olhou. "Toalhas, meu anjo?", ele perguntou em um tom divertido.

Ele tirou as toalhas de mão brancas com o emblema da CrossTrainer da sacola. Eu havia comprado na academia. Na ocasião, imaginei que estava indo para um lar provisório de um homem solteiro. Àquela altura, a ideia parecia ridícula.

"Me desculpe", eu falei, ainda perplexa pela visão do apartamento. "Não fazia a menor ideia de como você estava instalado aqui."

Tentei pegar as toalhas de sua mão, mas ele não deixou. "Os seus presentes são sempre muito atenciosos. Me diga no que estava pensando quando comprou este."

"A ideia era que você pensasse em mim."

"Todos os minutos do meu dia", ele murmurou.

"Sim, mas me deixe completar o seu pensamento: eu... quente e toda suada... desesperada pra ter você."

"Humm... Uma fantasia bastante recorrente pra mim."

De repente, a imagem de Gideon se masturbando no chuveiro me veio à mente. Não havia palavras para descrever o quanto aquela imagem foi marcante para mim. "Você sempre pensa em mim quando bate punheta?"

"Eu não faço isso."

"Quê? Qual é? Todo homem faz isso."

Gideon pegou a minha mão, e nossos dedos se entrelaçaram. Ele me puxou na direção da cozinha, de onde vinha um cheiro divino. "Vamos beber um vinho enquanto conversamos."

"Está querendo me embebedar pra depois se aproveitar de mim?"

"Não." Ele me soltou e deixou a sacola com as toalhas sobre o balcão. "Eu sei que com você comida funciona melhor. O caminho pro seu coração passa pelo estômago."

Sentei em um banquinho idêntico ao do meu apartamento, emocionada com aquele jeito singular que ele tinha para fazer com que me sentisse em casa. "Pro meu coração? Ou pra dentro da minha calça?"

Ele sorriu enquanto servia o vinho tinto de uma garrafa previamente aberta. "Você nem está usando calça."

"E nem calcinha."

"Cuidado, Eva." Gideon olhou para mim, todo sério. "Ou então vai arruinar a minha tentativa de seduzir você como se deve antes de aprontarmos o diabo em cada metro quadrado deste apartamento."

Minha boca ficou seca. O olhar em seu rosto quando me entregou a taça me deixou vermelha e até meio tonta.

"Antes de você", ele murmurou, com os lábios colados à borda da taça, "eu batia uma toda vez que tomava banho. Era parte do ritual, assim como lavar os cabelos."

Nisso eu acreditei. Gideon era um homem com um apetite sexual intenso. Quando estávamos juntos, ele transava comigo antes de dormir, depois de acordar e ainda dava um jeito de escapar para uma rapidinha no meio do dia.

"Desde que estou com você, só uma vez", ele continuou. "E você estava junto."

Fiquei com a taça suspensa no ar. "Sério mesmo?"

"Sério mesmo."

Tomei um gole de vinho e tentei organizar meus pensamentos. "Por que você parou? Nas últimas semanas... Nós ficamos um bom tempo separados."

Um leve sorriso se insinuou em seus lábios. "Eu não posso desperdiçar uma gota sequer se quiser acompanhar o seu ritmo."

Pus a taça sobre o balcão e dei um empurrão em seu ombro. "Do jeito que você fala, parece que eu sou uma ninfomaníaca!"

"Você gosta de sexo, meu anjo", ele respondeu com a voz mansa. "Não tem nada de errado nisso. Você é gulosa e insaciável, o que eu adoro. Gosto de saber que, quando for pra cama com você, vou gastar todas as minhas energias. E depois começar tudo de novo."

Senti meu rosto ficar vermelho. "Pra sua informação, eu não me masturbei nenhuma vez enquanto ficamos separados. Nem vontade senti, porque você não estava por perto."

Ele se inclinou sobre o balcão, apoiando um dos cotovelos no granito escuro. "Humm."

"Eu gosto tanto de transar com você porque é com *você*, e não porque sou louca por sexo. Se você não gosta, é só ficar barrigudo, ou então parar de tomar banho, sei lá." Eu desci do banquinho. "Ou então dizer não, Gideon."

Fui andando até a sala, tentando me livrar do sentimento de inquietação que havia me perturbado o dia todo.

Gideon me abraçou por trás e me segurou. "Pode parar", ele disse com aquele seu tom de voz autoritário que sempre me deixava excitada.

Eu tentei me soltar.

"Estou mandando, Eva."

Eu parei de resistir, deixando meus braços caírem ao lado do corpo.

"Quer me explicar que porra foi essa?", ele perguntou sem se alterar.

Eu abaixei a cabeça e não falei nada, pois não sabia o que dizer. Depois de um tempo em silêncio, Gideon me abraçou e me conduziu até o sofá. Ele se sentou e me pôs em seu colo. Eu me aninhei junto ao seu corpo.

Ele apoiou o queixo no topo da minha cabeça. "Está querendo brigar, meu anjo?"

"Não", eu murmurei.

"Ótimo. Eu também não." Ele começou a acariciar minhas costas. "Então vamos conversar em vez disso."

Apoiei o nariz na garganta dele. "Eu te amo."

"Eu sei." Ele jogou a cabeça para trás, permitindo que eu me ajeitasse melhor.

"Eu não sou viciada em sexo."

"E se fosse também não teria problema. Transar com você é a coisa que eu mais gosto de fazer no mundo. Na verdade, se você quisesse, eu incluiria o sexo com você na minha agenda do dia a dia, como um compromisso profissional."

"Ai, meu Deus!" Eu o mordi de leve, e ele deu risada.

Gideon agarrou meus cabelos com uma das mãos e puxou minha cabeça para trás. O olhar no seu rosto era sério, porém ameno. "Você não está chateada por causa da nossa vida sexual, que é ótima. Tem algum outro problema."

Eu suspirei e admiti: "Não sei o que é. Só sei que estou... *esquisita*."

Gideon me puxou para mais perto, me ajeitando em seu colo e me fazendo sentir seu calor. Nossos corpos combinavam muito bem, minhas curvas se encaixavam perfeitamente em suas linhas esculpidas. "Gostou do apartamento?"

"Adorei."

"Ótimo." Seu tom de voz era de satisfação. "Obviamente, é um exemplo... claro que meio exagerado..."

Meu coração se acelerou. "De como seria a nossa casa?"

"Vamos começar do zero, claro. Com tudo novo."

Fiquei emocionada com suas palavras. Ainda assim, fui obrigada a dizer: "Isso é perigoso demais. Mudar pra cá, entrar e sair do prédio. Fico nervosa só de pensar".

"No papel, este apartamento é ocupado por um morador como qualquer outro. Então, obviamente, ele mobiliou tudo, e entra e sai do prédio normalmente. Pela garagem, como todos os outros inquilinos que têm carro. Quando me passo por ele, uso roupas um pouco diferentes, subo e desço pelas escadas e fico de olho nos monitores de segurança, pra saber se vou cruzar com alguém no caminho."

O nível de detalhamento daquele planejamento era uma coisa intrigante para mim, mas logo me dei conta de que ele tinha prática nesse tipo de coisa, já que foi assim que chegou até Nathan. "Tantos incômodos, e tantos gastos. Por mim. Eu não... não sei o que dizer."

"Diga que quer morar comigo."

Senti uma onda de prazer me invadir ao ouvir aquelas palavras. "Esse seu pedido tem um cronograma incluso?"

"Assim que for possível." Ele apertou de leve a minha coxa.

Pus a minha mão sobre a dele. Havia tanta coisa a superar para que pudéssemos morar juntos: nossos traumas do passado; a rejeição do meu pai, que não gostava de gente rica e achava que Gideon era um sujeito desonesto; e a minha própria resistência, pois eu adorava o meu apartamento e a minha independência.

Por questões práticas, fui direto ao ponto mais importante. "E o Cary?"

"O meu apartamento tem um anexo para hóspedes."

Eu me virei para ele e o encarei. "Você faria isso pelo Cary?"

"Não, eu faria isso por você."

"Gideon, eu..." Eu não sabia o que dizer. Estava perplexa. Alguma coisa parecia estar borbulhando dentro de mim.

"Então o problema também não é o apartamento", ele continuou. "Tem alguma coisa mais que você precisa me dizer."

Decidi deixar o caso Brett por último. "Combinei de sair com as meninas no sábado à noite."

Ele ficou paralisado. Para alguém que não o conhecesse, isso poderia passar despercebido, mas eu sabia que era um sinal claríssimo de desconforto. "Sair no sábado à noite pra fazer o quê?"

"Dançar. Beber. O de sempre."

"É pra ir atrás de homem?"

"Não." Eu passei a língua pelos lábios, perplexa com sua mudança de humor. Ele passou de intimamente brincalhão para intensamente preocupado. "Todas nós somos comprometidas. Pelo menos é o que eu acho. A amiga da Megumi eu não sei, mas ela tem namorado, e a Shawna tem o chef dela, como você bem sabe."

De repente, ele parecia estar em uma mesa de negociação quando falou: "Eu providencio tudo, o carro, o motorista e o segurança. Se você concordar em se limitar aos meus estabelecimentos, o segurança fica no carro. Caso contrário, ele vai atrás de você".

Pisquei os olhos, surpresa, e concordei. "Tudo bem."

Na cozinha, o timer do forno começou a apitar.

Gideon se levantou sem me tirar do colo, com um movimento rápido e seguro. Eu arregalei os olhos. Meu sangue se acelerou nas veias. Eu me agarrei a seu pescoço e deixei que me carregasse até a cozinha. "Que homem forte, adoro isso."

"É você que se impressiona facilmente." Ele me sentou em um dos banquinhos e me deu um beijo demorado antes de ir até o forno.

"Foi você que cozinhou?" Eu não sei por que fiquei surpresa por isso, mas fiquei.

"Não. O Arnoldo tinha uma lasanha pronta pra ir pro forno e me fez uma salada pra viagem."

"Que delícia." Eu já havia comido no restaurante do famoso chef Arnoldo Ricci, e por isso sabia que a comida estaria divina.

Peguei a taça e desperdicei um vinho maravilhoso bebendo tudo de uma vez para criar coragem, sabendo que aquele era o momento de trazer à tona o mais indelicado dos assuntos. Respirei fundo e falei: "Brett me ligou hoje de manhã".

Por alguns instantes, pensei que Gideon não tivesse me ouvido. Ele calçou a luva térmica, abriu o forno, e tirou de lá a lasanha sem se distrair. Só voltou a olhar para mim quando pôs a assadeira sobre o fogão, e nesse momento tive certeza de que ele havia escutado cada palavra que eu havia dito.

Ele largou a luva sobre o balcão, pegou a garrafa de vinho e veio até mim. Com a maior tranquilidade, pegou minha taça e a encheu de novo antes de falar. "Ele quer encontrar você quando vier a Nova York na semana que vem."

Precisei parar um pouco para pensar antes de responder. "Você já sabia que ele vinha!", eu acusei.

"Claro que sabia."

Só não entendi se era porque a banda de Brett tinha contrato com a Vidal Records ou porque Gideon estava monitorando os passos dele. As duas opções faziam sentido.

"E você topou se encontrar com ele?" Seu tom de voz parecia perigosamente calmo e controlado.

Ignorando o frio que sentia na barriga, eu o encarei fixamente. "Sim, no lançamento do clipe do Six-Ninths. Cary vai comigo."

Gideon balançou a cabeça positivamente. Eu não fazia a menor ideia do que ele poderia estar pensando.

Desci do banquinho e cheguei mais perto. Ele me envolveu em seus braços e apoiou o queixo sobre a minha cabeça.

"Eu vou cancelar tudo", me apressei em dizer. "Eu nem queria ir, na verdade."

"Tudo bem." Balançando de um lado para o outro, me embalando, ele sussurrou: "Eu fui um cretino com você".

"Não foi por isso que eu concordei em ir!"

Suas mãos acariciavam meus cabelos, roçando de leve a minha testa e o meu rosto com uma ternura que fez meus olhos se encherem de lágrimas. "Nós não podemos esquecer o que aconteceu nas últimas semanas, Eva. Eu cortei seu coração, e você ainda está sangrando."

Foi nesse momento que percebi que não estava pronta para retomar nosso relacionamento como se nada tivesse acontecido. Uma parte de mim ainda estava ressentida, e Gideon sabia disso.

Eu me livrei de seu abraço. "O que você está querendo dizer?"

"Que eu não tinha o direito de magoar você, fosse pelo motivo que fosse, e ainda esperar que fosse me perdoar do dia pra noite."

"Você matou um homem por minha causa!"

"Mas você não me deve nada por isso", ele rebateu. "Você não tem obrigação nenhuma de retribuir o meu amor."

Eu me emocionava demais quando ele dizia que me amava. Suas palavras para mim valiam mais que suas atitudes, por mais extremas que fossem.

Quando respondi, meu tom de voz já tinha se suavizado de novo. "Eu não quero magoar você, Gideon."

"Então não me magoe." Ele me beijou com um carinho comovente. "Vamos comer logo, antes que a comida esfrie."

Eu vesti uma camiseta das Indústrias Cross e uma das calças de pijama de Gideon, que enrolei nos calcanhares para não ficar arrastando no chão. Pusemos as velas sobre a mesinha de centro e comemos sentados no chão. Gideon não tirou o meu suéter favorito, mas vestiu umas calças largas de ficar em casa.

Lambendo o molho de tomate dos lábios, eu contei a ele sobre o restante do meu dia. "Mark está criando coragem pra pedir o companheiro dele em casamento."

"Se eu me lembro bem, eles estão juntos faz tempo."

"Desde a época da faculdade."

Gideon abriu um sorriso. "Acho que é sempre uma pergunta difícil, mesmo quando se tem certeza de qual vai ser a resposta."

Eu baixei os olhos para o meu prato. "Corinne estava nervosa quando pediu você em casamento?"

"Eva." Ele esperou em silêncio até que eu levantasse a cabeça. "Não vamos falar sobre isso."

"Por que não?"

"Porque não significa nada."

Eu o encarei. "Como você se sentiria se soubesse que eu já fui pedida em casamento e aceitei? Hipoteticamente."

Ele me lançou um olhar aborrecido. "Seria diferente, porque você só aceitaria se casar com um cara se tivesse um sentimento muito forte por ele. Já o que eu senti foi... pânico. E isso só passou quando ela desfez o compromisso."

"E você comprou uma aliança pra ela?" Só de imaginar que ele pudesse ter comprado uma aliança para outra mulher, fiquei abalada. Olhei para a minha mão, para o anel que ele tinha me dado.

"Nada que pudesse competir com esse", ele disse baixinho.

Eu fechei a mão, escondendo o meu anel.

Gideon se inclinou para a frente e pôs sua mão sobre a minha. "Eu comprei a aliança pra ela na primeira loja que apareceu no caminho. Não sabia nem o que estava fazendo, então escolhi uma que era parecida com a da minha mãe. As circunstâncias eram muito diferentes, concorda?"

"Sim." O anel que dei para ele não era exclusivo nem feito sob encomenda, mas eu vasculhei seis lojas diferentes até achar o que queria. Era de platina com diamantes negros, a imagem perfeita de Gideon — elegante, masculino e dominante.

"Desculpa", eu falei, fazendo uma careta. "Eu sou uma idiota mesmo."

Ele pegou a minha mão e beijou os meus dedos. "Eu também sou às vezes."

Aquilo me fez rir. "Acho que Mark e Steven foram feitos um pro outro, mas Mark acha que, como demorou muito pra pedir, o tempo pra isso já passou."

"Acho que o fato de ser a pessoa certa é muito mais importante do que ser no *timing* certo."

"Estou torcendo muito por eles." Peguei minha taça de vinho. "Quer ver TV?"

Gideon apoiou as costas no sofá. "Só quero ficar com você, meu anjo. Por mim podemos fazer qualquer coisa."

Arrumamos juntos a bagunça na cozinha. Quando estiquei a mão para pôr na máquina a louça que Gideon tinha enxaguado, ele aproveitou para pegar a minha mão, deixando os pratos de lado. Ele me abraçou pela cintura e começou a me conduzir em uma dança. Lá da sala, vinha uma música linda, interpretada por uma voz feminina límpida e tocante.

"Que música é essa?", eu perguntei, quase sem fôlego ao sentir o corpo de Gideon contra o meu. Meu desejo por ele se acendeu, fazendo com que eu me sentisse mais viva. Todos os nervos do meu corpo ficaram alertas, à espera de seu toque. A excitação se misturou à ansiedade.

"Não faço ideia." Ele foi me levando até a sala.

Eu me deixei levar por sua condução perfeita, adorando o fato de que nós dois gostávamos de dançar, e que aquela era a melhor forma de ele demonstrar que estava feliz por estar comigo. Da minha parte, eu estava extasiada, sentindo meus passos cada vez mais leves até me dar a impressão de que estávamos flutuando. Quando nos aproximamos das caixas de som, o volume da música ficou mais alto. Ouvi as palavras *obscuro* e *perigoso*, e senti minhas pernas enfraquecerem.

"Exagerou no vinho, meu anjo?", provocou Gideon, me puxando para mais perto.

Minha atenção, porém, estava toda voltada para a música. Para a dor que a cantora sentia. Uma relação conflituosa que ela comparava com ser apaixonada por um fantasma. Isso me fez lembrar dos dias em que achei que tivesse perdido Gideon para sempre, e senti um aperto no coração.

Eu olhei para ele, que me encarava com seus olhos reluzentes.

"Você parecia tão feliz quando estava dançando com o seu pai", ele falou, e percebi que ele estava querendo reavivar lembranças importantes para nós.

"E estou feliz agora também", garanti, apesar de sentir os olhos arderem sob seu olhar de desejo, uma sensação que eu conhecia muito bem. Se era a vontade que unia as almas, então as nossas estavam fundidas para sempre.

Agarrando sua nuca, eu puxei sua boca até mim. Quando nossos lábios se tocaram, ele perdeu o ritmo e parou de dançar, me abraçando com tanta força que tirou meus pés do chão.

Ao contrário da melancólica cantora, eu não estava apaixonada por um fantasma, e sim por um homem de carne e osso, que cometia seus equívocos, mas que também aprendia com eles. Um homem que se esforçava para ser uma pessoa melhor por minha causa, que queria que nossa relação desse certo tanto quanto eu.

"A minha maior felicidade é estar com você", eu falei.

"Ah, Eva."

Ele me deu um beijo de tirar o fôlego.

"Foi o menino", eu falei.

Gideon estava fazendo círculos com os dedos em volta do meu umbigo. "Que horror."

Estávamos deitados no sofá, vendo meu programa preferido de investigação policial. Ele estava atrás de mim, com o queixo encostado no meu ombro e as pernas enroscadas às minhas.

"É assim que essas coisas funcionam", eu expliquei. "Eles querem te chocar e por aí vai."

"Acho que foi a vovó."

"Ai, meu Deus." Eu virei a cabeça para encará-lo. "E isso você *não acha* um horror?"

Ele sorriu e me deu um beijo no rosto. "Quer apostar?"

"Eu não faço apostas."

"Ah, qual é." Ele pôs a mão espalmada sobre a minha barriga para me manter na mesma posição enquanto se apoiava sobre o cotovelo para me olhar.

"Não mesmo." Eu senti o toque do pau dele contra a curvatura das minhas nádegas, todo o seu peso e sua extensão. Não estava totalmente ereto, mas nem por isso poderia ser ignorado. Curiosa, coloquei o braço entre nós e o agarrei com a mão.

Ele endureceu imediatamente. Gideon ergueu uma sobrancelha. "Está querendo se aproveitar de mim, meu anjo?"

Eu o apertei de levinho. "Na verdade, estou com tesão e meio entediada, me perguntando por que o meu vizinho ainda não tentou nada comigo."

"Vai ver ele não quer apressar as coisas, está com medo de ser considerado abusado demais." Os olhos de Gideon brilhavam à luz do televisor.

"É mesmo?"

Ele esfregou o nariz de levinho na minha têmpora. "Se ele tiver o mínimo de juízo, não vai querer fazer nada que possa desagradar você."

Ah... "Então talvez eu deva tomar a iniciativa", sussurrei. "Mas será que ele não vai pensar que eu sou fácil demais?"

"Ele estará muito ocupado pensando na sorte que tem."

"Bom, então..." Eu me virei para ficar de frente para ele. "Olá, vizinho."

Ele passou o dedo pelo contorno da minha sobrancelha. "Oi. A vista daqui é mesmo linda."

"E os apartamentos são todos muito bem equipados."

"Ah, é? Têm até toalhas?"

Dei um empurrão em seu ombro. "Você quer dar uns amassos ou não?"

"Dar uns amassos?" Ele jogou a cabeça para trás e caiu na gargalhada, com o peito vibrando contra o meu, produzindo um som profundo e luxurioso, que fez os dedos dos meus pés se contorcerem. Gideon raramente dava risada.

Enfiei as mãos por baixo de seu suéter e acariciei sua pele macia. Meus lábios desceram para o seu queixo. "Isso é um não?"

"Meu anjo, eu vou colocar minha boca em qualquer lugar do seu corpo."

"Então comece aqui." Eu ofereci minha boca e ele aceitou, encostando os lábios de leve contra os meus. Ele me explorou com sua língua, me acariciando cada vez mais profundamente.

Eu me deixei afundar sob seu corpo, gemendo de leve quando ele se mexeu para ficar em cima de mim. Minhas mãos passeavam por suas costas, e ergui uma das pernas para enlaçar seu quadril. Mordi seu lábio inferior e percorri o contorno de sua boca com a ponta da língua.

Ele soltou um gemido tão sensual que me deixou toda molhada.

Minhas costas se arquearam quando sua mão se enfiou por baixo da minha camiseta e agarrou meu seio desnudo, beliscando de leve o mamilo com o indicador e o polegar.

"Você é tão macia", ele murmurou. Beijando a minha têmpora, ele afundou o rosto nos meus cabelos. "Eu adoro passar a mão em você."

"Você é perfeito." Eu abaixei sua calça e agarrei sua bunda. O cheiro e o calor da pele dele me deixavam inebriada, como se estivesse embriagada de tesão e desejo. "Um sonho."

"Você é o *meu* sonho. Nossa, você é maravilhosa." Ele me beijou, e eu agarrei seus cabelos com as mãos e o puxei ainda mais para perto com os braços e as pernas.

Meu mundo se reduziu a ele. A seu toque. Aos sons que seu corpo emitia.

"Eu adoro sentir o seu desejo", ele disse com a voz rouca. "Não suportaria não ser correspondido."

"Eu sou sua, amor", eu garanti, me entregando febrilmente ao seu beijo. "Sou *toda* sua."

Gideon tomou posse do meu corpo com uma das mãos na minha nuca e a outra na cintura. Montando sobre mim, ele posicionou sua parte mais dura contra minha parte mais macia, e remexeu os quadris. Eu respirei fundo, e encravei as unhas em suas nádegas rígidas.

"Assim", eu gemi sem a menor vergonha. "Você é tão gostoso."

"Eu ia gostar muito mais de estar dentro de você", ele provocou.

Eu mordi sua orelha. "Está querendo me convencer a ir até o fim?"

"Não precisamos fazer nada que você não queira, meu anjo." Ele beijou meu pescoço de levinho, fazendo meu sexo se contrair de desejo. "Mas garanto que você vai gostar."

"Não sei. Eu mudei. Não sou mais esse tipo de garota."

Com a mão que estava na minha cintura, ele baixou minha calça. Eu me debati um pouco e soltei um gemido de protesto. Minha pele se arrepiava quando ele me tocava, fazendo meu corpo ceder à sua vontade.

"Shh." Sem parar de beijar a minha boca, ele sussurrou: "Se você não gostar, eu posso tirar".

"Alguém por acaso já acreditou nessa sua conversinha?"

"Não estou de conversinha. Estou sendo sincero."

Agarrei sua bunda e me esfreguei contra ele, sabendo muito bem que Gideon não estava de conversa fiada. Ele só precisava estalar os dedos para ir para a cama com quem bem entendesse.

Para minha sorte, ele queria fazer isso só comigo.

Aproveitando seu bom humor, eu provoquei: "Aposto que você diz isso pra todas".

"Que todas?"

"Você tem uma certa fama, sabia?"

"Mas é você que está usando a minha aliança." Ele levantou a cabeça e afastou os cabelos caídos sobre a minha testa. "O primeiro dia da minha vida foi aquele em que conheci você."

Essas palavras me atingiram como um soco no estômago. Engoli em seco e murmurei: "Certo, você me convenceu. Pode me comer".

Um sorriso iluminou o rosto dele. "Meu Deus, como eu sou louco por você."

Retribuí o sorriso. "Eu sei."

6

Acordei suando frio, com o coração batendo violentamente. Estava deitada na cama da suíte principal, ofegante, arrancada à força do sono profundo.

"Sai de cima de mim!"

Gideon. Deus do céu.

"Não encosta em mim, porra!"

Chutei as cobertas, desci da cama e saí correndo pelo corredor até o quarto de hóspedes. Procurei desesperadamente pelo interruptor, passando a mão pela parede. A luz tomou conta do quarto, e revelou Gideon se debatendo na cama, com as pernas emaranhadas com a roupa de cama.

"Não faz isso. Ah, meu Deus..." Ele arqueou as costas para cima, agarrado aos lençóis. "Está *doendo*!"

"Gideon!"

Ele teve um sobressalto violento. Fui correndo até a beira da cama, com o coração apertado por vê-lo daquela maneira, todo vermelho e coberto de suor. Eu pus a mão sobre seu peito.

"Não encosta em mim, porra!", ele esbravejou, agarrando meu pulso com tanta força que eu gritei de dor. Seus olhos, apesar de abertos, pareciam perdidos, ainda imersos no pesadelo.

"*Gideon*!" Eu lutava para me soltar.

Ele se sentou na cama de repente, com a respiração ofegante e os olhos arregalados. "Eva."

Soltando minha mão como se o contato com minha pele o tivesse queimado, ele tirou os cabelos ensopados do rosto e pulou da cama. "Minha nossa, Eva... Eu machuquei você?"

Agarrei o pulso com a outra mão e sacudi a cabeça.

"Eu quero ver", ele falou com a voz embargada, estendendo as mãos trêmulas na minha direção.

Deixei meus braços caírem sobre o corpo e fui até ele, abraçando-o com a maior força de que era capaz, pressionando o rosto contra seu peito suado.

"Meu anjo." Ele cedeu ao meu abraço, todo trêmulo. "Me desculpa."

"Chega, amor. Está tudo bem."

"Me abraça", ele sussurrou, e nós nos deitamos no chão. "E não me solta nunca mais."

"Nunca mais", eu prometi com os lábios grudados à sua pele. "Nunca mais."

Tomei uma chuveirada e entrei na banheira triangular com Gideon. Sentada atrás dele no degrau mais alto, lavei seus cabelos e passei as mãos ensaboadas por seu peito e suas costas, lavando o suor gelado do pesadelo. A água quente contra a pele o fez parar de tremer, mas nada era capaz de mudar a expressão de desolação em seus olhos.

"Você já contou a alguém sobre os seus pesadelos?", eu perguntei, apertando a esponja de banho e deixando a água quente escorrer sobre seu ombro.

Ele sacudiu a cabeça.

"Pois já está na hora", eu disse baixinho. "E eu sou sua namorada."

Ele demorou um bocado para começar a falar. "Eva, quando você tem pesadelos... eles são uma repetição de fatos que aconteceram de verdade? Ou a sua mente muda tudo? Mistura tudo?"

"Na maioria das vezes são lembranças. Reconstituições realistas. Os seus não?"

"Às vezes. Mas às vezes são diferentes. Ficção."

Fiquei pensando por um minuto, e desejei ter o treinamento e o conhecimento necessário para poder ser útil de verdade. No entanto, eu só podia escutá-lo e amá-lo. Esperava que isso bastasse, porque seus pesadelos estavam acabando comigo, e com ele também. "Diferentes em que sentido? Melhor ou pior?"

"Eu consigo reagir", ele contou.

"E ainda assim ele consegue machucar você?"

"Sim, ele ainda leva a melhor, mas pelo menos eu consigo adiar o máximo possível."

Molhei a esponja de novo e deixei que a água caísse sobre ele, tentando manter um ritmo que o embalasse. "Você não deveria se culpar desse jeito. Era só uma criança."

"Você também."

Meus olhos se fecharam quando me lembrei que Gideon havia visto as fotos e os vídeos do que Nathan fez comigo. "Nathan era um sádico. Resistir ao sofrimento físico é uma coisa natural, e foi isso que eu fiz. Não foi nenhum ato de coragem."

"Queria que ele tivesse me machucado mais", ele soltou entre os dentes. "Sinto muita raiva por ter gostado."

"Você não gostava. Sentia prazer, o que é uma coisa muito diferente. Nosso corpo reage a essas coisas por instinto, Gideon, não é algo consciente."

Eu o abracei por trás e apoiei o queixo em sua cabeça. "Ele era o assistente da sua terapeuta, uma pessoa supostamente confiável. E que tinha conhecimento e experiência de sobra pra manipular a sua cabeça."

"Você não entende."

"Então me explica."

"Ele... me seduziu. E eu deixei. Eu podia até não querer, mas também não resisti."

Eu me inclinei e beijei o seu rosto. "Está me dizendo que tem medo de ser bissexual? Porque pra mim não tem problema nenhum se você for."

"Não." Ele virou a cabeça e me beijou de leve na boca, tirando as mãos da água para entrelaçar seus dedos com os meus. "Eu nunca me senti atraído por homem nenhum. Mas só de saber que você aceitaria... Me faz amar tanto você que até dói."

"Meu amor." Eu o beijei carinhosamente, e nossos lábios se abriram quando se juntaram. "Eu só quero ver você feliz. De preferência comigo. E queria muito que parasse de sofrer pelo que aconteceu nessa época. Você foi uma vítima de abuso sexual, e agora é um sobrevivente. Não existe vergonha nenhuma nisso."

Ele se virou e me puxou para a água.

Eu me sentei ao seu lado e pus a mão sobre sua coxa. "A gente pode falar sobre uma coisa? Relacionada ao sexo?"

"Claro."

"Você me disse uma vez que não faz anal." Eu senti que ele ficou tenso. "Mas você... nós..."

"Eu enfiei os dedos e a língua em você", ele concluiu, me observando. Seu comportamento se alterou com a mudança de assunto, a hesitação tinha dado lugar a um tom mais tranquilo e autoritário. "E você gostou."

"Mas e você?", eu perguntei antes que acabasse perdendo a coragem.

Sua respiração era pesada, sua pele estava vermelha da água do banho, e seu rosto estava todo exposto, com os cabelos jogados para trás.

Depois de uma longa pausa, eu temia que ele não fosse me responder. "Eu quero fazer isso com você, Gideon, se você quiser, é claro."

Ele fechou os olhos. "Meu anjo."

Eu pus a mão no meio de suas pernas e agarrei seu saco. Depois estendi o dedo do meio e rocei de leve a abertura de seu ânus. Ele teve um sobressalto violento e fechou as pernas com força, fazendo a água transbordar da banheira. Seu pau ficou duro como pedra.

Tirei a mão debaixo de seu corpo e agarrei seu membro ereto, masturbando-o e beijando sua boca. "Eu faço qualquer coisa por você. Na nossa cama não existem limites. E nem lembranças. Só nós. Você e eu. E amor. Muito amor."

Ele enfiou a língua na minha boca com um apetite voraz. A mão que estava na minha cintura me apertou ainda mais, e com a outra ele fez nossos dedos se entrelaçarem com ainda mais força.

A água se agitava em ondas suaves nas laterais da banheira enquanto eu o masturbava. Seu gemido fez meus mamilos enrijecerem.

"É *minha* obrigação dar prazer pra você", eu murmurei junto a sua boca. "Nem pense em me impedir."

Ele gemeu, jogando a cabeça para trás. "Me faz gozar."

"Do jeito que você quiser", eu prometi.

"Usa a gravata azul. Aquela que combina com os seus olhos." De onde eu estava, podia ver todo o closet onde Gideon guardou os ternos que tinha trazido para a semana.

Ele se virou para onde eu estava sentada, na beirada da cama, com uma caneca de café nas mãos. Sua boca se curvou em um sorrisinho satisfeito.

"Eu adoro os seus olhos", eu falei, encolhendo os ombros. "Eles são lindos."

Ele tirou a gravata de onde estava pendurada e voltou para o quarto com um terno cinza chumbo estendido no antebraço. Estava só de cuecas, o que me permitia a satisfação de admirar seu corpo esguio e sua pele bronzeada.

"Pra você ver como são as coisas", ele falou. "Eu escolhi esse terno porque combina com os *seus* olhos."

Eu sorri e comecei a balançar as pernas. Estava feliz e apaixonada demais para ficar parada.

Gideon deixou as roupas sobre a cama e chegou mais perto de mim. Eu virei a cabeça para olhá-lo, e senti meu coração bater mais forte.

Ele pegou a minha cabeça entre as mãos e acariciou minhas sobrancelhas com os polegares. "Uma cor tão bonita, um tom acinzentado. E eles são tão expressivos."

"Isso é uma tremenda desvantagem pra mim. Nunca consigo esconder nada, enquanto você consegue esconder perfeitamente suas emoções."

Ele se inclinou e beijou a minha testa. "E mesmo assim você sempre acaba descobrindo tudo."

"Isso é o que você diz." Eu o observei enquanto se vestia. "Queria pedir uma coisa pra você."

"Qualquer coisa."

"Se você precisar de companhia pra ir a algum lugar e eu não puder ir, leva a Ireland."

Ele se interrompeu, parando de abotoar a camisa. "Ela tem só dezessete anos, Eva."

"E daí? A sua irmã é uma jovem linda, elegante e adora você. Ela o deixaria orgulhoso."

Ele suspirou e pegou a calça para vestir. "Ela vai morrer de tédio se for arrastada pra algum evento comigo."

"Você disse a mesma coisa sobre o jantar na minha casa, e estava redondamente enganado."

"Mas *você* estava lá", ele argumentou enquanto punha as calças. "Ela gostou da *sua* companhia."

Eu dei um gole no meu café. "Você disse que faria qualquer coisa", eu lembrei.

"Eu não vejo problema nenhum em ir aos lugares sozinho, Eva. E já disse pra você que não vou mais ver a Corinne."

Eu o encarei por cima da caneca de café, sem dizer nada.

Gideon pôs a camisa por dentro das calças com gestos que denotavam uma óbvia irritação. "Tudo bem."

"Obrigada."

"E pode ir tirando esse sorrisinho da cara", ele murmurou.

"E se eu não quiser?"

Ele ficou paralisado, estreitando os olhos na direção da abertura do robe, que exibia minhas pernas descobertas.

"Não me venha com ideias, garotão. A gente já fez isso hoje."

"Você tem passaporte?", ele perguntou.

Eu enruguei a testa. "Sim. Por quê?"

Ele balançou a cabeça e apanhou a gravata. "Você vai precisar."

Senti a empolgação crescer dentro de mim. "Pra quê?"

"Pra viajar."

"Não me diga." Eu desci da cama e fiquei de pé. "Viajar pra onde?"

Seus olhos brilharam de malícia enquanto ele dava o nó na garganta. "Pra um lugar."

"Você vai me despachar pra um lugar desconhecido?"

"Quem me dera", ele murmurou. "Eu e você numa ilha deserta, onde a gente pudesse ficar pelado o tempo todo e transar quando quisesse."

Eu pus uma das mãos na cintura e o olhei atravessado. "Queimada de sol e toda assada. Que delícia."

Ele caiu na risada, e os dedos dos meus pés se curvaram sobre o carpete.

"Quero ver você de novo hoje à noite", ele falou enquanto vestia o colete.

"Você só quer me comer de novo."

"Bom, foi você que falou pra eu não parar. O tempo todo."

Dando uma risadinha, pus o café sobre o criado-mudo e tirei o robe. Atravessei o quarto sem roupa, me esquivando dele quando tentou me agarrar. Eu estava abrindo uma gaveta para pegar um conjuntinho lindo de lingerie que ele tinha me dado, quando ele apareceu atrás de mim e agarrou os meus seios.

"A gente podia relembrar", ele provocou.

"Você não precisa trabalhar? Porque eu preciso."

Gideon me apertou junto a ele. "Vem trabalhar comigo."

"E ficar servindo cafezinho enquanto espero você me comer?"

"Estou falando sério."

"Eu também." Eu me virei para encará-lo com tanta rapidez que acabei derrubando minha bolsa no chão. "Eu tenho o meu emprego, e gosto muito dele. Você sabe disso."

"Você é uma ótima profissional." Ele me pegou pelos ombros. "Podia trabalhar pra mim."

"Eu não posso, pelo mesmo motivo que não aceitei ajuda do meu padrasto. Quero conseguir as coisas pelos meus próprios méritos!"

"Eu sei disso. E respeito a sua decisão." Ele acariciou os meus braços. "Eu também comecei de baixo, e com o nome Cross ameaçando me puxar ainda mais pra baixo. Jamais daria nada de mão beijada pra você. Comigo você ia ter que fazer por merecer."

Tive que me segurar para não mostrar meu sofrimento ao ouvir Gideon falar de seu pai, que comandava um esquema de estelionato e preferiu se matar a ter que encarar a prisão. "Acha mesmo que alguém vai acreditar que você não me contratou só por ser a sua namoradinha da vez?"

"Para com isso." Ele me sacudiu de leve. "Tudo bem se você ficou nervosa, mas não precisa falar da gente desse jeito."

Eu o empurrei. "É o que todo mundo vai dizer."

Ele bufou antes de me soltar. "Você se matriculou na CrossTrainer apesar de ter a Equinox e a academia de krav maga. Me diga por quê."

Eu me virei para pegar uma calcinha e não precisar discutir aquilo sem roupa. "É diferente."

"É nada."

Eu o encarei de novo e acabei pisando nas coisas que caíram da minha bolsa, o que só me deixou mais irritada. "A Waters Field & Leaman não é concorrente das Indústrias Cross! Você é cliente da agência, inclusive."

"E se acontecer de você trabalhar na campanha de um concorrente meu?"

Com ele ali parado na minha frente, com o colete desabotoado e a gravata arrumada de forma impecável, eu não estava mais conseguindo pensar direito. Gideon era lindo e passional, tudo o que eu queria na vida, o que tornava quase impossível a tarefa de contrariá-lo.

"Não é disso que estou falando. Eu não seria feliz desse jeito, Gideon", eu disse com toda a sinceridade.

"Vem cá." Gideon abriu os braços e me acolheu quando fui até ele. Ele começou a falar com a boca quase colada na minha testa. "Um dia o 'Cross' no nome das Indústrias Cross não vai remeter só a mim."

Minha raiva e minha frustração chegaram ao ápice. "Não podemos falar sobre isso em outro momento?"

"Só pra concluir: você pode se candidatar a uma vaga como qualquer outra pessoa, se é esse o problema. Se for contratada, vai trabalhar em outro andar do Crossfire, e vai ter que se submeter aos mesmos procedimentos que os outros funcionários se quiser subir na carreira. O seu progresso não vai depender de mim."

"Isso é importante pra você." Foi uma afirmação, não uma pergunta.

"Claro que é. A gente vai precisar de muito esforço se quiser ter um futuro juntos. E isso é um passo nessa direção."

Eu balancei a cabeça, um tanto relutante. "Preciso ser independente."

Ele me agarrou pela nuca e me puxou para mais perto. "Tenha sempre em mente o que é mais importante. Se você trabalhar direito e tiver talento, é nisso que as pessoas vão basear seu julgamento."

"Preciso me vestir pra ir trabalhar."

Gideon olhou bem para mim e me beijou de levinho.

Ele me soltou, e eu me agachei para pegar minha bolsa. Foi quando percebi que havia pisado no meu espelho portátil e espatifado o estojo. Não lamentei muito por ele, já que podia passar na Sephora e comprar outro quando voltasse para casa. O que fez meu sangue gelar foi encontrar uma fiação elétrica no meio do plástico quebrado.

Gideon se abaixou para me ajudar. Eu o encarei. "O que é isso?"

Ele pegou o espelho da minha mão e quebrou um pouco mais o estojo, revelando um microchip e uma miniantena. "Uma escuta, talvez. Ou um rastreador."

Eu fiquei horrorizada. Movi meus lábios silenciosamente. É da polícia?

"Eu mandei instalar bloqueadores de sinal no apartamento", ele respondeu, me deixando ainda mais chocada. "E não. De jeito nenhum um juiz autorizaria que a polícia colocasse você sob vigilância. Não existe nenhuma justificativa pra isso."

"Meu Deus." Eu caí de bunda, atordoada.

"Vou pedir pro meu pessoal dar uma olhada." Ele se ajoelhou e afastou os cabelos da frente do meu rosto. "Não pode ter sido a sua mãe?"

Eu o encarei, incrédula.

"Eva..."

"Minha nossa, Gideon." Eu aceitei sua ajuda para me levantar com uma das mãos, e peguei o celular com a outra. Liguei para Clancy, o guarda-costas do meu padrasto, e quando ele atendeu já fui logo dizendo: "Foi você que plantou uma escuta no meu espelho de maquiagem?".

Houve um momento de silêncio antes da resposta: "Sim".

"Porra, Clancy!"

"É o meu trabalho."

"Então o seu trabalho é uma merda", eu rebati, consolidando sua imagem na minha mente. Clancy era puro músculo. Usava os cabelos loiros cortados no estilo militar, e transmitia a imagem de um sujeito mortalmente perigoso. Mas eu não tinha medo dele. "Foi uma tremenda sacanagem comigo, e você sabe disso."

"Manter a sua segurança se tornou uma prioridade ainda maior depois que Nathan reapareceu. Ele era um cara discreto, então eu precisava ficar de olho em vocês dois. Assim que fiquei sabendo da morte dele, desliguei o rastreador."

Eu fechei os olhos com força. "O problema não é o rastreador! Isso eu entendo. É a parte de não me dizer nada a respeito que me irrita. Estou me sentindo violada, Clancy."

"E eu entendo, mas a sra. Stanton não queria deixar você preocupada."

"Sou uma mulher adulta! Sou eu que tenho que decidir se vou ficar preocupada ou não." Olhei para Gideon quando disse isso, porque o mesmo valia para ele também.

O modo como ele ergueu as sobrancelhas mostrou que tinha entendido o recado.

"Quem sou eu para dizer o contrário", respondeu Clancy, bem sério.

"Mas você fica me devendo uma", eu disse a ele, e sabia muito bem o que iria querer mais tarde. "Uma das grandes."

"Você sabe onde me encontrar."

Depois de falar com ele, mandei uma mensagem de texto para minha mãe. **Precisamos conversar.**

Meus ombros desabaram de desânimo e frustração.

"Meu anjo."

Lancei para Gideon um olhar que dizia para ele tomar muito cuidado. "Nem tente vir se justificar... nem por você e nem por ela."

Seus olhos pareciam afetuosos e compreensivos, mas o maxilar cerrado demonstrava sua convicção. "Eu estava ao seu lado no dia em que você ficou sabendo que Nathan estava em Nova York. Vi muito bem a expressão no seu rosto. Qualquer um que amasse você faria de tudo pra evitar aquilo."

Foi muito difícil ouvir isso, porque de fato eu fiquei contente de só saber a respeito da aparição de Nathan depois de sua morte. Por outro lado, eu também não queria passar a vida toda sendo poupada de más notícias. Afinal, elas também eram parte da vida.

Alcancei a sua mão e a apertei com força. "Eu queria poder fazer o mesmo por você."

"Eu já exorcizei os meus demônios."

"E o meu também." Ainda assim, nós continuávamos dormindo separados. "Seria bom se você voltasse a falar com o dr. Petersen", eu disse baixinho.

"Eu fui até lá na terça."

"É mesmo?" Não consegui esconder minha surpresa ao ficar sabendo que ele continuava fazendo terapia.

"Ah, sim. Só deixei de ir a uma consulta."

Quando matou Nathan...

Ele acariciou as costas da minha mão com o polegar. "Agora somos só eu e você", ele falou, como se tivesse lido minha mente.

E era nisso que eu queria acreditar.

Cheguei me arrastando ao trabalho, o que não era um bom sinal para o restante do dia. Pelo menos era sexta-feira, e eu poderia dormir bastante no fim de semana, o que provavelmente seria necessário se a noite de sábado fosse longa e animada. Fazia um tempão que eu não saía só com meninas, e bem que eu estava precisando de uns drinques.

Nas quarenta e oito horas anteriores, descobri que meu namorado tinha matado o homem que me estuprou, que um ex meu estava me rondando, que uma ex de Gideon estava querendo armar um escândalo na imprensa e que a minha mãe havia instalado um microchip em mim assim como os donos fazem com seus cachorros.

Puxa vida, era muita coisa para uma cabeça só!

"Está preparada para amanhã?", Megumi perguntou assim que liberou a porta de vidro para eu entrar.

"Pode apostar. Minha amiga Shawna me mandou uma mensagem hoje de manhã dizendo que também vai." Abri um sorriso sincero. "Consegui uma limusine pra gente ir pra balada. Sabe como é... Eles levam a gente pros lugares VIP, e com tudo incluso."

"Quê?" Ela não conseguiu esconder sua empolgação, mas também se viu obrigada a perguntar: "E quanto isso vai custar?".

"Nada. Foi um presente de um amigo."

"E que presente." O sorriso no rosto dela me alegrou ainda mais. "Vai ser *demais*! Me conta os detalhes na hora do almoço."

"Combinado. E você precisa me contar sobre o seu almoço de ontem."

"Pra você ver como são as coisas", ela se queixou. "A gente 'só estava se divertindo', mas aí ele aparece do nada no meu trabalho? Eu jamais apareceria no meio do expediente pra almoçar sem combinar nada antes, a não ser que tivesse algo muito sério com o cara."

"Homens", eu bufei, externando minha solidariedade, apesar de por dentro me sentir felicíssima por ter o *meu*.

Fui até a minha mesa e me preparei para encarar o dia de trabalho que teria pela frente. Quando vi as fotos emolduradas minhas e de Gideon na gaveta, me deu uma tremenda vontade de falar com ele. Dez minutos depois, pedi para Angus mandar a floricultura entregar um buquê de rosas escuras para o escritório de Gideon com um bilhete dizendo:

Estou presa no seu feitiço.
Não consigo parar de pensar em você.

Mark apareceu no meu cubículo bem na hora em que estava fechando a janela do navegador. Só de olhar para o seu rosto percebi que ele não estava muito bem. "Café?", eu ofereci.

Ele fez que sim com a cabeça, e eu me levantei. Fomos juntos até a sala de descanso.

"Shawna foi lá em casa ontem", ele começou. "Ela contou que vocês vão sair juntas amanhã à noite."

"É. Tudo bem por você?"

"Tudo bem o quê?"

"Eu ser amiga da sua cunhada", eu lembrei.

"Ah... claro. Vai em frente." Ele passou os dedos inquietos pelos cabelos curtos. "Não tem problema nenhum."

"Legal." Eu sabia que ele queria falar de outra coisa, mas não quis forçar a barra. "Vai ser divertido. Estou ansiosa."

"Ela também." Ele pegou os sachês de café, enquanto eu apanhei as canecas na prateleira. "Ela também está ansiosa pela chegada do Doug. Pra fazer a grande pergunta."

"Uau. Que legal! Dois casamentos na família no mesmo ano. A não ser que você esteja querendo adiar o seu...?"

Ele me entregou um café, e eu fui até a geladeira pegar o leite.

"Não vai rolar, Eva."

A voz de Mark parecia carregada de rejeição, e quando me virei para olhá-lo, ele estava de cabeça baixa.

Dei um tapinha em seu ombro. "Você fez o pedido?"

"Não. Nem adianta. Ele perguntou pra Shawna se ela e Doug pretendiam ter filhos logo, apesar de ela ainda estar na faculdade, e quando ela disse que não, ele deu o maior sermão, dizendo que o casamento era pra casais que queriam construir uma família. Se não fosse esse o caso, era melhor manter tudo como estava. O mesmo tipo de bobagem que eu falei pra ele daquela vez."

Passei ao lado dele e comecei a misturar meu café. "Mark, você só vai saber a resposta de Steven quando fizer o pedido."

"Estou com medo", ele admitiu, olhando para a caneca fumegante. "Quero ir além de onde estamos, mas sem arruinar o que já temos. Se a resposta for não e ele enxergar o nosso relacionamento de outra forma..."

"Você está pondo a carroça na frente dos bois, chefe."

"E se eu não conseguir suportar a rejeição?"

Ah... Isso eu era capaz de entender. "E a dúvida por acaso é mais fácil de suportar?"

Ele sacudiu a cabeça.

"Então vai ter que dizer pra ele tudo o que disse pra mim", eu falei, bem séria.

Ele abriu um sorrisinho. "Desculpa despejar tudo isso em você, mas os seus conselhos são sempre tão bons..."

"Você já sabe o que fazer. Só precisa de um empurrãozinho. E eu estou sempre disposta a dar esse empurrão."

Seu sorriso se abriu por inteiro. "Por hoje, vamos deixar de lado o anúncio daquele advogado que trabalha com divórcios."

"Que tal trabalharmos na conta da companhia aérea?", sugeri. "Eu tive uma ideias."

"Tudo bem. Vamos nessa."

Mantivemos um ritmo puxado durante a manhã toda, e eu fiquei muito satisfeita com nosso progresso. Minha ideia era manter Mark ocupado demais para se preocupar com outras coisas. O trabalho era a minha melhor terapia, e logo percebi que para ele a coisa funcionava da mesma maneira.

Quando paramos para almoçar, passei pelo meu cubículo para deixar o tablet e encontrei um envelope de correspondência interna do edifício sobre a minha mesa. Meu coração se acelerou de empolgação e minhas mãos tremeram um pouco quando o abri e puxei um bilhete lá de dentro.

O FEITIÇO É TODO SEU.

FAZ MEUS SONHOS VIRAREM REALIDADE.

BJ

Apertei o bilhete junto ao peito, desejando na verdade abraçar quem o escrevera. Estava pensando em espalhar pétalas de rosas sobre nossa cama quando o telefone tocou. Não fiquei nem um pouco surpresa ao ouvir a voz de *femme fatale* da minha mãe do outro lado da linha.

"Eva. Clancy me contou. Por favor, não fique chateada. Você precisa entender..."

"Já entendi." Abri a gaveta e guardei o bilhetinho de Gideon na bolsa. "Mas escuta só: você não pode mais usar Nathan como desculpa. Se mandar plantar mais alguma escuta ou rastreador nas minhas coisas, pode se preparar pra uma briga feia. Estou falando sério, da próxima vez que isso acontecer, minha relação com você nunca mais vai ser a mesma."

Ela suspirou. "Podemos conversar pessoalmente, por favor? Vou sair para almoçar com Cary, e posso te esperar na sua casa até você chegar."

"Tudo bem." A irritação começou a se dissipar com a mesma velocidade com que apareceu. Minha mãe tratava Cary como se fosse meu irmão, e era assim que eu o considerava. Ela dava a ele o amor de mãe que tanto fez falta na vida dele. Além disso, ambos adoravam moda e eram obcecados pela aparência — ou seja, eram a companhia perfeita um para o outro.

"Eu te amo, Eva. Mais do que tudo."

Eu suspirei. "Eu sei, mãe. E amo você também."

Uma luz no telefone se acendeu, indicando uma chamada da recepção, e eu me despedi da minha mãe e atendi.

"Oi." A voz de Megumi veio até mim em um sussurro. "Aquela mulher que veio aqui uma vez e você não quis atender está aqui de novo."

Eu franzi a testa. Precisei de um tempo para entender do que ela estava falando. "Magdalene Perez?"

"Sim. Essa mesma. O que eu faço?"

"Nada." Eu me levantei. Ao contrário da última vez em que a amiga-que-desejava-ser-algo-mais de Gideon apareceu, eu estava preparada para lidar com ela sozinha. "Estou indo aí."

"Posso ouvir a conversa?"

"Ha! Já estou chegando aí. Não vai demorar muito, e depois vamos almoçar."

Por pura vaidade, ainda passei um batonzinho antes de pôr a bolsa no ombro e ir para a recepção. Ainda pensando no bilhete de Gideon, abri um sorriso ao encontrar Magdalene na sala de espera. Ela se levantou quando me viu, linda como sempre, e não pude deixar de admirá-la.

Quando a conheci, seus cabelos escuros eram bem longos, como os de Corinne Giroux, mas agora já tinham sido cortados na altura dos ombros, revelando ainda mais a beleza exótica de seu rosto. Ela estava usando calça creme e uma blusinha preta sem mangas com um laço no quadril. Para completar o visual, brincos e um colar de pérolas combinando.

"Magdalene." Fiz um sinal para que ela se sentasse e me acomodei na poltrona do outro lado da mesinha. "O que traz você aqui?"

"Me desculpe aparecer assim sem avisar no seu trabalho, Eva, mas fui fazer uma visita a Gideon e resolvi dar uma paradinha aqui. Queria pedir uma coisa para você."

"Ah, é?" Pus a bolsa de lado e cruzei as pernas, alisando minha camisa roxa. Fiquei um tanto ressentida por ela poder falar abertamente com meu namorado e eu não. Mas não havia outro jeito.

"Uma jornalista me procurou hoje, fazendo perguntas pessoais a respeito de Gideon."

Apertei com força o braço da poltrona com os dedos. "Deanna Johnson? Você não disse nada, não é?"

"Claro que não." Magdalene se inclinou para a frente, apoiando os cotovelos nos joelhos. Seus olhos escuros pareciam sombrios. "Pelo jeito ela já conversou com você."

"Ela tentou."

"Ela faz bem o tipo dele", Magdalene apontou, e olhou bem para mim.

"Eu percebi."

"O tipo com o qual ele não perde muito tempo." Ela abriu um sorriso malicioso. "Ele disse a Corinne que seria melhor manter a amizade entre eles à distância. Mas acho que você já sabe disso."

Fui invadida por uma onda de prazer ao ouvir aquilo. "Como é que eu iria saber?"

"Ah, você tem suas fontes, com certeza." Os olhos de Magdalene brilharam, como se ela já estivesse sabendo de algo.

Estranhamente, estava me sentindo à vontade falando com ela. Talvez porque ela mesma parecesse mais relaxada do que das últimas vezes que nos encontramos. "Você parece estar muito bem."

"Eu chego lá. Acabei de me livrar de uma pessoa que considerava um amigo, mas que na verdade só me fazia mal. Sem ele por perto, estou conseguindo ver as coisas claramente de novo." Ela se endireitou. "Estou com um namorado novo."

"Que bom." Nesse aspecto, eu desejava só o melhor para ela. Magdalene havia sido usada sordidamente por Christopher, o irmão de Gideon. Mas ela não sabia que eu tinha conhecimento desse fato. "Tomara que dê tudo certo."

"Tomara mesmo. Gage é muito diferente de Gideon. Ele faz mais o tipo artista torturado."

"Uma alma sensível."

"Pois é. Bastante sensível, ao que parece. Espero que seja mesmo." Ela se levantou. "Enfim, não quero tomar o seu tempo. Fiquei preocupada com a tal jornalista, e queria falar a respeito com você."

Eu a corrigi enquanto me levantava. "Ficou preocupada que eu dissesse alguma coisa pra ela sobre Gideon."

Ela não negou. "Tchau, Eva."

"Tchau." Eu a acompanhei até a porta.

"Até que não foi tão ruim", disse Megumi ao meu lado. "Não teve gritos nem arranhões."

"Vamos ver por quanto tempo isso dura."

"Está pronta pro almoço?"

"Estou morrendo de fome. Vamos lá."

Quando cheguei em casa, cinco horas e meia depois, fui recebida por Cary, minha mãe, e um lindíssimo vestido prateado Nina Ricci em cima do sofá.

"Não é uma maravilha?", disse a minha mãe, que usava um lindo vestidinho de mangas curtas no estilo anos 1950 estampado com cerejinhas. Seus cabelos loiros emolduravam seu rosto com cachos espessos e bem penteados. Uma coisa eu precisava admitir: ela fazia a moda de qualquer época parecer glamorosa.

Durante a minha vida toda, sempre me disseram que eu era parecida com ela, mas os meus olhos eram verdes acinzentados como os do meu pai, diferentes de suas íris límpidas e azuis, e minhas curvas abundantes também eram uma herança da família Reyes. Por mais que eu malhasse, minha bunda não iria encolher, e o tamanho dos meus seios me impedia de usar qualquer peça que não proporcionasse um belo suporte. O fato de Gideon achar meu corpo tão irresistível me deixava impressionada, já que antes ele só se interessava por morenas altas e esguias.

Larguei minha bolsa sobre um banquinho ao lado do balcão e perguntei: "Alguma ocasião especial?".

"Um evento beneficente na quinta-feira que vem."

Olhei para Cary em busca da confirmação de que ele seria meu acompanhante. Ele confirmou com a cabeça, e eu respondi: "Vamos lá".

Minha mãe abriu um sorriso radiante. Por minha causa, ela apoiava instituições que auxiliavam mulheres e crianças vítimas de abuso. Quando os eventos eram jantares de gala, ela sempre comprava convites para mim e para Cary.

"Vinho?", ofereceu Cary, claramente notando a minha inquietação.

Eu lancei para ele um olhar de gratidão. "Por favor."

Enquanto ele estava na cozinha, minha mãe caminhou até mim com seus sapatinhos sensuais de sola vermelha e me abraçou. "Como foi seu dia?"

"Esquisito." Eu retribuí o abraço. "Ainda bem que acabou."

"Você tem planos para o fim de semana?" Ela se afastou e percorreu o meu rosto com olhos cheios de aflição.

Isso me deixou irritada. "Tenho."

"Cary me contou que você está saindo com um cara novo. Quem é? O que ele faz?"

"Mãe." Resolvi ir direto ao ponto. "Estamos conversadas mesmo? Ou tem mais alguma coisa que você queira me falar?"

Ela começou a remexer os dedos inquietos, quase contorcendo as mãos. "Eva. É uma coisa que você só vai entender quando tiver filhos. É assustador. Saber que eles estão em perigo..."

"Mãe."

"E existem ainda mais perigos para uma mulher bonita", ela continuou. "E com ligações com homens poderosos. Isso é um problema a mais para a sua segurança..."

"Onde mais eles estão, mãe?"

Ela bufou. "Não precisa falar desse jeito comigo. Eu só estava tentando..."

"Acho melhor você ir embora", eu a interrompi sem cerimônia, demonstrando na voz toda a frieza que sentia por dentro.

"No seu Rolex", ela confessou, e foi como levar um tapa na cara.

Eu dei um passo para trás, e involuntariamente minha mão direita agarrou o relógio que usava no pulso esquerdo, um presente de formatura de Stanton e minha mãe. Eu adorava aquele relógio, e alimentava tolamente a esperança de dá-lo para minha filha se algum dia tivesse uma.

"Está falando sério?" Abri o fecho com os dedos e deixei o relógio cair sobre o tapete com um ruído surdo. Não tinha sido um presente coisa nenhuma. Era um rastreador instalado no meu braço. "Você passou dos limites!"

Ela ficou vermelha. "Eva, você está exagerando. Não é..."

"Exagerando? Ha! Meu Deus, que piada. Fala sério." Aproximei o polegar do indicador e estendi o braço bem perto do rosto dela. "Está faltando isto aqui pra eu chamar a polícia. E já estou praticamente convencida a processar você por invasão de privacidade."

"Eu sou sua mãe!" A voz dela ficou embargada, assumindo um tom de súplica. "É meu dever cuidar de você."

"Eu tenho vinte e quatro anos, sou uma mulher adulta", respondi com frieza. "Pela lei, já tenho idade para me cuidar sozinha."

"Eva Lauren..."

"Chega." Eu levantei as mãos, mas logo depois as deixei cair. "Pode parar por aí. Eu preciso sair daqui, porque estou tão puta da vida que não aguento nem olhar pra sua cara. E não quero mais ouvir a sua voz, a não ser que seja pra me pedir desculpas. Enquanto não admitir que está errada, não vou conseguir confiar mais em você."

Fui até a cozinha e peguei minha bolsa. Nesse exato momento, Cary estava voltando com uma bandeja com taças de vinho cheias até a metade. "Eu volto mais tarde."

"Você não pode ir embora assim!", gritou a minha mãe, claramente à beira de um ataque de nervos. Eu não estava com cabeça para suportar aquilo. Não naquele momento.

"Ah, não?", eu murmurei.

Meu maldito Rolex. Só de pensar na ideia me doía, porque era um presente muito querido que de uma hora para outra não significava mais nada.

"Deixa, Monica", disse Cary, com um tom de voz grave e tranquilizador. Ele sabia como lidar com a histeria melhor do que ninguém. Era uma sacanagem deixá-lo lá, suportando o chilique da minha mãe, mas eu precisava sair de casa. Se eu fosse para o quarto, ela ficaria na porta chorando e se vitimizando até me deixar maluca. Eu detestava vê-la daquele jeito, ainda mais sendo a responsável por seu estado de nervos.

Saí do meu apartamento e fui para o de Gideon, logo ao lado, me apressando para entrar antes que as lágrimas começassem a cair e antes que a minha mãe viesse atrás de mim. Eu não tinha outro lugar para ir. Não podia sair chorando pela rua. Minha mãe não era a única pessoa que mantinha vigilância cerrada sobre mim. Havia a possibilidade de dar de cara com a polícia, com Deanna Johnson ou até algum paparazzo.

Fui até o sofá de Gideon, me deitei sobre as almofadas e deixei as lágrimas rolarem.

7

"Meu anjo."

A voz e o toque das mãos de Gideon me despertaram. Resmunguei em protesto e ele se ajeitou ao meu lado, depois senti seu corpo aquecendo minhas costas. Um de seus braços musculosos enlaçou minha cintura, me puxando para mais perto.

Deitada de conchinha com ele, sentindo o bíceps de seu outro braço sob o meu rosto, eu voltei a dormir.

Quando acordei de novo, parecia que eu havia dormido por dias. Fiquei deitada no sofá com os olhos fechados durante alguns bons minutos, absorvendo o calor do corpo de Gideon, respirando o ar exalado por ele. Depois de um tempo, concluí que continuar dormindo só iria bagunçar ainda mais meu relógio biológico. Nós tínhamos ficado acordados até bem tarde todas as noite desde que fizemos as pazes, e a falta de sono estava começando a pesar.

"Você estava chorando", ele murmurou, afundando a cabeça nos meus cabelos. "O que aconteceu?"

Eu envolvi o braço dele com os meus, me agarrando a ele. Contei toda a história do relógio. "Mas talvez tenha sido um exagero da minha parte", concluí. "Eu estava cansada, o que sempre me deixa irritada. Mas pelo amor de Deus... aquilo foi como um soco no estômago. Arruinou um presente muito especial pra mim."

"Eu imagino." Ele fazia movimentos circulares com os dedos na minha barriga, me acariciando por cima da camisa de seda. "Sinto muito."

Olhei pela janela e vi que já tinha anoitecido. "Que horas são?"

"Oito e um pouquinho."

"A que horas você chegou?"

"Seis e meia."

Eu me virei para encará-lo. "Bem cedo pros seus padrões."

"Quando fiquei sabendo que você estava aqui, me deu vontade de vir embora. Só penso em você desde que as flores chegaram."

"Você gostou?"

Ele sorriu. "Sou obrigado a dizer que ler a sua mensagem na letra de Angus foi... interessante."

"Nós precisamos manter as aparências."

Ele me beijou na ponta do nariz. "E mesmo assim você ainda quer me agradar."

"Eu preciso. Quero que todas as outras mulheres sejam uma decepção perto de mim."

Ele acariciou o meu lábio inferior com o polegar. "Foi isso que aconteceu desde que te vi pela primeira vez."

"Mentiroso." Ficar com Gideon e saber que naquele momento toda a sua atenção estava concentrada em mim eram a cura para a minha depressão. "Esta conversinha é só pra tirar a minha calça de novo, não é?"

"Você não está usando calça."

"Isso foi um não?"

"Foi um sim, estou querendo tirar a sua saia." Seus olhos se fecharam quando eu mordisquei seu dedão. "E entrar na sua bocetinha quentinha, apertadinha e molhadinha. Só penso em fazer isso o dia todo. Todos os dias. É isso o que eu quero agora, mas podemos esperar até você se sentir melhor."

"Você podia me dar um beijo pra fazer com que eu me sentisse melhor."

"Um beijo onde, exatamente?"

"Em qualquer lugar. No meu corpo todo."

Eu sabia que podia me acostumar com ele todinho só para mim. Era o que eu queria, mas era um desejo impossível.

Ele tinha compromisso com milhares de pessoas e projetos diferentes. Se eu havia aprendido alguma coisa com os muitos casamentos da minha mãe com homens de negócios bem-sucedidos, era que suas esposas eram como amantes, sempre em segundo plano, o compromisso maior de seus maridos era com o trabalho. Era por isso que Gideon tinha se tornado o melhor em seu ramo de negócios — ele se dedicava de corpo e alma àquilo. A mulher da sua vida teria que se contentar com o que sobrasse.

Gideon prendeu os meus cabelos atrás da orelha. "É isso o que eu quero. Chegar em casa e encontrar você."

Eu sempre ficava surpresa quando tinha a sensação de que ele estava lendo meus pensamentos. "Não seria melhor me encontrar descalça na cozinha?"

"Não teria nada contra, mas pelada na cama seria mais interessante."

"Eu sou uma ótima cozinheira, mas mesmo assim você só quer saber do meu corpo."

Ele sorriu. "Ele é a embalagem que contém tudo o que eu adoro."

"Se você me mostrar o seu, eu mostro o meu."

"Com prazer." Ele acariciou suavemente o meu rosto com os dedos. "Mas primeiro precisamos garantir que você já superou a briga com a sua mãe."

"Eu vou superar."

"Eva." Seu tom de voz indicava que ele não voltaria atrás.

Eu suspirei. "Eu vou perdoar, como sempre. Não tenho escolha, na verdade, porque amo a minha mãe e sei que ela tem a melhor das intenções, apesar de ser completamente sem noção. Mas essa história do relógio..."

"Continue."

Eu passei a mão no peito para tentar desfazer o aperto que sentia lá dentro. "Isso me marcou profundamente. E, por mais que a gente siga em frente, essa marca vai ficar para sempre no nosso relacionamento. É *isso* que mais me magoa."

Gideon ficou em silêncio por algum tempo. Com uma das mãos ele acariciava meu cabelo, enquanto com a outra agarrava possessivamente o meu quadril. Eu esperei que ele dissesse o que estava pensando.

"Eu também deixei uma marca profunda dentro de você", ele disse por fim, em um tom de voz sombrio. "Tenho medo de que a gente nunca consiga superar isso."

A tristeza em seus olhos me acertou e me feriu. "Me deixe levantar."

Com certa relutância, ele deixou, me olhando com atenção enquanto eu ficava de pé. Hesitei um pouco antes de abrir o zíper da saia. "Agora eu sei qual é a sensação de perder você, Gideon. O quanto isso me machuca. Se você de repente se afastar, provavelmente vou entrar em pânico. Você vai precisar tomar muito cuidado com isso, e eu vou ter que acreditar que o seu amor vai durar."

Ele concordou silenciosamente com a cabeça, mas dava para ver o quanto esse assunto o afligia.

"Magdalene me fez uma visita hoje", eu falei, para diminuir o abismo que se abriu entre nós.

Ele ficou tenso. "Eu falei pra ela não fazer isso."

"Não tem problema. Ela devia achar que eu tinha algum ressentimento contra você, mas deve ter percebido que o meu amor é grande demais pra isso."

Ele se levantou quando a minha saia foi ao chão, revelando minha lingerie e minhas meias finas. Gideon sibilou, puxando o ar entre os dentes cerrados. Subi de novo no sofá e me instalei no colo dele com as pernas abertas e as mãos em sua nuca. Senti seu hálito quente sobre o tecido de seda da camisa, fazendo meu sangue se acelerar.

"Ei." Passei as mãos pelos cabelos dele, acariciando-o com o rosto. "Para de se preocupar com isso. Mas acho que a gente precisa tomar cuidado com essa Deanna Johnson. Qual é a pior coisa que ela pode descobrir sobre você?"

Ele jogou a cabeça para trás e estreitou os olhos. "Isso é problema meu. Pode deixar que eu cuido dela."

"Acho que ela está atrás de algum escândalo grande. Não vai se contentar só em retratar você como um playboy bilionário sem alma."

"Não precisa se preocupar. Só estou cuidando disso porque não quero que usem o meu passado pra atingir você."

"Você é confiante demais." Comecei a desabotoar seu colete, depois tirei sua gravata e a coloquei com cuidado sobre o encosto do sofá. "Vai falar com ela?"

"Vou ignorar essa história."

"Tem certeza de que esse é o melhor jeito de lidar com isso?" Comecei a abrir sua camisa.

"Ela quer chamar a minha atenção, mas não vai conseguir."

"Ela vai arrumar outro jeito de fazer isso, então."

Ele se acomodou melhor no sofá, posicionando a cabeça para trás. "A única mulher que merece a minha atenção é você."

"*Garotão.*" Eu o beijei e enfiei as mãos por dentro de sua camisa. Ele se mexeu para facilitar o meu acesso às suas calças. "Preciso que você me explique melhor sua história com essa Deanna", eu murmurei. "O que aconteceu pra ela querer te atacar desse jeito?"

Ele suspirou. "Foi um equívoco meu, em todos os sentidos. Ela meio que se mostrou disponível, e eu tenho como regra não dar uma segunda chance a mulheres que parecem interessadas demais em mim."

"E isso não é motivo suficiente pra ela considerar você um idiota?"

"O que passou, passou, não dá pra voltar atrás", ele respondeu friamente.

Dava para perceber que ele estava envergonhado. Ele até podia se comportar como um canalha, mas nunca teve orgulho disso.

"Por acaso, Deanna foi cobrir um evento em que Anne Lucas estava me causando um certo desconforto", ele continuou. "Usei Deanna pra manter Anne afastada. Não gostei nem um pouco de ter feito isso, e no final não reagi muito bem à situação."

"Entendi." Eu abri sua camisa, expondo sua pele quente e macia.

Só de lembrar do comportamento dele na primeira vez que transamos, dava para imaginar como ele tinha tratado Deanna. Comigo, ele imediatamente se fechou e se afastou, fazendo com que eu me sentisse usada e descartável. Ele fez de tudo para me reconquistar mais tarde, mas a tal repórter não teve a mesma sorte.

"Você não quis mais saber dela", eu resumi. "Vai ver ela ainda gosta de você."

"Duvido. Eu nunca troquei nem meia dúzia de palavras com ela."

"Você foi um canalha comigo também. E eu me apaixonei do mesmo jeito."

Comecei a acariciar seu peito, seguindo a trilha de pelos que levava até abaixo de sua cintura. Seus músculos abdominais se contraíram ao meu toque, e o ritmo de sua respiração mudou.

Eu me ajeitei no colo dele para poder aproveitar melhor de seu corpo. Com os polegares, circulei a ponta de seus mamilos e observei sua reação, esperando que ele sucumbisse ao prazer do meu toque delicado. Baixei a cabeça e beijei seu pescoço, sentindo sua pulsação sob meus lábios e inalando o aroma viril de sua pele. Curtir Gideon era algo que nunca me cansava, porque ele estava sempre pronto para mim.

Ele gemeu, e agarrou meus cabelos com uma das mãos. "Eva."

"Eu adoro o jeito como você reage a mim", eu sussurrei, inebriada por ter um homem tão abertamente sensual à minha mercê. "Como se não tivesse qualquer proteção contra mim."

"E não tenho mesmo." Ele acariciou meus cabelos desmanchados pelo sono com os dedos. "Você me toca como se idolatrasse o meu corpo."

"Eu idolatro."

"Dá pra sentir isso nas suas mãos... na sua boca. No jeito como você me olha." Ele engoliu a saliva da boca, e eu acompanhei o movimento de sua garganta com os olhos.

"É só o que eu quero da vida." Acariciei seu tronco, os peitorais musculosos, as linhas das costas. Como uma diletante diante de uma obra-prima. "Vamos brincar de uma coisa?"

Ele passou a língua pelos lábios, fazendo meu sexo se contrair de inveja. Gideon percebeu. Seus olhos se acenderam perigosamente. "Depende da brincadeira."

"Esta noite você vai ser meu, garotão."

"Eu sou sempre seu."

Desabotoei minha camisa e a arranquei, expondo meu sutiã branco de renda e a calcinha fio dental combinando.

"Meu anjo", ele murmurou, com um olhar excitadíssimo ao contemplar minha pele nua. Quando suas mãos fizeram menção de me tocar, eu agarrei seus pulsos, impedindo seus movimentos.

"Regra número um: eu vou chupar, masturbar e provocar você a noite toda. Você vai gozar até não aguentar mais." Eu o toquei por cima da calça, massageando toda a sua extensão com a palma da mão. "Regra número dois: você só vai relaxar e aproveitar."

"Sem retribuir o favor?"

"Isso mesmo."
"Não vai rolar", ele respondeu, decidido.
Eu resmunguei. "Por favor."
"Meu anjo, fazer você gozar é noventa e nove por cento da diversão pra mim."
"Mas se só eu gozar não tenho como curtir você!", reclamei. "Só dessa vez, por uma noite, quero que você seja egoísta. Quero que solte seu lado animal, que goze simplesmente porque está a fim, sem precisar esperar nada."
Ele estreitou os lábios. "Não consigo fazer isso com você. Preciso que você goze comigo."
"Eu sabia que você ia dizer isso." Porque eu havia dito certa vez que me sentir usada por um homem a seu bel-prazer era um gatilho para sentimentos desagradáveis para mim. Eu precisava me sentir amada e desejada. Não como um corpo feminino qualquer, mas como Eva, uma mulher que realmente precisa de um sentimento verdadeiro para se entregar. "Só que a brincadeira é minha, então sou eu que faço as regras."
"Eu não falei que topava brincar."
"Faz o que eu estou pedindo."
Gideon bufou lentamente. "Eu não consigo, Eva."
"Mas com as outras mulheres conseguia", eu argumentei.
"Eu não era apaixonado por elas!"
Eu me derreti toda. Não dava para evitar. "Amor... é isso o que eu quero", murmurei. "Você nem imagina quanto."
Ele soltou um ruído exasperado. "Então me explica por quê."
"Eu não consigo ouvir o seu coração bater quando estou toda ofegante. Não consigo sentir você tremer se estiver tremendo também. Não consigo sentir seu gosto estando com a boca toda seca depois de gozar."
A expressão em seu lindo rosto se atenuou. "Eu perco a cabeça toda vez que gozo dentro de você. Isso já basta."
Eu sacudi a cabeça. "Você disse que eu sou o seu sonho erótico que virou realidade. Nesses sonhos você não devia só pensar em me fazer gozar. E os boquetes? E as punhetas? Você adora os meus peitos. Vai me dizer que não gostaria de fazer uma espanhola comigo e gozar na minha cara?"
"Meu Deus, Eva." O pau dele endureceu ainda mais na minha mão.
Esfregando meus lábios semiabertos contra os dele, abri suas calças com um movimento preciso. "Quero que você tenha comigo suas fantasias mais pervertidas", eu sussurrei. "Quero ser a sua vagabunda."
"Você já é tudo o que eu quero que seja", ele respondeu, bem sério.
"Sou mesmo?" Passei minhas unhas pelo seu corpo, mordendo os lábios inferiores e ouvindo seus gemidos. "Então faz isso por mim. Eu adoro ver

você gozando. Ver o seu ritmo e o foco da sua atenção mudarem, a sua ferocidade. Sei que nesse momento você está pensando só em si mesmo, na sua gozada gostosa. Eu me sinto muito bem excitando você a esse ponto. Quero poder prolongar essa sensação por uma noite inteira."

Ele apertou as minhas coxas. "Com uma condição."

"Qual?"

"Hoje a noite é sua. Mas o fim de semana que vem vai ser meu."

Fiquei de boca aberta. "Eu ganho uma noite e você, um fim de semana inteiro?"

"Ã-hã... Um fim de semana inteiro só cuidando de você."

"Poxa", eu murmurei, "negociar com você não é nada fácil."

Ele abriu um sorriso afiado. "Vai se acostumando."

"A nossa mãe diz que o nosso pai é uma máquina de fazer sexo."

Gideon se virou para mim, sentado ao meu lado no chão, e deu risada. "Você tem mesmo uma coleção bizarra de trechos de filmes nessa sua cabecinha linda, meu anjo."

Bebi mais um gole da garrafa d'água e engoli bem a tempo de recitar mais uma fala de *Um tira no jardim de infância*. "O meu pai é ginecologista, e fica olhando vaginas o dia todo."

Ouvi-lo rir me deixou tão feliz que eu parecia estar flutuando. Seus olhos brilhavam, e ele estava mais relaxado do que nunca ao meu lado. Em parte por causa do boquete faminto que fiz para ele no sofá, seguido por uma longa e molhada punheta no chuveiro. Mas eu sabia que boa parte da empolgação dele era reflexo da minha.

Quando eu estava bem, ele também ficava. Eu achava impressionante exercer uma influência tão profunda sobre um homem como aquele. Gideon era uma força da natureza, e com uma autoconfiança tão magnética que tudo no mundo parecia girar ao seu redor quando ele estava por perto. Eu já o tinha visto em ação no dia a dia, e ficado embasbacada, mas não tanto quanto ficava com o amante charmoso e atencioso sempre à minha disposição em nossos momentos a dois.

"Ei", eu falei, "quero ver se vai achar graça quando os seus filhos disserem a mesma coisa pra professora sobre você."

"Como a única pessoa que diria isso pra eles seria você, não sei ao certo quem ia merecer apanhar."

Ele se virou para continuar vendo o filme, ignorando o fato de ter me deixado quase sem fôlego. Gideon era um homem solitário, e ainda assim havia me aceitado tão completamente em sua vida que era capaz de visualizar um futuro que nem eu ousava imaginar. Senti um medo terrível de estar caminhando para uma desilusão amorosa da qual jamais conseguiria me recuperar.

Percebendo o meu silêncio, ele pôs a mão sobre o meu joelho descoberto e me olhou de novo. “Ainda está com fome?”

Meu olhar estava parado nas caixas de comida chinesa abertas sobre a mesa e nas rosas escuras que eu tinha enviado para Gideon e que ele havia trazido para casa.

Para não insistir muito no assunto anterior, mudei o rumo na conversa: “Só de você”.

Pus a mão no colo dele, sentindo seu pau adormecido sob a cueca preta que eu o deixei vestir para jantar.

“Você é uma mulher perigosa”, ele murmurou, chegando mais perto.

Em um movimento rápido, beijei sua boca e suguei seu lábio inferior. “Eu preciso ser”, murmurei, “se não quiser perder você, meu moreno perigoso.”

Ele sorriu.

“Preciso falar com Cary”, eu disse com um suspiro. “E ver se minha mãe já foi embora.”

“Você está bem?”

“Estou.” Apoiei a cabeça no ombro dele. “Não existe nada melhor que um pouco de Gideon-terapia pra melhorar meu humor.”

“Você sabe que eu atendo em domicílio, né? Vinte e quatro horas por dia.”

Eu cravei os dentes no braço dele. “Vou lá cuidar disso e já volto pra fazer você gozar de novo.”

“Já estou satisfeito, obrigado”, ele respondeu em um tom divertido.

“Mas ainda não brincamos com eles.”

Ele se abaixou e enfiou o rosto no meu decote. “Ora, ora.”

Dando risada, eu o empurrei, e ele me puxou até que estivéssemos ambos deitados no chão, entre o sofá e a mesinha de centro. Ele me prendeu sob seu corpo, com os braços rígidos e contraídos suportando todo o seu peso. Seus olhos me percorreram avidamente, primeiro o sutiã, depois a barriga descoberta, e por fim a calcinha e a cinta liga. A lingerie que vesti depois do banho era de um vermelho vivo, escolhida para manter o tesão de Gideon em alta.

“Você é o meu amuleto da sorte”, ele falou.

Eu apertei seus bíceps. “Ah, é?”

“É.” Ele lambeu a parte de cima dos meus seios. “Você é magicamente deliciosa.”

“Ai, meu Deus!”, eu dei risada. “Que brega!”

Ele sorriu para mim com os olhos. "Eu avisei que não entendia muito de romance."

"Era mentira. Você é o cara mais romântico que eu já namorei. Ainda não acredito que você pendurou aquelas toalhas da CrossTrainer no seu banheiro."

"O que mais eu poderia fazer? E estava falando sério quando disse que você me dá sorte." Ele me beijou. "Eu estava tentando vender minha parte na sociedade de um cassino em Milão. Essas rosas chegaram bem no momento em que um comprador me ofereceu uma vinícola em Bordeaux em que eu estava de olho fazia tempo. E você nem imagina qual é o nome dela... La Rose Noir."

"Uma vinícola por um cassino, é? Então você continua no ramo do sexo, dos vícios e da diversão."

"Tudo pra satisfazer você, minha deusa do desejo, do prazer e das falas ridículas de filmes."

Passei as mãos pelas laterais de seu corpo e enfiei os dedos sob o elástico de sua cueca. "E quando é que eu vou experimentar esse vinho?"

"Quando trabalhar comigo na campanha publicitária que vamos fazer pra ele."

Com um suspiro, eu falei: "Você não desiste mesmo, né?".

"Quando quero de verdade uma coisa, não mesmo." Ele se ajoelhou e me ajudou a sentar. "E eu quero você. Muito. Demais."

"Isso você já tem", eu falei, usando as palavras dele.

"Eu já tenho o seu coração e o seu corpo gostosíssimo. Agora quero o seu cérebro. Quero o pacote completo."

"Eu preciso guardar alguma coisa só pra mim."

"Não. Você pode ficar comigo, se quiser." Gideon estendeu a mão e agarrou minha bunda. "E, sinto muito informar, mas você vai sair perdendo na troca."

"Não é nada fácil negociar com você."

"Giroux ficou feliz com a negociação. Você também vai ficar, eu garanto."

"Giroux?" Meu coração palpitou. "É um parente da Corinne?"

"É o marido dela. Mas eles estão separados, você sabe."

"Qual é. Você tem negócios com o *marido dela*?"

Ele abriu um sorriso malicioso. "Não tinha, foi o primeiro. E provavelmente o único, apesar de eu ter dito que estou envolvido com uma mulher especial... e que não é a dele."

"O problema é que ela é apaixonada por você."

"Ela nem me conhece." Ele agarrou a minha nuca e esfregou seu nariz no meu. "Vai lá ligar pro Cary. Eu arrumo tudo aqui. Depois a gente pode dar uns amassos."

"Safado."

"Tarada."

Remexi na minha bolsa atrás do celular. Gideon agarrou minha cinta liga e deu um puxão, fazendo uma sensação de ardor se espalhar pela minha pele. Surpreendentemente excitada pela pontada de dor, dei um tapa em sua mão e saí correndo para longe de seu alcance.

Cary atendeu no segundo toque. "Oi, gata. Já está melhor?"

"Já. E você é o melhor amigo que alguém pode ter. A minha mãe ainda está por aí?"

"Ela foi embora há mais ou menos uma hora. Você vai dormir com o seu amado?"

"Vou, a não ser que você precise de mim."

"Não, está tudo bem. Trey está vindo pra cá."

Essa notícia fez com que eu me sentisse um pouquinho menos culpada por passar mais uma noite fora. "Manda um oi pra ele por mim."

"Claro. E dou um beijo nele por você também."

"Vê lá, é um beijo que *eu* mandei. Não pode ser nada muito molhado e *caliente*."

"Desmancha-prazeres. Ei, lembra que você me pediu pra fazer uma pesquisa sobre o dr. Lucas? Até agora, eu não descobri nada. O único interesse dele parece ser o trabalho. Não tem filhos. E a mulher dele é da área da saúde também. É terapeuta."

Dei uma olhada para Gideon, para ver se ele não estava ouvindo. "Sério?"

"Por quê? Isso faz diferença?"

"Não, acho que não. É que... É que eu pensava que os psicólogos sabiam julgar o caráter das pessoas."

"Você conhece ela?"

"Não."

"O que está acontecendo, Eva? Você anda muito misteriosa ultimamente, e isso está começando a me irritar."

Sentei em um banquinho no balcão e comecei a explicar o que era possível. "Conheci o dr. Lucas em um evento beneficente, e depois encontrei com ele quando você estava no hospital. Nas duas vezes, ele falou coisas horrorosas sobre Gideon, e eu estou tentando descobrir qual é a dele."

"Qual é, Eva? O que mais poderia ser além de Cross ter comido a mulher dele?"

Como não podia revelar detalhes de um passado que não me pertencia, resolvi não responder. "Vou pra casa amanhã à tarde, e à noite vou sair com as meninas. Tem certeza de que não quer ir?"

"Ah, pode mudar de assunto, claro", reclamou Cary. "Sim, tenho certeza de que não quero ir. Ainda não estou pronto pra cair na noite de novo. Só de pensar nisso já fico apavorado."

Nathan havia atacado Cary na saída de uma balada, e Cary ainda não estava totalmente recuperado da agressão. Por algum motivo, eu não tinha me dado conta de que, psicologicamente, ainda demoraria mais algum tempo até ele ficar bem. Ele fazia de tudo para dar uma de durão, mas eu devia suspeitar. "No próximo fim de semana, que tal irmos pra San Diego? Podemos ver o meu pai, os nossos amigos... E o dr. Travis, talvez, se você estiver a fim."

"Quanta sutileza da sua parte, Eva", ele disse, sarcástico. "Mas, sim, parece uma boa ideia. Só vou precisar que você me empreste um dinheiro, já que estou sem trabalho."

"Tudo bem. Eu posso te bancar, e depois a gente acerta."

"Ah, antes que você desligue. Uma amiga sua ligou aqui hoje... Deanna. Esqueci de falar naquela hora. Ela tem uma notícia pra dar, pediu pra você ligar pra ela."

Eu olhei para Gideon. Ele percebeu, e alguma coisa no meu rosto deve ter me denunciado, porque seus olhos assumiram uma expressão bem séria. Gideon foi até mim com passadas longas e ágeis, depois de jogar fora os restos de comida e as caixas.

"Você disse alguma coisa pra ela?", perguntei baixinho para Cary.

"Tipo o quê?"

"O tipo de coisa que você não gostaria de contar pra uma jornalista, porque é isso que ela é."

Gideon ficou ainda mais sério. Ele passou por mim para jogar o saco de papel no compactador de lixo, e depois retornou ao meu lado.

"Você ficou amiga de uma jornalista?" Perguntou Cary. "Está maluca?"

"Não, ela não é minha amiga. Não sei nem como ela conseguiu o meu telefone, a não ser que ela estivesse ligando da recepção."

"E o que ela quer?"

"Está escrevendo uma matéria pra difamar Gideon. Ela está começando a me irritar. Está determinada a ferrar com ele."

"Da próxima vez que ela ligar, eu desligo."

"Não, não precisa." Eu olhei bem para Gideon. "É só não responder nada do que ela pergunta. Onde você disse que eu estava?"

"Disse que você tinha saído."

"Ótimo. Obrigada, Cary. Qualquer coisa me liga."

"Uma boa trepada pra você."

"Minha nossa, Cary." Sacudi a cabeça e desliguei.

"Deanna Johnson ligou na sua casa?", perguntou Gideon, com os braços cruzados.

"Sim. E eu vou ligar pra ela."

"Não vai, não."

"Pode parar com esse papo de troglodita. Não estou a fim desse seu 'mim Cross, você mulher de Cross'", eu rebati. "Caso você já tenha se esquecido, a gente fez um acordo. Eu sou sua, e você é meu. Só estou protegendo o que é meu."

"Eva, não queira comprar as minhas brigas. Eu sei me cuidar sozinho."

"Eu sei disso. Foi o que você fez a vida inteira. Mas agora eu estou com você. Então pode deixar que eu cuido dessa."

Alguma coisa mudou em sua expressão, de forma tão sutil que eu não tinha muita certeza se ele estava irritado mesmo ou não. "Não quero expor você aos problemas do meu passado."

"Você cuidou do meu."

"Não é a mesma coisa."

"Uma ameaça é uma ameaça, garotão. Estamos nessa juntos. Ela veio atrás de mim, então eu sou a sua melhor aliada pra descobrir o que ela anda aprontando."

Ele ergueu uma das mãos, irritado, e depois passou pelos cabelos. Tive que me esforçar para não me distrair quando a musculatura de seu corpo inteiro se contraiu — o abdome, os bíceps. "Foda-se o que ela anda aprontando. Você sabe a verdade, e é isso o que importa."

"Eu não vou ficar parada enquanto ela queima você na imprensa, pode esquecer!"

"Ela só pode me atingir se atingir você, e talvez seja isso que ela esteja tentando fazer."

"Isso nós só vamos saber quando eu falar com ela." Peguei o cartão de visita de Deanna na bolsa e acionei a opção de esconder o meu nome no identificador de chamadas dela.

"Puta que pariu, Eva!"

Pus o telefone no viva-voz e o deixei sobre o balcão.

"Deanna Johnson", ela atendeu prontamente.

"Deanna, é Eva Tramell."

"Oi, Eva." O tom de sua voz mudou, fingindo uma amizade que simplesmente não existia entre nós. "Como vai?"

"Vou bem, e você?" Olhei para Gideon e o observei para ver se a voz dela provocava alguma reação. Ele me encarou, e parecia deliciosamente puto da vida. Eu já tinha me acostumado com o fato de achá-lo irresistível o tempo todo, independentemente de seu estado de humor.

"As coisas estão aparecendo. Na área em que trabalho, isso é sempre bom."

"Então você está descobrindo o que queria."

"Aliás, foi por isso que eu liguei. Uma fonte minha afirma que Gideon flagrou você em um *ménage* com o seu colega de quarto e mais um cara, e ficou furioso. O cara foi parar no hospital, e agora está abrindo um processo. É verdade?"

Fiquei paralisada, e não consegui ouvir mais nada além da minha pulsação martelando no meu ouvido. Na noite em que conheci Corinne, voltamos para minha casa e encontramos uma orgia na sala de estar, com Cary, duas garotas e um cara chamado Ian. Quando Ian, sem nenhuma vergonha — e nenhuma roupa — me convidou para entrar na brincadeira, Gideon recusou a oferta com um soco direto no nariz.

Olhei para Gideon e senti meu estômago se contorcer. *Era verdade mesmo.* Ele estava sendo processado. A prova estava na cara dele, desprovida de toda e qualquer emoção, com seus pensamentos ocultados atrás de uma máscara impenetrável. "Não, não é verdade", eu respondi.

"Que parte?"

"Não tenho mais nada a dizer pra você."

"Também tenho um relato de uma testemunha ocular de uma briga entre Gideon e Brett Kline, supostamente por ter pegado você aos beijos com Kline. Isso é verdade?"

Apertei a beirada do balcão de pedra até os meus dedos ficarem pálidos.

"O seu colega de quarto foi atacado recentemente", ela continuou. "Gideon teve alguma coisa a ver com isso?"

Ai, meu Deus... "Você é maluca", eu disse com frieza.

"No vídeo da sua discussão com Gideon no Bryant Park, ele tem uma atitude bastante agressiva, inclusive fisicamente. Você tem uma relação violenta com Gideon Cross? Ele não consegue controlar o próprio temperamento? Você tem medo dele, Eva?"

Gideon virou as costas e saiu andando pelo corredor na direção do escritório.

"Vai se foder, Deanna", eu falei. "Quer destruir a reputação de um homem inocente só porque ele não quis comer você de novo? Bem se vê que você é mesmo uma mulher moderna e sofisticada."

"Ele atendeu o telefone", ela falou, "no meio da transa. Atendeu a porra do telefone e começou a falar sobre uma inspeção em uma propriedade dele. No meio da conversa, percebeu que eu ainda estava lá deitada esperando por ele e falou: 'Pode ir embora'. Assim, do nada. Ele me tratou como uma prostituta, só faltou me pagar. Não me ofereceu nem uma bebida."

Eu fechei os olhos. *Meu Deus.* "Eu sinto muito, Deanna. Sinceramente. Também já lidei com um monte de cretinos nesta vida, e pelo jeito é isso que ele significa pra você. Mas, mesmo assim, o que você está fazendo é errado."

"Não se for tudo verdade."

"Mas não é."

Ela suspirou. "Sinto muito envolver você nisso, Eva."

"Até parece." Encerrei a ligação e mantive a cabeça baixa, me agarrando ao balcão enquanto a sala inteira girava ao meu redor.

8

Encontrei Gideon andando de um lado para o outro atrás de sua mesa, como uma fera presa em uma jaula. Estava com o headphone na orelha, esperando para ser atendido ou então escutando, já que estava em silêncio. Ele me encarou com uma expressão dura e impassível. Apesar de estar apenas de cueca, parecia invulnerável. Ninguém que o visse seria tolo a ponto de imaginar outra coisa. Fisicamente, sua força se mostrava em cada músculo. Além disso, ele emanava um ar de ameaça de gelar a espinha.

O homem tranquilo e satisfeito com quem eu havia jantado não estava mais lá, substituído por um predador urbano acostumado a destruir seus concorrentes.

Preferi deixá-lo sozinho em sua tarefa.

Procurei o tablet de Gideon, que encontrei em sua pasta. O aparelho era protegido por senha, e eu fiquei olhando para a tela por um bom tempo, assustada em ver que estava tremendo. Tudo o que eu mais temia estava acontecendo.

"Anjo."

Olhei para ele quando apareceu no corredor.

"A senha", ele explicou. "É *anjo*."

Ah. Toda a energia do meu corpo se esvaiu, me deixando exausta. "Você devia ter me contado sobre o processo, Gideon."

"Na verdade ainda não é um processo, é só uma notificação extrajudicial", ele disse sem se alterar. "Ian Hager quer dinheiro, e eu quero sigilo. Vamos nos sentar entre quatro paredes e resolver isso."

Eu me ajeitei no sofá, deixando o tablet no colo. Ele veio andando até mim, me observando. Era fácil demais ficar encantada com sua aparência, e acabar esquecendo que ele era uma pessoa profundamente solitária. Porém, estava mais do que na hora de começar a me incluir em sua vida quando enfrentava dificuldades.

"Não me interessa se o processo ainda não está na justiça", argumentei. "Você tinha que ter me contado."

Ele cruzou os braços. "Eu ia."

"Você *ia*?" Eu me levantei. "Você viu como eu fiquei porque a minha mãe fez uma coisa sem me contar, e mesmo assim não abriu a boca pra falar dos seus segredos?"

Por um momento, ele permaneceu rígido e impassível, mas depois soltou um palavrão por entre os dentes e resolveu abrir o jogo. "Eu vim pra casa mais cedo com a intenção de conversar justamente sobre isso, mas aí você me contou sobre a sua mãe, e imaginei que já era dor de cabeça demais pra um só dia."

Eu desabei no sofá. "Não é assim que as coisas funcionam em um relacionamento, garotão."

"Eu acabei de conseguir você de volta, Eva. Não quero passar todo o nosso tempo juntos falando apenas sobre o que está errado e fodido na nossa vida!"

Dei um tapinha na almofada ao meu lado. "Vem aqui."

Em vez disso, ele sentou na mesinha de centro e me envolveu com suas pernas abertas. Ele pegou minhas duas mãos e as ergueu para beijá-las. "Me desculpe."

"Eu entendo você. Mas, se tem alguma coisa pra me falar, é melhor dizer agora."

Ele se inclinou para a frente, me puxando para fora do sofá. Quando chegou bem perto de mim, ele sussurrou: "Sou apaixonado por você".

No meio de tanta coisa errada, havia pelo menos uma certa.

E isso já bastava.

Nós caímos no sono no sofá, abraçados um ao outro. Eu acordava o tempo todo, atormentada pela angústia e atrapalhada pelo cochilo que tiramos antes. Estava desperta o suficiente para sentir a inquietação de Gideon, sua respiração se acelerando, suas mãos me apertando com mais força. Seu corpo inteiro se sobressaltou, me sacudindo. O gemido que ele soltou foi de cortar o coração.

"Gideon." Eu me virei para encará-lo, e ele foi despertado pelos meus movimentos. Tínhamos dormido com as luzes acesas, e fiquei feliz ao vê-lo acordado de novo.

Seu coração batia com força sob a palma da minha mão, e sua pele estava coberta por uma fina camada de suor. "Quê?", ele perguntou assustado. "O que foi?"

"Você estava começando a ter um pesadelo, acho." Dei alguns beijos de leve em seu rosto suado, na esperança de que o meu amor fosse capaz de afastar as más lembranças.

Ele tentou sentar, mas eu me agarrei ao seu corpo para impedi-lo.

"Você está bem?" Ele passou a mão pelo meu rosto, me observando. "Eu machuquei você?"

"Está tudo bem."

"Minha nossa." Ele se deitou de novo e escondeu os olhos com o antebraço. "Eu não posso continuar dormindo ao seu lado. E esqueci de tomar o remédio. Puta merda, preciso parar de vacilar."

"Ei." Eu me apoiei sobre o cotovelo e passei a outra mão pelo seu peito. "Não aconteceu nada."

"Não venha fingir que não aconteceu nada, Eva." Ele virou a cabeça para me encarar, implacável. "Todo cuidado é pouco."

"Eu sei muito bem disso." Ele parecia tão cansado, com olheiras escuras em torno dos olhos e linhas profundas em torno da boca.

"Eu matei um homem", ele disse, desolado. "Você sempre correu perigo dormindo ao meu lado, e agora mais do que nunca isso é a pura verdade."

"Gideon..." Eu de repente entendi por que seus pesadelos vinham se tornando cada vez mais frequentes. Ele era capaz de justificar suas ações, mas isso não aliviava sua consciência pesada.

Afastei os cabelos caídos sobre sua testa. "Se você está sofrendo, precisa falar comigo."

"Só quero que você se sinta segura", ele murmurou.

"Eu só me sinto segura de verdade quando estou com você. Está na hora de parar de se culpar por tudo o que acontece."

"A culpa é toda minha."

"A sua vida não era menos complicada antes de me conhecer?", eu questionei.

Ele me lançou um olhar um tanto dúbio. "Pelo jeito eu gosto de casos complicados."

"Então pare de reclamar. E não saia daí que eu já volto."

Fui até a suíte principal e troquei a lingerie por uma camiseta bem comprida e folgada das Indústrias Cross. Peguei a coberta dobrada no pé da cama, fui até o quarto de Gideon e peguei o remédio dele.

Ele me acompanhou com os olhos quando deixei a coberta e o remédio por ali e fui até a cozinha pegar uma garrafa d'água. Pouco depois, já estávamos ambos abraçadinhos sob as cobertas, com a maioria das luzes apagadas.

Eu cheguei mais perto, enroscando minha perna na dele. O medicamento que Gideon tomava contra a parassonia não era garantia nenhuma de cura, mas mesmo assim ele fazia questão de seguir religiosamente o tratamento. Eu adorava ver sua dedicação, admirava seu esforço para ficar comigo. "Você se lembra do que estava sonhando?", eu perguntei.

"Não. Mas o que quer que fosse, queria que tivesse você."

"Eu também." Deitei a cabeça sobre seu peito, ouvindo as batidas compassadas de seu coração. "Se o sonho fosse comigo, como seria?"

Senti que ele estava relaxando, afundando no sofá junto comigo.

"Seria um dia de sol numa praia do Caribe", ele murmurou. "Uma praia particular, com uma cabana na areia clarinha, sem janelas, só a fachada de frente pro mar. Você deitada numa espreguiçadeira. Sem roupa."

"Claro."

"Deitada preguiçosamente na sombra, com a brisa balançando seus cabelos. Com aquele sorriso que me deu na primeira vez em que eu fiz você gozar. Sem pressa pra nada, sem ninguém à nossa espera. Só nós dois, e todo o tempo do mundo."

"Pra mim parece o paraíso", eu sussurrei, sentindo seu corpo cada vez mais relaxado. "Queria nadar pelada com você."

"Humm..." Ele bocejou. "Preciso ir pra cama."

"Eu ia querer umas cervejas geladas também", eu falei, esticando o assunto para que ele adormecesse nos meus braços. "Com limão. Eu espremeria o suco em cima da sua barriga e depois lamberia tudinho."

"Eu adoro a sua boca."

"Então deveria sonhar com isso. E com as safadezas que a gente pode fazer juntos."

"Me dê alguns exemplos."

Eu dei vários, falando baixinho, acariciando sua pele. Ele caiu no sono depois de um suspiro profundo.

Fiquei abraçada com ele até bem depois de o sol nascer.

Gideon dormiu até as onze horas. Fiquei pensando e elaborando estratégias durante horas e, quando ele veio falar comigo no escritório, a mesa dele estava coberta de anotações e desenhos.

"Oi", eu cumprimentei, beijando de leve seus lábios quando ele veio até mim. Ainda estava sonolento, e absurdamente sensual apenas de cueca. "Bom dia."

Ele olhou para o que eu estava fazendo. "O que é isso?"

"Tome um café antes, depois eu explico." Esfreguei as mãos, entusiasmada. "Quer tomar um banho rápido enquanto preparo? Depois nós podemos conversar melhor."

Ele me encarou e abriu um sorriso de satisfação. "Tudo bem. Mas não seria melhor tomarmos um banho juntos? Pra conversa começar bem?"

"Seria melhor guardar essas ideias, e a sua libido, pra hoje à noite."

"Ah, é mesmo?"

"Eu vou sair hoje à noite, esqueceu? E vou beber bastante, o que sempre me deixa com tesão. Não esquece de tomar as suas vitaminas, garotão."

E abriu ainda mais o sorriso. "Pode deixar."

"É isso aí. Se conseguir levantar da cama amanhã, você é um homem de sorte", eu avisei.

"Vou me hidratar bastante, então."

"Boa ideia." Voltei a me concentrar no tablet, mas não pude evitar uma olhadinha para a sua bunda assim que ele saiu.

Quando apareceu de novo, estava com os cabelos molhados e vestido com uma calça preta folgada o suficiente para eu perceber que não usava cueca. Tive que me esforçar para me concentrar no meu plano. Pedi para que ele se sentasse na cadeira da escrivaninha e fiquei de pé ao seu lado.

"Muito bem", eu comecei, "seguindo a máxima de que a melhor defesa é o ataque, comecei a pensar em uma forma de trabalhar a sua imagem publicamente."

Ele deu um gole de café.

"Não me olhe assim", eu o repreendi. "Isso não entra na sua vida pessoal, afinal *eu sou* a sua vida pessoal."

"Boa menina." Ele deu um tapinha nas minhas costas.

Eu mostrei a língua para ele. "Minha intenção era encontrar uma forma de rebater uma campanha difamatória que explorasse os pontos fracos da sua personalidade."

"O fato de eu ser conhecido por não expor esses pontos fracos deve ajudar", ele disse num tom irônico.

Até me conhecer... "Eu sou uma influência terrível sobre você."

"Você é a melhor coisa que já aconteceu na minha vida."

Dei um beijo na testa dele ao ouvir isso. "Não foi nada fácil descobrir algo a respeito da Fundação Crossroads."

"Você que não soube procurar."

"O seu mecanismo de busca é péssimo", eu rebati, abrindo o site. "Tem essa página inicial, que é bonita, mas não traz informação nenhuma. Onde estão os links e as informações das instituições beneficiadas? E a sessão 'Quem somos', explicando o que é a fundação e qual é o seu objetivo?"

"Uma pasta com informações detalhadas é mandada pras instituições de caridade, pros hospitais e pras universidades duas vezes por ano."

"Ótimo. Mas chegou a hora de entrar na era da internet. Por que as ações promovidas pela fundação não fazem nenhuma menção a você?"

"A Crossroads não precisa remeter a mim, Eva."

"Como não?" Gideon ergueu as sobrancelhas, mas eu fiz o mesmo e entreguei uma lista de afazeres a ele. "Vamos minimizar o impacto do escândalo provocado por Deanna antes mesmo que ela comece a fazer estrago. Esse site precisa ser reformulado na segunda-feira no primeiro horário, acrescentando essas páginas e as informações que eu reuni."

Gideon deu uma olhada rápida no papel, apanhou a caneca de café e se recostou na cadeira. Preferi manter os olhos na caneca, e não sobre seu tronco descoberto.

"O site das Indústrias Cross deveria ter um link pra fundação, na página da sua biografia", eu continuei. "Que, aliás, também precisa ser reformulada e atualizada."

Mostrei mais um papel com anotações para ele.

Gideon o apanhou e passou os olhos pela breve biografia que eu esbocei. "É claramente escrita por alguém apaixonado por mim."

"Não precisa bancar o modesto, Gideon. Às vezes você precisa bater no peito e dizer: 'Eu sou o cara'. As suas qualidades vão muito além do seu rosto bonito, do seu corpo gostoso e do seu tesão inesgotável. Mas vamos nos concentrar nas coisas que posso dividir com o resto do mundo.

Gideon abriu um sorriso e perguntou: "Quantas canecas de café você já tomou hoje?".

"O suficiente pra acabar com você, então tome cuidado." Eu bati com o quadril em seu braço. "Também acho que seria bom escrever um comunicado à imprensa anunciando a aquisição de La Rose Noir, pras pessoas associarem o seu nome ao de Giroux. Pra todo mundo saber que Corinne, com quem você andou saindo ultimamente, tem um marido. Dessa forma, Deanna não pode pintar você como um canalha por ter rompido com ela. Isso *se* ela decidir ir por esse caminho."

Ele me puxou para seu colo, me pegando de surpresa. "Meu anjo, eu não aguento ver você preocupada desse jeito. Podemos fazer o que você quiser, mas antes entenda que essa Deanna não tem nada nas mãos. Ian Hager não vai comprometer a chance de ganhar uma bela indenização divulgando essa história. Ele vai assinar o acordo de sigilo, receber uma boa bolada e sumir no mundo."

"Mas e..."

"Pro Six-Ninths não é uma boa ideia que as pessoas saibam que a musa inspiradora do seu maior sucesso namora um outro cara. Isso significaria que a história de amor da música é falsa. Vou conversar com Kline, e tenho certeza de que ele vai entender."

"Você vai falar com Brett?"

"Nós temos negócios em comum", ele argumentou, abrindo um leve sorriso, "então claro que sim. E, quanto ao ataque a Cary, ela claramente está blefando. Tanto eu como você sabemos que Deanna não será capaz de tirar conclusão nenhuma em cima disso."

Eu pensei em tudo o que ele me falou. "Então você acha que ela está só querendo me atingir. Por quê?"

"Porque eu sou seu, e Deanna sabe muito bem disso se já cobriu algum evento em que estivemos juntos." Ele encostou sua testa à minha. "Não consigo esconder meus sentimentos quando você está por perto, e isso torna você um alvo."

"De mim você soube esconder muito bem os seus sentimentos."

"Foi a sua insegurança que não deixou você ver."

Contra isso eu não podia argumentar. "Vamos supor que a intenção dela seja mesmo me deixar com medo de um escândalo. Mas o que ela ganharia com isso?"

Ele se recostou na cadeira. "Pense bem. A grande ameaça é o surgimento de um escândalo envolvendo nós dois. Qual seria a melhor forma de evitar isso?"

"Mantendo distância de mim. É o que diriam pra você fazer. Cortar as relações com uma potencial fonte de escândalos é o básico do básico do gerenciamento de crises."

"Ou então fazer o contrário, e casar com você logo de uma vez", ele disse baixinho.

Fiquei paralisada. "O que...? Você está...?" Engolindo em seco, eu sussurrei: "Não neste momento. Não desta maneira".

"Não mesmo", concordou Gideon, me beijando de leve na boca. "Quando eu pedir você em casamento, meu anjo, vai ser pra valer."

Senti um nó na garganta. Não consegui falar, só balancei a cabeça.

"Respira fundo", ele disse, tranquilo. "Mais uma vez. Pronto, agora me diz que não entrou em pânico por causa disso."

"Não mesmo. Não."

"Fala comigo, Eva."

"É que..." Eu soltei o ar com força. "Eu só quero que você me peça isso quando eu estiver pronta pra dizer sim."

A tensão se instalou em seu corpo. Ele se inclinou para trás, e a mágoa era visível em seus olhos. "E agora não está?"

Eu sacudi a cabeça.

Seus lábios se contraíram em uma linha estreita. "Me diz, então, o que é preciso pra isso acontecer."

Lancei meus braços sobre seus ombros, para que ele sentisse a proximidade entre nós. "Existe tanta coisa que eu não sei. Não que eu precise de mais informações pra me decidir, porque nada é capaz de acabar com o meu amor por você. Nada. Só acho que a sua hesitação em compartilhar as coisas comigo significa que *você* também não está pronto."

"Sei...", ele murmurou.

"Eu preciso ter a certeza de que você vai querer passar a vida toda comigo. Não vou conseguir sobreviver a uma separação, Gideon."

"O que você quer saber?"

"Tudo."

Ele soltou um ruído de frustração. "Você precisa ser mais específica."

Falei a primeira coisa que veio à minha cabeça, já que estava pesquisando a respeito de seus negócios durante toda a manhã. "Sobre a Vidal Records. Por que você é o dono da gravadora do seu padrasto?"

"Porque ela estava falindo." Ele cerrou os dentes. "Minha mãe já tinha perdido tudo o que tinha na vida uma vez. Eu não podia deixar isso acontecer de novo."

"O que você fez?"

"Pedi pra minha mãe convencer Chris e Christopher a fazer uma oferta pública de ações da empresa, e a parte de Ireland ela vendeu pra mim. Com isso, e as ações que comprei na bolsa, assumi o controle da empresa."

"Uau." Eu apertei sua mão. Eu conhecia os dois, pai e filho. Apesar das semelhanças físicas, os cabelos castanhos e os olhos verdes, fiquei com a impressão de que eram homens bem diferentes. Quanto a Christopher, o filho, eu tinha certeza de que era um canalha. Mas sobre o pai eu sabia muito pouco. E esperava sinceramente não precisar dizer o mesmo sobre ele. "E como as coisas chegaram a esse ponto?"

O olhar que Gideon me lançou dizia tudo. "Chris nunca hesitou em pedir meus conselhos, mas Christopher sempre fez questão de não segui-los, então o meu padrasto ficava o tempo todo no meio do tiroteio."

"Então você fez o que precisava ser feito." Eu dei um beijo em seu queixo. "Obrigada por me contar."

"Era só isso?"

Eu abri um sorriso. "Não."

Queria fazer mais perguntas, mas meu telefone tocou, e aquele toque específico indicava que era a minha mãe. Fiquei surpresa por ela demorar tanto tempo para ligar — eu tinha tirado o telefone do modo silencioso por volta das dez. Soltando um gemido, eu falei: "Preciso atender".

Ele me deixou levantar, e apalpou minha bunda quando comecei a me afastar. Já na porta, me virei para ele, e Gideon estava examinando minhas anotações e sugestões. Eu sorri.

Quando cheguei ao balcão, onde estava o meu celular, ele parou de tocar, mas recomeçou logo em seguida. "Mãe", eu me apressei em atender, antes que ela surtasse. "Eu passo na sua casa daqui a pouco, tudo bem? Pra gente conversar."

"Eva. Você não faz ideia de como eu estava preocupada! Você não pode fazer isso comigo!"

"Chego aí em uma hora", eu interrompi. "Só preciso me trocar e já vou."

"Eu mal consegui dormir, de tão chateada que estava."

"Se for pra levar a conversa pra esse lado, eu também não dormi quase nada", rebati. "O mundo não gira exclusivamente ao seu redor, mãe. Fui eu que tive a minha privacidade invadida. E por culpa sua."

Houve um silêncio.

Dificilmente eu falava de maneira agressiva com a minha mãe, porque ela era realmente sensível, mas nós precisávamos redefinir nossa relação caso quiséssemos continuar tendo uma. Olhei para o pulso para saber que horas eram, mas então me lembrei de que não tinha mais um relógio. Em vez disso, olhei no conversor de sinal da TV a cabo. "Chego aí à uma."

"Vou mandar um carro buscar você", ela disse baixinho.

"Obrigada. Até mais." Eu desliguei.

Já estava guardando o telefone de volta na bolsa quando apareceu uma mensagem de texto de Shawna: **O que vc vai usar na balada?**

Um monte de coisas diferentes passou pela minha cabeça, de visuais despojados até produções ousadíssimas. Apesar de estar mais propensa à ousadia, eu me lembrei da existência de Deanna. Eu precisava pensar em como minha imagem ficaria exposta nos tabloides. **Um pretinho**, eu respondi, pensando em um clássico adequado a qualquer situação. **Saltos bem altos. E um monte de joias.**

:-) **Saquei! Vejo vc às 7**, ela respondeu.

A caminho do quarto, parei em frente ao escritório de Gideon e fiquei encostada ao batente da porta, observando seus movimentos. Eu poderia ficar fazendo aquilo durante horas, adorava ficar olhando para ele. Quando estava concentrado, ele ficava muito sexy.

Gideon me olhou e sorriu, e percebi que ele sabia que eu estava lá. "Gostei disto aqui", ele elogiou, apontando para a mesa. "Principalmente considerando que foi tudo reunido em questão de horas."

Fiquei orgulhosa, emocionada por ter impressionado um dos executivos mais bem-sucedidos do mundo com o meu trabalho.

"Quero você nas Indústrias Cross, Eva."

Meu corpo reagiu ao tom de determinação em sua voz, que me lembrou a primeira vez em que conversamos, quando ele disse: **Quero comer você, Eva.**

"Eu também quero você lá", eu respondi. "Na sua mesa."

Os olhos dele brilharam. "Essa pode ser a nossa comemoração."

"Eu gosto do meu trabalho. E dos meus colegas. E de saber que mereci cada coisa que conquistei."

"Eu posso oferecer tudo isso e muito mais." Ele batucou na caneca com os dedos. "Acho que você foi pro ramo de publicidade pra fugir da monotonia. Por que não relações públicas, então?"

"Porque isso envolve política. Anunciando produtos, a retórica fica restrita a transações comerciais."

"Você falou sobre gerenciamento de crises agora há pouco. E obviamente", ele apontou para as coisas espalhadas sobre a mesa, "tem talento pra isso. Me deixe tirar proveito disso."

Eu cruzei os braços. "Gerenciamento de crises é trabalho pra profissionais de relações públicas, e você sabe disso."

"Você é boa na resolução de problemas. Eu posso usar esse talento seu. Delegar problemas sérios e complexos pra você resolver. Nada de rotina, um desafio atrás do outro."

"Fala sério." Comecei a bater os pés. "Quantas crises você encara numa semana qualquer?"

"Inúmeras", ele respondeu, animado. "Qual é? Eu sei que você ficou interessada. Dá pra ver na sua cara."

Eu me endireitei para responder: "Você já tem gente de sobra para lidar com tudo isso".

Gideon se recostou na cadeira e sorriu. "Eu quero mais. E você também. Vamos fazer isso juntos."

"Você é terrível, sabia? Obstinado pra caramba. Escuta o que estou dizendo: nós dois trabalhando juntos não é uma boa ideia."

"Estamos trabalhando muito bem até aqui."

Eu sacudi a cabeça. "Porque você concordou com as minhas avaliações e sugestões, e além disso eu estava no seu colo, com você passando a mão na minha bunda. Não vai ser tão agradável assim quando nós discordarmos um do outro e precisarmos discutir a respeito num ambiente profissional, com outras pessoas ao redor. E pra piorar nós vamos trazer tudo isso pra casa, e lidar com os problemas do trabalho no ambiente doméstico também."

"Nós podemos combinar de não conversar sobre trabalho dentro de casa." Ele passou os olhos por mim, e os manteve sobre minhas pernas, que estavam nuas sob o robe de seda. "Não vai ser muito difícil arrumar coisas mais interessantes pra fazer."

Eu revirei os olhos e dei as costas para ele. "Maníaco sexual."

"Eu adoro fazer amor com você."

"Isso não é justo", eu reclamei, me sentindo indefesa. Eu *não tinha* como resistir a ele.

Gideon sorriu. "Eu nunca disse que jogava limpo."

Quinze minutos depois, quando entrei no meu apartamento, fui invadida por uma sensação estranha. A disposição do espaço era idêntica à do lar temporário de Gideon, só que invertida. A decoração que ele havia providenciado, uma mistura da minha mobília com a dele, fez com que eu me sentisse absolutamente à vontade por lá, o que fez com que eu me sentisse estranha... na minha própria casa.

"Oi, Eva."

Olhei ao redor e vi Trey na cozinha, pondo leite em dois copos. "Oi", eu cumprimentei de volta. "Como você está?"

"Já estou melhor."

E parecia mesmo. Seus cabelos loiros, normalmente bagunçados, estavam ótimos — um dos talentos de Cary. Seus olhos castanhos brilhavam, e ele tinha um sorriso radiante logo abaixo do nariz que um dia claramente já tinha sido quebrado.

"Que bom ver você de novo por aqui", eu falei.

"Eu dei uma reorganizada na minha agenda." Ele me ofereceu um copo com leite, que recusei sacudindo a cabeça. "E você, como vai?"

"Fugindo de jornalistas, torcendo pro casamento do meu chefe sair, tentando acertar os ponteiros com a minha mãe, precisando ligar pro meu pai e ansiosa pra sair hoje à noite com as amigas."

"Você é demais."

"Isso é você que está dizendo", eu falei com um sorriso. "E as aulas, como vão? E o trabalho?"

Eu sabia que Trey estava estudando para ser veterinário, e que precisava ter mais de um emprego para pagar a faculdade. Um deles era o de assistente de fotógrafo, e foi assim que conheceu Cary.

Ele fez uma careta. "Não está nada fácil, mas um dia essa correria toda ainda vai valer a pena."

"A gente devia ver uns filmes e comer uma pizza aqui de novo um dia desses." Eu inevitavelmente torcia para Trey em sua disputa com Tatiana por Cary. Podia ser impressão minha, mas ela não parecia ter a menor simpatia por mim. E eu não tinha gostado nada da atitude dela quando foi apresentada a Gideon.

"Claro. Vou ver como está a agenda de Cary."

Eu me arrependi de ter falado com Trey antes de Cary, porque o brilho de seus olhos aos poucos foi se apagando. Aquilo na certa o fez lembrar que estava dividindo a atenção de Cary com Tatiana. "Bom, se ele não estiver muito disponível, podemos fazer isso só nós dois."

Ele abriu um meio-sorriso. "Por mim estamos combinados."

*

Faltando dez para a uma, saí do prédio e encontrei Clancy à minha espera. Ele acenou para o porteiro e abriu a porta do carro para mim, mas sua aparência deixava bem claro que sua função não se limitava à de um simples motorista. Ele se comportava como a máquina de guerra que na verdade era — desde que o vi pela primeira vez, não me lembrava de tê-lo visto sorrindo.

Uma vez atrás do volante, ele desligou o rádio, que em geral ficava sintonizado na frequência da polícia, tirou os óculos escuros e me olhou pelo retrovisor. "Como você está?"

"Melhor que a minha mãe, imagino."

Profissional experiente que era, ele jamais permitiria que sua expressão indicasse o que estava passando por sua cabeça. Em vez disso, ele recolocou os óculos escuros e sintonizou o som do carro com o meu celular via Bluetooth para tocar as minhas músicas. Só depois disso Clancy pôs o carro em movimento.

Amolecida por sua gentileza, que aliás era algo constante, eu falei: "Ei. Me desculpa por tudo o que eu falei. Você estava fazendo seu trabalho, e não merecia ficar aguentando encheção de saco por isso."

"Eu não cuido da sua segurança só por obrigação, srta. Tramell."

Fiquei em silêncio por um tempo, tentando entender o que ele quis dizer com aquilo. Minha relação com Clancy era distante e puramente profissional. Nós costumávamos nos ver com frequência porque ele era o responsável por me levar e me buscar na academia do krav maga, que ficava no Brooklyn. Porém, eu jamais imaginei que ele poderia ter algum tipo de motivação pessoal para cuidar da minha segurança. Clancy era o tipo de cara que tinha muito orgulho de seu trabalho.

"É que não foi só aquilo", eu esclareci. "Já tinha acontecido um monte de coisas antes de você e Stanton entrarem em cena."

"Desculpas aceitas."

Aquela resposta brusca e impessoal combinava tanto com ele que até dei risada.

Eu me ajeitei melhor no assento e olhei pela janela, para a cidade que eu havia adotado e aprendido a amar. Na calçada ao meu lado, estranhos se aglomeravam ombro a ombro em torno de um pequeno balcão, comendo fatias de pizza. Por mais que estivessem próximos, a distância entre eles era enorme, revelando a habilidade única dos nova-iorquinos de ser uma ilha em meio a um mar de pessoas. Os pedestres caminhavam apressados em todas as direções, ignorando um homem que entregava panfletos religiosos e o cachorrinho postado a seus pés.

O ritmo frenético da cidade injetava nas pessoas tamanha vitalidade que os pedestres ali pareciam andar mais depressa que em qualquer outro lugar. Era um tremendo contraste com a velocidade indolente e sensual do Sul da Califórnia, onde eu havia feito a faculdade e onde meu pai ainda morava. Nova York era uma dominatrix no auge da forma, estalando o seu chicote e torturando seus súditos sem um pingo de dó.

Minha bolsa vibrou ao meu lado no assento, e eu peguei o celular. Dei uma olhada rápida na tela e vi que era o meu pai. Sábado era o dia dos nossos papos semanais, uma ocasião que eu aguardava ansiosamente, mas quase pensei em deixar a ligação cair na caixa postal e conversar com ele quando estivesse me sentindo melhor. Eu estava irritada com a minha mãe, e meu pai andava preocupado demais desde que veio me visitar em Nova York.

Ele estava comigo quando a polícia apareceu no meu apartamento para me dizer que Nathan estava na cidade. Os detetives despejaram essa notícia bombástica antes de revelar que ele havia sido assassinado, e eu não consegui esconder meu pavor com a ideia de tê-lo por perto. Meu pai ficou bem desconfiado depois de ver minha reação.

"Oi", eu atendi, para não ficar mal com ambos os meus pais ao mesmo tempo. "Como você está?"

"Com saudade de você", ele respondeu com a voz profunda e confiante de que eu tanto gostava. Meu pai era o homem mais perfeito que eu conhecia — um moreno bonito, confiante, inteligente e fiel como um cão de guarda. "E você?"

"Não tenho muito do que reclamar."

"Então reclame só um pouquinho. Sou todo ouvidos."

Eu ri baixinho. "A mamãe anda me dando trabalho."

"O que ela fez agora?", ele perguntou, com um toque de divertimento e indulgência na voz.

"Ela anda enfiando o nariz onde não é chamada."

"Ah. Às vezes os pais se preocupam com as brincadeiras das crianças."

"Você *nunca* fez isso", eu argumentei.

"Eu nunca *precisei* chegar a esse ponto", ele rebateu. "Mas, dependendo do quanto ficar preocupado, pode acontecer. E era isso o que eu ia dizer para convencer você a me perdoar."

"Então, estou indo até a casa dela agora. Vamos ver se ela consegue me convencer. Se ela admitisse que estava errada já ajudaria."

"Eu não contaria com isso."

"Haha! Não é mesmo?" Eu suspirei. "Posso ligar pra você amanhã?"

"Claro. Está tudo bem, querida?"

Eu fechei os olhos. Com seu instinto de policial combinado ao de pai, eu não tinha muita chance de conseguir mentir para Victor Reyes. "Está, sim. É que já estou quase chegando. Depois eu conto como foi. Ah, e acho que o meu chefe vai casar. Enfim, tenho um monte de coisas pra contar pra você."

"Acho que vou ficar na delegacia de manhã, mas pode me ligar no celular a qualquer hora. Amo você."

Naquele momento, me bateu uma dose imensa de saudade. Por mais que adorasse Nova York e a minha nova vida, eu sentia muita falta do meu pai. "Eu também amo você, pai. Até amanhã."

Desliguei o telefone e olhei para o pulso para ver as horas. A ausência do meu relógio me lembrou do confronto que vinha pela frente. Eu estava chateada com a minha mãe por causa do passado, e ainda mais preocupada em relação ao futuro. Ela morria de preocupação por causa de Nathan, mas eu não sabia se a morte dele havia de fato mudado alguma coisa.

"Ei." Eu me inclinei para a frente, com a intenção de esclarecer algo que vinha me incomodando fazia tempo. "Naquele dia em que minha mãe, Megumi e eu voltamos a pé pro Crossfire e minha mãe deu um chilique... Vocês viram Nathan?"

"Sim."

"Ele já tinha ido até lá antes e apanhado feio de Gideon Cross. Por que ele voltaria lá?"

Ele me olhou pelo espelho. "Quer saber meu palpite? Para ser visto. Deve ter achado que, quando sua presença fosse notada, sua chantagem ia fazer mais efeito. Provavelmente a intenção era assustar você, mas acabou atingindo a sra. Stanton. De uma forma ou de outra, cumpriu seu objetivo."

"E ninguém me disse nada", eu disse baixinho. "Não me conformo com isso."

"O que ele queria era assustar você. Ninguém quis dar a ele esse gostinho."

Ah. Eu não tinha pensado na coisa por esse ângulo.

"O meu maior arrependimento", continuou ele, "foi ter descuidado de Cary. Foi um erro de cálculo meu, mas quem pagou o preço foi ele."

Gideon também não esperava que Nathan pudesse ir para cima de Cary. E só Deus sabia o quanto eu me sentia culpada por aquilo — o fato de ser meu amigo foi o único motivo por que ele foi agredido.

Fiquei comovida de verdade com a preocupação de Clancy, o que era claramente perceptível em seu tom de voz. Não era mentira — para ele, nossa segurança era mais que um trabalho. Ele era um bom sujeito, que dava tudo de si para cumprir suas obrigações. O que me deixou curiosa: como ele conseguia conciliar tudo isso com sua vida pessoal?

"Você tem namorada, Clancy?"

"Eu sou casado."

Eu me senti uma idiota por não saber disso. Como ela devia ser, uma mulher casada com um homem tão sério e taciturno? Um homem que usava paletó até nos dias mais quentes para esconder a arma que carregava sempre consigo? Ele seria capaz de mostrar seu lado mais doce para ela? E quanto à segurança dela? Ele chegaria ao ponto de matar para protegê-la?"

"Você faria qualquer coisa para protegê-la?", eu perguntei.

Ele reduziu a velocidade para parar no sinal e se virou para me encarar. "Qualquer coisa e um pouco mais."

9

"E com esse, qual era o problema?", Megumi perguntou, olhando para o cara em questão que se afastava. "Ele tinha covinhas."

Revirei os olhos e esvaziei o meu copo de vodca com suco de cranberry. A quarta parada da nossa peregrinação pelos clubes noturnos, um lugar chamado Primal, estava bombando. A fila para entrar dava a volta no quarteirão, e o som que tocava lá dentro fazia jus ao nome do local, um rock pesado rugindo em um espaço escuro com seu ritmo primitivo e sedutor. A decoração era uma mistura eclética de metais polidos e madeiras escuras, com luzes em diversas tonalidades criando texturas de pele de animais.

Parecia meio exagerado, mas, assim como tudo o que dizia respeito a Gideon, conseguia chegar ao limite sem nunca ser ridículo. A atmosfera era de puro prazer, e elevou minha libido atiçada pelo álcool à loucura. Eu não conseguia ficar sentada, batia os sapatos inquietamente nos pés da cadeira.

Lacey, a colega de apartamento de Megumi, com seus cabelos loiros repicados em um lindo penteado, lançou o olhar para o teto e gritou: "*Por que* você não fala com ele?".

"Eu devia falar", disse Megumi, toda vermelha, com os olhos brilhando e gostosíssima em seu vestidinho dourado. "Pode ser que *ele* não tenha medo de compromisso."

"Por que você quer tanto um compromisso?", perguntou Shawna, finalizando uma bebida do mesmo tom de vermelho vivo dos seus cabelos. "Por causa da monogamia?"

"A monogamia é uma coisa superestimada." Lacey se levantou de um dos banquinhos que cercavam nossa mesa alta e alisou a parte de trás da calça, fazendo as pedrinhas de seus jeans brilharem na semipenumbra da casa noturna.

"Não é, não", rebateu Megumi. "Eu sou partidária da monogamia."

"Michael continua dormindo com outras?", eu perguntei, me inclinando para a frente para não ter de gritar.

Tive que me inclinar de volta para trás para dar espaço à garçonete, que estava trazendo mais uma rodada e retirando os copos vazios. O uniforme das funcionárias, com botas de salto alto e vestidinhos rosa-choque, fazia com que elas se destacassem na multidão, facilitando sua localização. E era também muito sexy — assim como as meninas que o vestiam. Será que Gideon tinha escolhido pessoalmente aquela roupa? Quem teria sido a modelo quando ele aprovou o modelito?

"Não sei." Megumi pegou a bebida e bebeu pelo canudinho com uma expressão de desânimo. "Tenho medo de perguntar."

Pegando um dos copos em cima da mesa e uma fatia de limão, eu gritei: "Vamos virar tudo isso logo e ir dançar!".

"É isso aí!" Shawna virou sua dose de Patrón sem esperar pelo restante de nós, e depois enfiou o limão na boca. Jogando o bagaço de volta no copo, ela olhou para cada uma de nós. "Vamos lá, suas molengas."

Depois foi a minha vez, estremecendo ao sentir a tequila lavar o sabor de cranberry da minha língua. Lacey e Megumi beberam ao mesmo tempo, gritando *Kanpai!* antes de virarem seus copos.

Chegamos juntas à pista de dança, com Shawna liderando o caminho com seu vestido azul, que brilhava quase tanto quanto o uniforme das garçonetes sob a luz negra da casa. Fomos absorvidas pela aglomeração de silhuetas dançantes, e logo nos vimos envolvidas por uma multidão de corpos masculinos suados.

Eu me deixei levar pela batida cativante da música e pela atmosfera sensual da pista lotada. Joguei os braços para o alto e comecei a dançar, liberando toda a tensão da longa e infrutífera discussão com a minha mãe naquela tarde. Em algum momento, minha confiança nela havia se perdido. Quando ela garantiu que as coisas seriam diferentes sem a sombra ameaçadora de Nathan, não consegui acreditar. Ela já tinha ultrapassado os limites do aceitável tantas vezes que sua promessa me pareceu vazia.

"Você está linda", gritou alguém no meu ouvido.

Olhei por cima do ombro e vi um cara de cabelos escuros inclinado na minha direção. "Obrigada!"

Não era verdade. Meus cabelos estavam todos grudados no suor do meu rosto e da minha nuca. Eu não estava nem aí. A batida da música se acelerava, as canções se juntavam umas às outras.

Fiquei impressionada com a sensualidade do ambiente e do desejo de sexo casual que todos ali pareciam exalar. Acabei prensada no meio de um casal — a moça às minhas costas e seu namorado à minha frente. Foi nesse momento que avistei um rosto conhecido. Ele já devia ter me visto, pois estava vindo na minha direção.

"Martin!", eu gritei, saindo do meio dos dois. O sobrinho de Stanton era presença constante nos feriados em família. Só tínhamos nos encontrado uma vez desde a mudança para Nova York, mas eu gostaria de vê-lo mais vezes.

"Eva, oi!" Ele me deu um abraço e se afastou para me ver melhor. "Você está ótima. Como andam as coisas?"

"Vamos beber alguma coisa!", gritei de volta, consciente de que era impossível manter uma conversa no meio de uma pista de dança lotada.

Ele me pegou pela mão e me puxou para longe da aglomeração. Eu apontei para a minha mesa. Assim que nos sentamos, a garçonete já me serviu mais uma vodca com suco de cranberry.

Era um fato que vinha se repetindo a noite toda, embora eu tenha notado que a cada rodada a bebida vinha mais escura, um sinal de que havia ali mais suco de fruta do que álcool. Eu sabia que isso era proposital, e fiquei impressionada com a capacidade de Gideon de fazer com que suas instruções fossem seguidas à risca independentemente do estabelecimento. E, desde que ninguém se recusasse a me servir, eu não tinha motivo para reclamar.

"Então", eu comecei, dando um primeiro gole na bebida antes de passar o copo gelado sobre a testa. "Tudo bem com você?"

"Tudo ótimo." Ele sorriu, todo charmoso com sua camiseta de gola em V marrom e sua calça jeans preta. Seus cabelos escuros não eram tão compridos quanto os de Gideon, mas caíam sobre seu rosto, emoldurando seus olhos verdes, que pareciam mais escuros na meia-luz. "E como andam as coisas na área da publicidade?"

"Eu adoro o meu trabalho!"

Ele abriu um sorriso diante do meu entusiasmo. "Quem me dera poder dizer a mesma coisa."

"Pensei que você gostasse de trabalhar com Stanton."

"Eu gosto. E me rende um bom dinheiro. Mas o meu cargo não é lá essas coisas."

A garçonete trouxe o uísque com gelo que ele pediu, e nós brindamos.

"Você veio com quem?", eu perguntei.

"Com uns amigos", ele olhou ao redor, "que pelo jeito estão perdidos na selva. E você?"

"Também." Olhei para Lacey na pista de dança, e ela levantou os dois polegares na minha direção. "Você tem namorada, Martin?"

Seu sorriso se abriu ainda mais. "Não."

"E gosta de loiras?"

"Você está dando em cima de mim, Eva?"

"Não exatamente." Levantei as sobrancelhas na direção de Lacey e apontei para Martin com o queixo. Ela hesitou por um momento, mas depois abriu um sorriso e partiu em nossa direção.

Eu os apresentei, e senti que tinham se dado bem logo de cara. Martin era divertido e charmoso, e Lacey, animada e atraente de um jeito único — tinha mais a ver com carisma do que com beleza.

Megumi também voltou para a mesa e viramos mais umas bebidas antes que Martin chamasse Lacey para dançar.

"E para mim, você não tem nenhum gatinho como esse pra apresentar?", perguntou Megumi, vendo os dois sumirem na multidão.

Nesse momento, desejei estar com o meu celular no bolso. "Você está desesperada, menina."

Ela me encarou por um bom tempo. Depois abriu um sorriso. "Estou bêbada, isso, sim."

"Isso também. Vamos pedir outra rodada?"

"Claro!"

Pedimos mais um dose, que terminamos justamente quando Shawna apareceu com Lacey, Martin e os dois amigos dele, Kurt e Andre. Kurt era lindo, cabelos castanho-claros, queixo quadrado e sorriso pretensioso. Andre era bonitinho também, com um brilho intenso nos olhos escuros e dreads que iam até a altura dos ombros. Sua atenção se concentrou imediatamente em Megumi, o que elevou um bocado sua moral.

Em pouco tempo, nosso grupo recém-expandido já estava dando gargalhadas.

"E quando Kurt saiu do banheiro", Martin concluiu sua história, "ele mostrou as bolas pro restaurante inteiro."

Andre e Martin riam escandalosamente. Kurt atirou pedaços de limão neles.

"Como assim?", eu perguntei sorrindo, sem ter entendido a piada.

"Ele não fechou direito a braguilha da calça e deixou o saco pra fora", explicou Andre. "As pessoas não acreditavam no que estavam vendo, e depois pareciam tentar entender como ele não percebeu que estava com as bolas ao vento. Ninguém disse nada."

"Está falando sério?" Shawna quase caiu da cadeira.

A bagunça era tanta que a garçonete pediu para baixarmos o tom — com um sorriso no rosto, é claro. Eu a puxei pelo cotovelo antes que ela se afastasse. "Tem algum telefone aqui que eu possa usar?"

"É só pedir lá no bar", ela respondeu. "Diz que Dennis, o gerente, liberou. Eles emprestam pra você."

"Valeu." Eu desci do banquinho, e ela foi atender outra mesa. Não fazia ideia de quem era Dennis, mas pela noite que estava tendo até aquele momento sabia que Gideon tinha me deixado em boas mãos. "Alguém mais vai querer água?", perguntei para o pessoal.

Eles me responderam com vaias e uma chuva de guardanapos. Aos risos, fui até o bar e pedi uma garrafa de San Pellegrino e o telefone. Liguei para o celular de Gideon, o único número que eu sabia de cabeça, sabendo que não haveria problemas futuros caso ele recebesse uma ligação de um estabelecimento de sua propriedade.

"Cross", ele atendeu rapidamente.

"Oi, garotão." Eu me inclinei sobre o balcão e cobri a outra orelha com a mão. "Eu estou bêbada e fiquei com vontade de falar com você."

"Dá pra perceber." Quando se deu conta de que era eu, seu tom de voz mudou, tornou-se mais detido e afetuoso. Ele era capaz de me cativar mesmo em meio à barulheira da música. "Está se divertindo?"

"Sim, mas estou sentindo sua falta. Você tomou suas vitaminas?"

Seu sorriso era perceptível em sua voz quando ele perguntou: "Está com tesão, meu anjo?".

"É culpa sua! Este lugar é um tremendo afrodisíaco. Estou toda suada, excitada e exalando feromônios. E me comportei muito mal, se você quer saber. Estava dançando como se fosse solteira."

"Meninas más precisam ser castigadas."

"Então acho melhor eu começar a me comportar mal pra valer. Pra merecer o castigo."

Ele grunhiu. "Venha pra casa e me mostre seu mau comportamento."

A ideia de que ele estava em casa, esperando por mim, fez com que eu o desejasse ainda mais. "Só posso ir embora quando as meninas quiserem. E, pelo andar da carruagem, isso não vai acontecer tão cedo."

"Eu posso ir até aí. Em vinte minutos, o meu pau pode estar dentro de você. Que tal?"

Olhei ao redor e senti meu corpo inteiro vibrar ao som da música. A ideia de dar para Gideon em um lugar como aquele, que era um convite ao pecado, fez meu corpo inteiro se contorcer de excitação. "Hum, eu quero."

"Está vendo uma passarela no alto?"

Eu me virei, olhei para cima e vi uma passarela suspensa que ia de uma parede a outra. Os casais se esfregavam ao ritmo da música a mais de cinco metros acima da pista de dança. "Sim."

"Tem um cantinho no final dela, na junção de dois espelhos. Encontro você lá. Esteja pronta, Eva", ele mandou. "Quero sua bocetinha molhadinha e descoberta quando chegar."

Eu estremeci ao ouvir aquela voz de comando tão familiar, pois sabia que ele estava impaciente, que ia vir para cima de mim com força. *Justamente o que eu queria*. "Estou usando um..."

"Meu anjo, eu sou capaz de encontrar você até no meio de um milhão de pessoas. Você nunca vai conseguir se esconder de mim, nem se quiser."

O desejo tomou conta do meu corpo. "Não demora."

Eu me inclinei sobre o balcão, devolvi o telefone do bar, peguei minha garrafa de água mineral e bebi tudo em um só gole. Depois fui até o banheiro, onde tive que esperar em uma fila enorme para poder me aprontar para Gideon. Eu estava inebriada de álcool e tesão, empolgadíssima pelo fato de que o meu namorado — provavelmente um dos homens mais ocupados do mundo — estava deixando tudo de lado para... me servir.

Eu lambi os lábios, e senti minhas pernas ficarem inquietas.

Entrei correndo no primeiro banheiro feminino que vagou e arranquei apressadamente a calcinha antes de ir até a pia me refrescar com um lenço de papel molhado na frente do espelho. Minha maquiagem estava borrada, deixando meus olhos escuros e minhas bochechas vermelhas de calor e excitação. Meus cabelos estavam todos bagunçados e molhados, escorrendo pelo rosto.

Por mais estranho que pudesse parecer, eu não estava feia. Estava com a aparência sensual de quem se sentia pronta para transar.

Lacey estava na fila, e eu passei por ela ao sair pela passagem tumultuada que levava ao banheiro.

"Está se divertindo?", eu perguntei.

"Ah, sim!" Ela sorriu. "Obrigada por me apresentar ao seu primo."

Eu nem me dei ao trabalho de corrigir a informação. "De nada. Posso perguntar uma coisa pra você? Sobre Michael?"

Ela encolheu os ombros e falou: "Vai em frente".

"Você saiu com ele primeiro. O que você não gostou nele?"

"Não rolou aquela sintonia. Ele é bonito. E bem-sucedido. Infelizmente, não senti vontade de transar com ele."

"Passa ele pra frente", disse a menina que estava atrás dela na fila.

"Foi o que eu fiz."

"Certo." Eu entendia muito bem que uma relação não fosse para a frente por falta de química sexual, mas ainda assim havia algo naquela situação que me incomodava. Era chato ver Megumi chateada daquele jeito. "Agora vou procurar um gostosão pra mim."

"Vai nessa, garota", incentivou Lacey.

Saí em busca da escadaria que levava à passarela. Havia um segurança bloqueando a passagem e controlando a quantidade de pessoas que podia ficar lá em cima. A fila estava grande, e ao notar isso fiquei desanimada.

Enquanto calculava o tempo que iria demorar para chegar até lá, o segurança descruzou os braços parrudos e apertou com mais força a escuta que levava na orelha, demonstrando que estava prestando atenção à mensagem recebida. Devia ser samoano ou maori, tinha a pele morena, a cabeça raspada e os peitorais e bíceps imponentes. A cara era de bebê, e ficou ainda mais adorável quando a testa franzida deu lugar a um sorriso.

Ele tirou o dedo da orelha e apontou o dedo para mim. "Eva é você?"

Eu fiz que sim com a cabeça.

Ele abriu a corda de veludo que bloqueava o acesso à escada. "Pode subir."

As pessoas na fila soltaram gritos de protesto. Eu abri um sorriso amarelo e caminhei em direção à escadaria de metal com toda a pressa que meus saltos altos permitiam. Quando cheguei ao topo, uma segurança mulher me deixou passar e apontou para a minha esquerda. Vi o cantinho que Gideon havia mencionado, onde as duas paredes espelhadas se encontravam, produzindo um ângulo de noventa graus.

Fui abrindo caminho entre os corpos que se contorciam ao ritmo da dança, sentindo meu coração se acelerar a cada passo. A música não era tão alta lá no alto, e o ar era mais úmido. O suor brilhava nos corpos expostos, e o local elevado transmitia uma sensação de perigo, apesar de a passarela ser cercada por painéis de vidro até a altura dos ombros de seus ocupantes. Estava quase chegando ao cantinho dos espelhos quando fui agarrada pela cintura e puxada até os quadris em movimento de um homem que dançava.

Olhei por cima do ombro e vi que era o mesmo cara da pista de dança, o que havia dito que eu estava linda. Eu sorri e comecei a dançar, fechando os olhos e deixando o ritmo da música me conduzir. Quando ele começou a passar as mãos pela minha cintura, e as segurei, mantendo-as paradas sobre meus quadris. Ele riu e dobrou os joelhos, alinhando seu corpo com o meu.

Já estávamos na terceira música quando senti uma inquietação que me dizia que Gideon estava por perto. Uma carga de eletricidade se espalhou pela minha pele, aguçando meus sentidos. A música de repente parecia mais alta, e a atmosfera do clube, ainda mais sensual.

Sorri, abri os olhos e o vi caminhando na minha direção. Eu me enchi de tesão naquele mesmo momento, com água na boca enquanto observava seu visual — jeans, camiseta escura e os cabelos penteados para trás. Ninguém seria capaz de imaginar que se tratava de Gideon Cross, o magnata internacional. Parecia um homem mais novo e bem menos sofisticado, que se destacava apenas por sua beleza de tirar o fôlego. Lambi os lábios, ansiosa pelo seu toque, me virei para o cara que dançava atrás de mim e rebolei sensualmente minha bunda no ritmo de seus quadris em movimentos.

Gideon fechou os punhos, assumindo uma postura agressiva e predatória. Ele não diminuiu o passo ao se aproximar de mim — nossos corpos estavam em rota de colisão. No último momento, me virei para ele e me antecipei ao seu último passo. Nossos corpos se encontraram, e meus braços envolveram seus ombros e minhas mãos puxaram sua cabeça para que eu pudesse ter meu beijo molhado e faminto.

Com um gemido, Gideon agarrou minha bunda e me puxou com força em sua direção, fazendo meus pés saírem do chão. A ferocidade de seu beijo chegava a machucar meus lábios, e sua língua explorava minha boca com movimentos agressivos e profundos que revelavam toda a violência de seu desejo.

O cara com quem eu estava dançando veio atrás de mim, passando as mãos pelos meus cabelos e tocando meu ombro com os lábios.

Gideon tomou a frente, revelando sua linda máscara de fúria. "Se manda."

Eu olhei para o sujeito e encolhi os ombros. "Obrigada pela dança."

"Quando quiser, linda." Ele agarrou pela cintura uma garota que passava e saiu atrás dela.

"Meu anjo." Gideon me prensou contra o espelho, e enfiou uma das coxas entre as minhas pernas. "Você é uma menina muito má."

Sedenta e sem nenhuma vergonha, me esfreguei em sua perna, ofegando ao sentir o tecido de sua calça contra o meu sexo desnudo. "Só com você."

Ele apertou minha bunda por baixo do vestido, estimulando meus movimentos. Ele mordeu minha orelha, e fez meus brincos roçarem no meu pescoço. Sua respiração estava acelerada, fazendo seu peito vibrar. Seu cheiro era maravilhoso, e meu corpo reagiu a isso, acostumado a associar seu odor ao mais delicioso dos prazeres.

Enquanto dançávamos, nossos corpos entraram em sintonia e começaram a se mover como se não houvesse roupas entre nós. A música preenchia o ar ao redor e embalava o ritmo do seu corpo, que me seduzia. Nós já havíamos dançado antes, mas nunca daquela maneira. Nos esfregando ostensivamente. Aquilo me surpreendeu, me excitou, e me deixou ainda mais apaixonada por ele.

Gideon me observava com os olhos entreabertos, me hipnotizando com seu desejo e seus movimentos desinibidos. Eu estava totalmente entregue, envolvida por ele, e ansiando por uma intimidade ainda maior.

Ele agarrou um dos meus seios por cima do vestido preto. O bojo no busto da peça não representou um obstáculo. Com os dedos, ele beliscou e acariciou meus mamilos enrijecidos.

Eu gemi, jogando a cabeça para trás e encostando contra o espelho. Estávamos cercados por dezenas de pessoas, mas isso não fazia diferença. Eu precisava sentir suas mãos sobre mim, seu corpo junto ao meu, seu hálito quente na minha pele.

"Você quer dar pra mim", ele sussurrou asperamente, "aqui mesmo."

Eu estremeci só de pensar na ideia. "Você faria isso?"

"Você quer que todo mundo veja. Quer todo mundo olhando pro meu pau entrando nessa bocetinha gulosa até ficar cheia de porra. Você quer mostrar que é só minha." Ele cravou os dentes no meu ombro. "Quer experimentar essa sensação."

"Quero mostrar que *você* é só meu", eu respondi, enfiando as mãos nos bolsos traseiros de seu jeans para sentir suas nádegas firmes. "Quero que todo mundo saiba disso."

Gideon posicionou um dos braços sob o meu traseiro e me levantou, espalmando a outra mão contra a parede espelhada. Ouvi o som de um bipe abafado atrás de mim e uma porta se abrindo às minhas costas. Entramos em um ambiente totalmente escuro. A entrada secreta se fechou atrás de nós, calando o ruído da música. Estávamos em um escritório com uma escrivaninha, um sofá e uma vista de 180 graus do clube através dos espelhos.

Ele me pôs no chão e virou o meu corpo, me deixando de frente para o vidro, permitindo que eu visse tudo lá fora. O clube estava todo diante de mim, as pessoas dançavam do outro lado do espelho na passarela a poucos centímetros de distância. Gideon enfiou suas mãos por baixo da saia e do corpo do vestido, acariciando minha abertura úmida e beliscando meus seios.

Eu estava totalmente entregue. Seu corpo pesado estava apoiado sobre o meu, e ele me envolvia em seus braços, cravando os dentes nos meus ombros para me manter imóvel. Ele estava me possuindo.

"Me diga se eu estiver exagerando", ele murmurou, passando os lábios pelo meu pescoço. "Se ficar assustada, é só dizer a palavra de segurança."

Fiquei comovida, sentindo uma gratidão imensa por aquele homem que sempre — *sempre* — colocava o meu bem-estar em primeiro lugar. "Fui eu que aticei você. Quero ser possuída. Sem nenhuma restrição."

"Você está com tanto tesão", ele provocou, enfiando dois dedos em mim. "Parece que foi feita pra foder."

"Sob medida pra você", respondi ofegante, embaçando o vidro à minha frente. Eu sentia meu corpo todo inflamado, exalando desejo de uma fonte de paixão impossível de conter.

"E você esqueceu isso em algum momento hoje?" Ele tirou a mão do meu sexo e abriu a braguilha da calça. "Quando os outros caras estavam passando a mão em você, se esfregando? Mesmo assim você lembrou que era minha?"

"O tempo todo. Eu nunca esqueço disso." Fechei os olhos ao sentir sua ereção rígida e morna, apoiada contra a minha bunda desnuda. Ele também estava morrendo de tesão. Por mim. "Eu liguei pra você. Queria você."

Seus lábios se moviam contra a minha pele, deixando uma trilha quente pelo meu corpo até encontrar a minha boca. "Eu estou aqui pra você, meu anjo", ele gemeu, roçando a língua contra a minha. "Pode me enfiar dentro de você."

Arqueei as costas, passei o braço pelo meio das pernas e o agarrei. Ele dobrou os joelhos para se alinhar à minha abertura.

Fiz uma pausa, virando a cabeça para colar o meu rosto ao dele. Eu adorava fazer aquilo com Gideon... tê-lo todo para mim. Remexendo os quadris, acariciei meu clitóris com a cabeça do pau dele, deixando-o úmido como eu.

Gideon apertou meus seios inchados. "Chega mais perto de mim, Eva. Se afasta um pouco do vidro."

Com a mão espalmada no lado transparente do espelho, empurrei o corpo para trás e apoiei a cabeça no seu ombro. Ele envolveu minha garganta com a mão e meteu com tanta força que tirou meus pés do chão. Ele me manteve suspensa no ar, com seu pau dentro de mim, fazendo meus sentidos entrarem em parafuso com seu gemido.

Do outro lado do vidro, a balada continuava bombando. Eu me deixei levar pelo prazer pervertido e intenso daquele sexo quase exibicionista, uma fantasia proibida que nos levava à loucura.

Eu me contorci inteira, incapaz de conter a pressão crescente sobre meu corpo. Minha mão posicionada entre minhas pernas se estendeu um pouco mais, agarrando seu saco. Estava rígido e firme, pronto para explodir. Dentro de mim... "Ai, meu Deus. O seu pau está tão duro."

"Eu fui feito pra comer você", ele suspirou, provocando tremores de prazer dentro de mim.

"Então me come." Apoiei ambas as mãos no vidro, mais do que pronta para recebê-lo. "Agora."

Gideon pôs meus pés de volta no chão e ofereceu o apoio de sua mão enquanto eu me dobrava até a cintura para que ele me penetrasse profundamente. Deixei escapar um gemido grave ao sentir que ele posicionava meus quadris em busca do ângulo perfeito para me preencher por inteiro. Ele era grande e grosso demais para mim. A sensação de alargamento era intensa. Deliciosa.

Meu ventre se contraiu desesperadamente ao se redor. Ele soltou um ruído áspero de prazer, tirando só um pouquinho para depois deslizar devagarinho de novo para dentro. E depois de novo e de novo. A cabeça do seu pau enorme massageava uma terminação nervosa tão entranhada nas profundezas do meu corpo que só ele era capaz de alcançar.

Com os dedos se remexendo intensamente, deixando marcas no vidro, eu gemia. As pessoas dançando ao som distante da música continuavam marcando presença, como se estivéssemos todos no mesmo ambiente.

"Isso mesmo, meu anjo", ele falou em um tom de necessidade. "Mostra pra mim o quanto você está gostando."

"Gideon." Minhas pernas tremeram violentamente ao sentir uma estocada especialmente gostosa, apoiando todo o peso do corpo apenas sobre o vidro, confiando que ele estava me segurando.

Eu estava insuportavelmente excitada, sentindo ao mesmo tempo o prazer de ser dominada e o sentimento de posse de tê-lo ao meu bel-prazer. Não havia mais nada a fazer a não ser me entregar a Gideon, a seus movimentos entrando e saindo de mim, ao som manifesto do seu desejo. O atrito de seu jeans contra minhas coxas demonstrava que ele só havia se despido o suficiente para liberar seu pau, indicando o quanto estava impaciente para me ter.

Uma de suas mãos abandonou meu quadril e pousou sobre a minha bunda. Senti a ponta de seu dedão, molhada de saliva, brincando com o orifício apertado do meu traseiro.

"Não", eu implorei, com medo de perder a cabeça. Essa, porém, não era a minha palavra de segurança — *Crossfire* —, o que significava que eu estava cedendo e me abrindo à sua expedição exploratória.

Gideon gemeu ao explorar aquele pedacinho obscuro do meu corpo. Ele se debruçou sobre mim, mexendo no meu sexo com a outra mão para separar os meus lábios e massagear meu clitóris pulsante. "Você é minha", ele disse em um tom bem áspero. "Toda minha."

Aquilo tudo foi demais para mim. Gozei soltando um grito, estremecendo violentamente, arrastando as palmas da mão suadas pelo vidro. Ele começou a meter com mais força, me tentando com o polegar no meu traseiro, esfregando meu clitóris com seus dedos habilidosos e me fazendo enlouquecer. Um orgasmo se emendou no outro, fazendo meu sexo se contrair em torno de seu pau incansável.

Ele soltou um ruído rouco de desejo e inchou dentro de mim, no limiar do clímax. Eu gritei com a voz abafada: "Não goza! Ainda não".

Gideon refreou seu ritmo, ainda ofegante. "Como você quer que eu goze?"

"Quero olhar pra você", eu gemi, e senti meu ventre se contrair de novo. "Quero ver o seu rosto."

Gideon tirou o pau de dentro de mim e me virou para ele. Depois me prensou contra o vidro e meteu com força. No momento em que me possuiu dessa maneira, ele me deu o que eu queria. Seu olhar inteiramente entregue ao prazer, o instante de vulnerabilidade antes de a luxúria tomar conta de vez de seu corpo.

"Você quer me ver perdendo a cabeça", ele sussurrou.

"Sim." Puxei as alças do vestido e mostrei os seios, apertando-os e levantando-os com as mãos, brincando com os mamilos. Às minhas costas, sentia o vidro vibrar com a batida da música. Dentro de mim, sentia as vibrações de Gideon, seus movimentos quase descontrolados.

Posicionei a minha boca sobre a dele, absorvendo sua respiração ofegante. "Pode gozar", eu murmurei.

Me segurando sem esforço, ele recuou os quadris, retirando seu pau grande e grosso, estimulando todos os tecidos hipersensíveis dentro de mim. Depois voltou a arremeter com toda a força, me levando ao limite.

"Ai, meu Deus." Eu me contorci inteira. "Como você mete fundo."

"*Eva.*"

Gideon me fodia com força, me penetrando como se estivesse possuído. Eu aguentei firme, toda trêmula, toda aberta para as arremetidas incansáveis de seu membro rígido. Ele se movia inteiramente por instinto, pelo desejo bruto de acasalar. Soltava rugidos primitivos, me deixando tão molhada que meu corpo não oferecia resistência, aceitava de bom grado seu desejo desesperado.

Era uma coisa brutal, animalesca e insanamente sexy. Ele arqueou o pescoço e sussurrou o meu nome.

"Goza pra mim", eu ordenei, apertando-o com força.

Seu corpo todo se sobressaltou, e depois estremeceu. Sua boca se contorceu de agonia e êxtase, e seus olhos se reviraram à medida que ele se aproximava do clímax.

Gideon gozou soltando um rugido animalesco, me fazendo sentir a força do jato que jorrava dentro de mim de novo e de novo, me aquecendo por dentro com suas emanações mornas.

Meus lábios beijavam todas as partes de seu corpo que eram capazes de alcançar, e eu me agarrava violentamente a ele com as pernas e os braços.

Ele se deixou cair sobre mim, soltando com força o ar dos pulmões.

E ainda gozando.

10

A primeira coisa que vi quando acordei de manhã no domingo foi uma garrafinha cor de âmbar com um rótulo com os dizeres CURA RESSACA em letras desenhadas à moda antiga. Um laço feito de ráfia enfeitava o gargalo, e uma rolha mantinha a integridade de seu conteúdo de virar o estômago. A tal cura funcionava, um fato que eu tinha comprovado pessoalmente na primeira vez em que Gideon me deu aquilo para beber, mas a visão da garrafinha tinha o efeito desagradável de me lembrar da quantidade de álcool ingerida na noite anterior.

Fechando os olhos com força, gemi e enterrei a cabeça no travesseiro com a intenção de voltar a dormir.

Algo se mexeu sobre a cama. Lábios firmes e quentes desceram pelas minhas costas nuas. "Bom dia, meu anjo."

"Pelo jeito você está feliz da vida", eu murmurei.

"Sim, mas só por sua causa."

"Tarado."

"Eu estava me referindo à sua capacidade de gerenciar crises, mas, claro, o sexo foi sensacional, como sempre." Ele enfiou a mão por baixo do lençol, contornou minha cintura e apertou minha bunda.

Ergui a cabeça e vi que ele estava encostado à cabeceira do meu lado, com o laptop no colo. Estava lindo como sempre, completamente à vontade, vestindo apenas uma calça larga. Eu com certeza não devia estar tão atraente. Fui embora de limusine com as meninas, e depois encontrei com Gideon em seu apartamento. Já estava quase amanhecendo quando fomos dormir, e eu estava tão cansada que despenquei na cama ainda com os cabelos molhados depois de uma ducha rápida.

Uma sensação de prazer se espalhou pelo meu corpo quando o vi ao meu lado. Ele tinha dormido no quarto de hóspedes, e podia muito bem ter ido trabalhar no escritório. O fato de ter escolhido a cama em que eu estava dormindo significava que preferia ficar comigo, mesmo quando eu estava inconsciente.

Eu me virei para olhar no relógio do criado-mudo, mas algo no meu pulso chamou a minha atenção.

"Gideon..." Um relógio havia sido colocado no meu braço enquanto eu dormia, uma peça de inspiração art déco cravejada de pequenos diamantes. A pulseira era creme, e no mostrador de madrepérola liam-se as marcas Patek Philippe e Tiffany & Co. "É *lindo.*"

"Existem vinte e cinco como esses no mundo. Não é uma coisa tão singular como você, mas pensando bem nada no mundo seria." Ele sorriu para mim.

"Eu amei", falei e fiquei de joelhos. "E amo você."

Ele deixou o laptop de lado, permitindo que eu montasse nele e o abraçasse.

"Obrigada", eu murmurei, emocionada por sua demonstração de consideração. Ele devia ter ido comprar quando eu estava na minha mãe, ou logo depois que saí com as meninas.

"Humm. Me diga o que eu preciso fazer para ganhar um desses abraços sem roupa todos os dias."

"Basta ser você mesmo, garotão." Eu acariciei o rosto dele com o meu. "Você é tudo de que eu preciso."

Desci da cama e fui até o banheiro com a garrafinha na mão. Estremeci ao beber todo o conteúdo, e depois lavei o rosto. Vesti um robe, voltei para o quarto e vi que Gideon havia saído da cama, deixando o laptop por lá.

Eu o encontrei em seu escritório, de pé com os braços cruzados, virado para a janela. A cidade se estendia diante dele. Não era uma vista distante como a do Crossfire ou a de sua cobertura — era algo mais próximo e imediato, que proporcionava uma ligação mais íntima com a cidade.

"Isso não me preocupa", ele falou no headphone. "Estou consciente dos riscos... Já chega. Não estou pedindo sugestões. Proponha o acordo conforme o especificado."

Reconheci seu tom implacável de homem de negócios e passei direto. Eu não sabia o que tinha naquela garrafa, mas imaginava que eram vitaminas e algum tipo de bebida alcoólica. O líquido esquentou minha barriga e me deixou um tanto letárgica, o que me motivou a ir até a cozinha preparar um café.

Com o suprimento de cafeína em mãos, sentei no sofá e fui verificar se tinha recebido alguma mensagem no celular. Franzindo a testa, notei que havia três ligações perdidas do meu pai, todas feitas antes das oito da manhã no horário da Califórnia, além de algumas dezenas de telefonemas da minha mãe, mas achei melhor só voltar a me estressar com ela na segunda-feira. Para terminar, uma mensagem de Cary em letras garrafais: ME LIGA!

Telefonei para o meu pai primeiro, dando um gole rápido no café antes que ele atendesse.

"Eva."

A maneira ansiosa como ele pronunciou meu nome mostrou que havia alguma coisa errada. Eu me ajeitei no sofá. "Pai... está tudo bem?"

"Por que você não me contou a respeito de Nathan Barker?" Sua voz estava embargada e carregada de sofrimento. Senti a minha pele se arrepiar.

Ai, merda. Ele *soube*. Comecei a tremer tão intensamente que derramei café na mão e no colo, e mal percebi. Eu estava em pânico diante da demonstração de angústia do meu pai. "Pai, eu..."

"Não acredito que você não me contou. Nem a Monica. Pelo amor de Deus... Ela devia ter feito alguma coisa. Devia ter me contado." Ele soltou um suspiro trêmulo. "Eu tinha o direito de saber."

A tristeza se espalhou corrosivamente pelo meu peito. Meu pai — um homem cujo autocontrole era comparável ao de Gideon — parecia estar chorando.

Pus a caneca sobre a mesinha de centro, com a respiração ofegante. O sigilo da ficha policial de Nathan tinha sido anulado depois de sua morte, expondo os horrores do meu passado a qualquer um que tivesse permissão e motivo para consultá-la. Por ser um policial, meu pai tinha acesso a ela.

"Não havia nada que você pudesse ter feito", eu falei, atordoada, mas tentando manter o controle para preservá-lo de um sofrimento ainda maior. Ouvi o bipe de uma nova chamada no celular, mas ignorei. "Nem antes nem depois."

"Eu poderia ter oferecido o meu apoio. Poderia ter cuidado de você."

"Isso você fez, pai. Me apresentou ao dr. Travis, e isso mudou a minha vida. Foi só então que eu comecei a conseguir lidar melhor com essa questão. Não tenho palavras pra dizer o quanto isso me ajudou."

Ele resmungou, e era claramente uma reclamação de dor. "Eu devia ter lutado para tirar você da sua mãe. O seu lugar era comigo."

"Ai, meu Deus." Senti meu estômago se contrair. "Não dá pra pôr a culpa na mamãe. Ela só descobriu o que aconteceu muito depois. E, quando soube, fez de tudo pra..."

"Ela *não* me contou!", ele gritou, me provocando um sobressalto. "Ela tinha que ter me contado, porra. E como ela só ficou sabendo bem depois? Sempre existem os sinais... Como ela pôde ignorar tudo isso? Minha nossa. Até eu percebi que tinha alguma coisa errada quando você veio pra Califórnia."

Comecei a chorar aos soluços, incapaz de conter a minha dor. "Eu implorei pra ela não contar pra você. Obriguei a mamãe a prometer que não falaria nada."

"Essa decisão não cabia a você, Eva. Você era uma criança. A responsabilidade era toda dela."

"Me desculpa!", eu gritei. O ruído insistente e incansável da outra ligação colaborava ainda mais para o meu estado de agitação. "Eu sinto muito. Não queria que mais ninguém sofresse por causa de Nathan."

"Estou indo aí ver você", ele anunciou, de repente parecendo mais calmo. "Vou entrar no primeiro avião para Nova York. Ligo quando chegar."

"Pai..."

"Eu te amo, querida. Você é tudo para mim."

Ele desligou. Com o coração em frangalhos, fiquei ali sentada, sem reação. Eu sabia que o meu pai estava se sentindo corroído por dentro pelo que tinha acontecido comigo, mas não sabia como lidar com as consequências desse sentimento.

O celular começou a vibrar na minha mão e, quando vi o nome da minha mãe aparecer na tela, eu simplesmente não sabia o que fazer.

Com as pernas bambas, fiquei de pé e larguei o celular sobre a mesinha como se estivesse queimando a minha mão. Eu não ia conseguir falar com ela. Não queria conversar com ninguém. Só queria Gideon.

Fui cambaleando pelo corredor, arrastando o ombro na parede. A voz de Gideon ia ficando mais nítida à medida que eu me aproximava, acelerando o passo, com o rosto cada vez mais banhado em lágrimas.

"Agradeço a sua preocupação, mas não", ele falou em um tom de voz grave e firme que era muito diferente do anterior. Era mais amigável, mais íntimo. "Claro que somos amigos. Você sabe por quê... Porque eu não posso te dar o que você quer de mim."

Parei na porta do escritório e o vi sentado atrás da escrivaninha, com a cabeça baixa, apenas escutando.

"Pode parar", ele disse friamente. "Nem pense em falar comigo nesse tom, Corinne."

"Gideon", eu sussurrei, agarrada ao batente da porta com todas as forças.

Ele olhou para mim, endireitou o corpo e ficou de pé. A ruga em sua testa desapareceu.

"Preciso desligar", ele falou, removendo o headphone e saindo de trás da mesa. "O que foi? Está passando mal?"

Ele me abraçou quando fui correndo em sua direção. A sensação de alívio ao sentir seu toque foi imediata.

"O meu pai descobriu tudo." Pressionei o rosto contra o peito dele, com o eco do sofrimento do meu pai ainda ressoando na minha mente. "Ele está sabendo de tudo."

Gideon me envolveu em seus braços. Seu telefone começou a tocar. Soltando um palavrão baixinho, ele me levou para fora do escritório.

Do corredor, eu podia ouvir meu celular vibrando na mesinha de centro da sala. O barulho irritante de dois telefones tocando ao mesmo tempo me deixou extremamente ansiosa.

"Vou ver se é alguma coisa importante", ele falou.

"É a minha mãe. Tenho certeza de que o meu pai já ligou pra ela, ele está furioso. Meu Deus, Gideon... Ele ficou arrasado."

"Eu entendo como ele se sente."

Gideon me conduziu até o quarto de hóspedes e fechou a porta. Ele me deitou na cama, pegou o controle remoto de cima do criado-mudo, ligou a televisão e ajustou o volume até encobrir todo o ruído ao redor, menos o do meu choro soluçante. Depois disso se deitou ao meu lado e me abraçou, acariciando minhas costas com as mãos. Eu chorei até sentir que não tinha mais lágrimas nos olhos.

"Me diz o que eu posso fazer", ele falou quando eu me acalmei.

"Ele está vindo pra cá. Pra Nova York." Senti meu estômago embrulhar só de pensar na ideia. "Ele vai tentar pegar um voo hoje mesmo, acho."

"Quando souber que horas ele chega, posso ir com você até o aeroporto."

"Você não pode..."

"Não o cacete", ele disse sem pestanejar.

Beijei sua boca em meio a um suspiro. "É melhor eu ir sozinha. Ele está chateado. Não vai querer que ninguém o veja nessas condições."

Gideon balançou a cabeça. "Então vai com o meu carro."

"Qual deles?"

"O DB9 do seu novo vizinho."

"Oi?"

Ele encolheu os ombros. "Você vai saber qual é assim que entrar na garagem."

Disso eu não duvidava. Fosse qual fosse o nome, seria um carro bonito, potente e impecável — assim como o dono.

"Estou com medo", murmurei, enroscando minhas pernas bambas ainda mais com as dele. Ele era tão forte e centrado. Minha vontade era me agarrar a ele e nunca mais largar.

Gideon passou os dedos pelos meus cabelos. "De quê?"

"As coisas entre mim e a minha mãe já andam difíceis pra caralho. Se os meus pais resolverem brigar, não vou querer ficar no meio. Você sabe como eles se comunicam mal... principalmente a minha mãe. Eles são loucos um pelo outro."

"Eu não sabia disso."

"É porque você nunca viu os dois juntos. Rola o maior clima", eu expliquei, lembrando que Gideon e eu estávamos separados quando fiquei sabendo que a química entre os meus pais ainda era quentíssima. "E o meu pai até confessou que ainda é apaixonado por ela. Só de pensar nisso me bate uma tristeza..."

"Por que eles não estão juntos?"

"Pois é, porque não somos uma família unida e feliz", eu completei. "Não dá pra imaginar como eles conseguiram passar a vida inteira longe da pessoa que amam. Quando eu perdi você..."

"Você *nunca* me perdeu."

"Foi como se uma parte de mim tivesse morrido. Ficar com essa sensação pra sempre..."

"Deve ser um inferno." Gideon acariciou o meu rosto com os dedos, e pude ver o abatimento em seus olhos — o espectro de Nathan ainda o atormentava. "Pode deixar que eu cuido da sua mãe."

Eu pisquei os olhos, confusa. "Como?"

Ele curvou os lábios. "Vou ligar pra ela e perguntar como você está, se está bem. Dar início ao meu processo de reaproximação pública de você."

"Ela sabe que eu contei tudo pra você. Pode ser que dê um chilique."

"Antes comigo do que com você."

Ao ouvir isso, eu quase abri um sorriso. "Obrigada."

"Vou distrair um pouco a cabeça dela, mudar o foco das coisas." Ele pôs a mão sobre a minha e mexeu no meu anel.

O novo foco seria o casamento. Ele não disse isso, mas eu entendi. E é claro que isso faria a minha mãe só pensar nessa possibilidade. Um homem da estatura de Gideon só se reaproximaria de uma mulher através de sua mãe — principalmente uma mãe como Monica Stanton — caso suas intenções fossem sérias.

Mas esse era um assunto para o futuro.

Durante a hora seguinte, Gideon fez de tudo para disfarçar que estava preocupado comigo. Porém, ficava sempre por perto, me seguindo de cômodo em cômodo sob pretextos variados. Quando meu estômago roncou, ele foi imediatamente até a cozinha e providenciou sanduíches, um pacote de batata frita e uma salada de macarrão.

Comemos no balcão da cozinha, e eu deixei que sua atenção intensa me confortasse. Por mais difíceis que estivessem as coisas, ele estava lá para me oferecer apoio. Ao lado dele, não havia problema que parecesse insuperável.

Do que *não seríamos* capazes se continuássemos juntos?

"O que a Corinne queria?", eu perguntei. "Além de você."

Ele fechou a cara. "Não quero falar sobre ela."

Notei uma certa exasperação em seu tom de voz, e fiquei intrigada. "Está tudo bem?"

"O que foi que eu acabei de dizer?"

"Uma desculpa esfarrapada que eu preferi ignorar."

Ele bufou, mas acabou se rendendo. "Ela está chateada."

"Chateada de gritar e esbravejar ou de cair no choro?"

"E isso faz diferença?"

"Claro, uma coisa é ficar puta da vida com um cara, e outra é estar na pior por causa dele. Por exemplo: Deanna está puta e quer acabar com a sua reputação; eu estava na pior por sua causa, mal conseguia levantar da cama todos os dias."

"Minha nossa, Eva." Ele pegou na minha mão. "Eu sinto muito."

"Já chega de pedir desculpas! Você vai compensar tudo isso aguentando o chilique da minha mãe. E então, Corinne estava puta ou na pior?"

"Ela estava chorando." Gideon fez uma careta. "Estava descontrolada."

"Sinto muito por isso. Só tome cuidado pra não deixar que ela faça você se sentir culpado."

"Eu usei ela", ele disse baixinho, "pra proteger você."

Deixei o sanduíche de lado e olhei bem para ele. "Você disse ou não disse que só o que tinha a oferecer era sua amizade?"

"Você sabe que sim. Mas também dei a entender que poderia rolar mais, pra despistar a imprensa e a polícia. Ficou algo no ar. É por *isso* que eu me sinto culpado."

"Pois pode parar com isso. Aquela vadia fez de tudo pra que eu pensasse que você estava transando com ela", eu ergui dois dedos da mão, "*duas* vezes. Na primeira vez, fiquei tão magoada que ainda não superei o trauma. Além disso, ela é casada, porra. Não tem nada que ficar dando em cima do meu namorado se tem marido em casa."

"Espera um pouco. Que história é essa de fazer você pensar que eu estava transando com ela?"

Eu expliquei ambos os incidentes — o mal-entendido do batom no colarinho e a minha visita-surpresa ao apartamento de Corinne, quando ela fingiu que tinha acabado de dar para ele.

"Isso muda bastante as coisas", ele comentou. "De fato não temos mais nada a dizer um pro outro."

"Obrigada."

Ele ajeitou os meus cabelos atrás da orelha. "Tudo isso vai passar, mais cedo ou mais tarde."

"E o que nós vamos fazer depois disso?", eu murmurei.

"Ah, com certeza eu vou conseguir pensar em alguma coisa."

"Em sexo, né?" Sacudi a cabeça. "Eu criei um monstro."

"E tem também o trabalho... nossa parceria."

"Ai, meu Deus. Você não desiste."

Ele abocanhou uma batatinha. "Depois do almoço, quero que você veja a nova versão do site da Crossroads e das Indústrias Cross."

Eu limpei a boca com um guardanapo. "Sério? Que rápido. Fiquei impressionada."

"Dá uma olhada primeiro e depois me diz se ficou mesmo."

Gideon me conhecia muito bem. O trabalho era minha válvula de escape, então ele me pôs para trabalhar. Levou o laptop para a sala, pôs meu celular no silencioso e foi até o escritório ligar para a minha mãe.

Nos primeiros minutos em que fiquei sozinha, eu ouvia o ruído grave de sua voz enquanto tentava me concentrar nos sites que ele me mostrou, mas estava tensa demais para conseguir prestar atenção no que quer que fosse. Acabei ligando para Cary.

"Onde foi que você se meteu?", ele reclamou assim que atendeu.

"Eu sei que está tudo uma loucura", me apressei em dizer, certa de que meu pai e minha mãe tinham ligado para minha casa quando não conseguiram falar comigo no celular. "Desculpa."

Pelo ruído de fundo, percebi que Cary estava na rua.

"Que tal me contar o que está acontecendo? Está todo mundo ligando pra mim. Os seus pais, Stanton, Clancy. Estão todos atrás de você, e não conseguem falar no seu celular. Fiquei preocupadíssimo, achei que tinha acontecido alguma coisa!"

Merda. Eu fechei os olhos. "O meu pai descobriu tudo a respeito do Nathan."

Ele ficou em silêncio, e os sons dos motores e da buzina eram os únicos sinais de que ainda estava na linha. "Puta merda. Ai, gata. Que mal."

O tom de compaixão em sua voz provocou um nó na minha garganta. Mas eu não queria mais chorar.

O barulho de fundo de repente cessou. Ele estava entrando em algum ambiente fechado. "Como ele está?", Cary perguntou.

"Está arrasado. Meu Deus, Cary, foi *horrível*. Acho que ele estava até chorando. E ficou irritadíssimo com a mamãe. Deve ser por isso que ela estava ligando."

"E o que ele pretende fazer?"

"Ele está vindo pra cá. Vai me ligar quando o avião pousar em Nova York."

"Ele está vindo pra cá *agora*? Tipo hoje mesmo?"

"Acho que sim", eu respondi. "Nem sei se ele podia se afastar do trabalho de novo tão cedo."

"Eu arrumo o quarto de hóspedes quando chegar em casa se você não tiver feito isso ainda."

"Pode deixar que eu cuido disso. Onde você está?"

"Vou almoçar e pegar um cinema com Tatiana. Eu precisava sair de casa um pouco."

"Desculpa por obrigar você a ser o meu telefonista."

"Não tem problema", ele falou, no melhor estilo Cary. "Mas eu fiquei preocupado. Você anda sumida ultimamente. Não sei onde nem com *quem* você está. É o tipo de coisa que não combina com você."

O tom de acusação em sua voz só fez crescer meu sentimento de culpa, mas eu não podia dizer nada. "Sinto muito."

Ele esperou por uma explicação que não veio, e murmurou algo consigo mesmo antes de dizer: "Chego em casa daqui a umas duas horas".

"Certo. A gente se vê lá."

Depois de desligar, telefonei para o meu padrasto.

"Eva."

"Oi, Richard." Fui direto ao assunto. "O meu pai ligou pra minha mãe?"

"Só um momento." Houve um silêncio do outro lado da linha por um minuto ou dois, e então ouvi o som de uma porta se fechando. "Ele ligou, sim. Foi... bem desagradável para a sua mãe. Este fim de semana está sendo bem difícil para ela. Monica não está nada bem, e eu estou preocupado."

"Não está sendo fácil pra nenhum de nós", eu respondi. "Liguei pra avisar que meu pai está vindo pra Nova York e que vou precisar de um tempo a sós com ele pra conversar."

"Você precisa dizer para Victor ser um pouco mais compreensivo com sua mãe, por tudo o que ela passou. Ela estava sozinha no mundo, com uma filha traumatizada."

"E você precisa entender que ele precisa de um tempo pra absorver tudo o que aconteceu", rebati. Meu tom de voz saiu um pouco mais áspero do que eu desejava, mas refletia com precisão os meus sentimentos. Eu não ia aceitar que me obrigassem a tomar partido entre um dos meus pais. "E preciso que você peça pra minha mãe parar de ficar ligando pra mim e pro Cary o tempo todo. Fale com o dr. Petersen, se for preciso", eu sugeri, mencionando o nome do terapeuta da minha mãe.

"Monica está ao telefone agora. Vou conversar com ela quando desligar."

"Não se limite a conversar. Faça alguma coisa a respeito. Esconda os telefones, se for preciso."

"Isso seria uma medida extrema. E desnecessária."

"Não se ela não parar com isso!" Comecei a batucar com os dedos na mesa. "Você e eu, nós mimamos demais a minha mãe — *Oh, não vamos incomodar a Monica!* — porque fazemos de tudo pra evitar os chiliques dela. Isso se chama chantagem emocional, Richard, e nós estamos pagando bem caro por isso."

Depois de um instante em silêncio, ele falou: "Você está sob muita tensão neste momento. E...".

"Não me diga!" Tive a impressão de que estava gritando. "Eu amo a minha mãe, e ligo quando puder. Diga isso pra ela. Só que não vai ser hoje."

"Clancy e eu estamos à disposição caso você precise de alguma coisa", ele disse, bem sério.

"Obrigada, Richard. Eu agradeço muito."

Quando desliguei, tive que me controlar para não atirar o telefone na parede.

Consegui me acalmar um pouco para ver o site da Crossroads antes que Gideon voltasse do escritório. Ele parecia exausto, e até um pouco tonto, o que era de esperar, aliás. Lidar com a minha mãe quando estava chateada era um desafio para qualquer um, e Gideon não tinha muita experiência nesse quesito.

"Eu avisei."

Ele ergueu os braços e alongou o corpo. "Ela vai ficar bem. É bem mais durona do que aparenta."

"Ela ficou feliz por você ter ligado, né?"

Ele sorriu.

Eu revirei os olhos. "Ela acha que eu preciso de um homem rico pra cuidar de mim e me manter em segurança."

"E é isso que você tem."

"Só espero que não esteja dizendo isso com a conotação que um homem das cavernas usaria." Eu me levantei. "Preciso ir pra casa me preparar pra visita do meu pai. Vou precisar dormir em casa enquanto ele estiver aqui, e não acho uma boa ideia você aparecer no meu apartamento. Se ele confundir você com um ladrão, a coisa vai ficar feia."

"E também seria um tremendo desrespeito. Vou aproveitar esse tempo pra marcar presença na minha cobertura."

"Certo." Passei as mãos no rosto e aproveitei para admirar meu relógio novo. "Pelo menos tenho esta belezinha aqui pra contar os minutos até a gente poder se ver de novo."

Ele foi até mim e me pegou pela nuca. Com os polegares, começou a fazer movimentos circulares tentadores junto ao meu pescoço. "Preciso saber que você está bem."

Eu balancei a cabeça. "Já estou cansada dessa coisa de a minha vida girar sempre em torno de Nathan. Preciso pôr uma pedra sobre esse assunto de uma vez por todas."

Eu imaginava um futuro em que minha mãe respeitava minha privacidade, meu pai era minha fortaleza, Cary era feliz, Corinne morava em algum país distante e Gideon e eu não éramos mais assombrados pelo passado.

E, a partir daquele momento, eu enfim me sentia pronta para trabalhar nesse sentido.

11

Segunda-feira de manhã. Hora de ir para o trabalho. Sem notícias do meu pai, comecei a me arrumar. Estava escolhendo uma roupa no closet quando ouvi uma batida na porta do quarto.

"Entra", eu gritei.

Um instante depois, Cary deu um berro: "Onde é que você está?".

"Aqui no fundo."

Sua silhueta preencheu a porta de entrada. "Alguma notícia do seu pai?"

Eu me virei para ele. "Ainda não. Mandei uma mensagem, mas ele não respondeu."

"Então ainda deve estar no avião."

"Ou então perdeu uma conexão. Quem sabe?" Olhei para as minhas roupas com uma cara de interrogação.

"Espera aí." Ele entrou, passou por mim, pegou uma calça de linho cinza e uma camisa de manga curta de renda preta.

"Obrigada." Aproveitando que ele estava por perto, eu o abracei.

Ele retribuiu com tanta força que fiquei sem fôlego. Surpresa por sua demonstração de carinho, fiquei agarrada a ele por um bom tempo, com o rosto grudado em sua camiseta. Pela primeira vez em vários dias, Cary estava totalmente vestido e, apesar de usar apenas jeans e uma camiseta, transmitia a impressão de um visual elegante e sofisticado.

"Está tudo bem?", eu perguntei.

"Estava com saudade de você, gata", ele murmurou com a boca colada aos meus cabelos.

"Eu não queria que você ficasse enjoado de mim." Tentei fingir que era uma provocação bem-humorada, mas o tom de voz dele havia me deixado preocupada. Não tinha nem um pouco da vivacidade de sempre. "Vou pro trabalho de táxi hoje, então ainda tenho um tempinho. Vamos tomar um café?"

"Vamos lá." Ele me soltou e sorriu para mim, revelando seu belo rosto de menino.

Cary me pegou pela mão e me levou para fora do closet. Deixei as roupas esticadas sobre uma poltrona antes de irmos para a cozinha.

"Você vai sair?", eu perguntei.

"Tenho uma sessão de fotos hoje."

"Ora, que ótima notícia!" Fui até a cafeteira e ele foi pegar o leite na geladeira. "Me parece um bom motivo pra abrir mais uma garrafa de Cristal."

"Sem chance", ele esbravejou. "Não no meio dessa confusão com o seu pai."

"E o que mais a gente pode fazer? Ficar todo mundo sentado olhando um pro outro? O que passou, passou. Nathan está morto e, mesmo que não estivesse, nada pode mudar o que ele fez comigo." Ofereci uma caneca fumegante para ele e enchi outra para mim. "A minha vontade é pôr uma pedra sobre esse assunto e nunca mais voltar a tocar nele."

"Pra você é coisa do passado." Ele pôs o leite na minha caneca e me devolveu. "Mas pro seu pai ainda é novidade. Ele vai querer conversar a respeito."

"Eu *não vou* falar sobre isso com ele. Não vou conversar sobre esse assunto *nunca mais*."

"Ele pode não aceitar isso tão bem."

Eu me virei e o encarei, me inclinando sobre o balcão com a caneca entre as mãos. "Ele só quer ver se eu estou bem. E esse assunto não diz respeito a ele, e sim a mim. E eu estou seguindo em frente. E estou me saindo muito bem, aliás."

Ele mexeu o café com a colher, com uma expressão pensativa no rosto.

"Pois é, está mesmo", ele respondeu depois de alguns segundos de hesitação. "Você vai contar pra ele sobre o seu namorado misterioso?"

"Não tem mistério nenhum. Eu só não posso dizer muita coisa a respeito, e isso não afeta em nada a nossa amizade. Meu amor por você e minha confiança continuam inabaláveis."

Seus olhos verdes me desafiaram por cima da caneca de café. "Não é o que está parecendo."

"Você é o meu melhor amigo. E quando eu estiver velhinha, de cabelo branco, vai continuar sendo. Não é porque não posso contar nada a respeito de um cara que isso vai mudar."

"Como eu posso ter certeza de que você confia em mim? Qual é o problema com esse cara que você não pode me dizer nem o nome dele?"

Respirei fundo e contei uma meia-verdade. "Eu não sei o nome dele."

Cary ficou me encarando, paralisado. "Está brincando."

"Eu nunca perguntei isso pra ele." Eram respostas evasivas, que não resistiriam à menor contestação. Cary ficou só olhando para mim.

"E eu não tenho com que me preocupar?"

"Não. Esse esquema está funcionando bem pra mim. É disso que nós dois precisamos no momento, e eu sei que ele não está querendo só me usar."

Ele me deu uma encarada. "O que você diz pro cara quando está gozando? Você precisa gritar alguma coisa quando a sacanagem esquenta. E pelo jeito deve estar rolando muita putaria, porque vocês dois mal se conhecem."

"Hã..." Eu fiquei confusa. "Acho que eu só digo 'Ai, meu Deus!'."

Ele caiu na risada, jogando a cabeça para trás.

"E você, como está se saindo com os seus casos paralelos?", eu perguntei.

"Muito bem." Ele enfiou uma das mãos no bolso e se apoiou nos calcanhares. "Acho que Tati e Trey são a relação mais próxima da monogamia que eu já tive. Por enquanto está dando tudo certo."

Eu achava aquilo tudo fascinante. "Você não tem medo de gritar o nome errado quando estiver gozando?"

Seus olhos verdes brilharam. "Não. Eu chamo os dois de *amor*."

"Cary." Eu sacudi a cabeça. Ele era incorrigível. "Você pretende apresentar Tatiana para Trey?"

Ele encolheu os ombros. "Não acho que seja uma boa ideia."

"Ah, não?"

"Tatiana é puro veneno, mesmo quando está de bom humor, e Trey é um cara bonzinho. Acho que eles não vão se dar muito bem."

"Você falou que não gostava tanto da Tatiana. Isso por acaso mudou?"

"Ela tem o jeito dela", ele desconversou. "E eu sou capaz de conviver com isso."

Eu o encarei.

"Ela precisa de mim, Eva", ele disse baixinho. "Trey quer ficar comigo, e acho que até me ama, mas não precisa de mim."

Isso eu entendi. Era legal se sentir necessário de vez em quando. "Tá certo."

"E quem garante que só existe uma pessoa no mundo capaz de suprir as nossas necessidades?" Ele deu uma risadinha. "Eu não acho que seja assim. Você, por exemplo, está se dando bem com um cara sem saber nem o nome dele."

"Acho que essa sua situação pode funcionar pra pessoas que não sejam ciumentas. Não é o meu caso."

"Pois é." Ele bateu sua caneca na minha.

"Então vai ser Cristal com..."

"Humm..." Ele curvou os lábios. "Tapas?"

Eu pisquei os olhos, confusa. "Você quer levar o meu pai pra sair?"

"Não é uma boa ideia?"

"É uma ótima ideia, se ele topar." Eu abri um sorriso. "Você é demais, Cary."

Ele piscou para mim, e eu me senti um pouco mais calma.

Tudo na minha vida parecia estar de pernas para o ar, principalmente o meu relacionamento com as pessoas que eu amava. E isso era difícil para mim, porque era com elas que eu contava para manter a serenidade. Mas talvez, quando tudo aquilo terminasse, isso serviria para me tornar uma mulher ainda mais forte. Capaz de me equilibrar melhor em minhas próprias pernas.

Isso faria todo o sofrimento e a aflição valerem a pena.

"Quer que eu arrume o seu cabelo?", ofereceu Cary.

Eu fiz que sim com a cabeça. "Por favor."

Quando cheguei ao trabalho, fiquei desapontada ao ver que Megumi estava infeliz. Ela me cumprimentou com um aceno desolado depois de liberar o acesso da porta de vidro, e desabou na cadeira.

"Menina, você precisa dar um pé na bunda desse Michael", eu falei. "Ele *não está* fazendo bem pra você."

"Eu sei." Ela tirou da frente do rosto a franja de seus cabelos em estilo chanel. "A próxima vez em que falar com ele, vou pôr um ponto final em tudo. Não tenho notícias dele desde sexta, e não consigo parar de pensar no que ele aprontou na tal festa de despedida de solteiro."

"Argh."

"Pois é. Ninguém merece ficar se torturando com a ideia de que o cara com quem anda dormindo está transando com outras."

Imediatamente me lembrei da conversa que havia tido pouco antes com Cary. "Qualquer coisa estou à disposição, e com uma ligação ponho você em contato com um belo pote de Ben & Jerry's. Se precisar da gente, é só gritar."

"É esse o seu segredo?" Ela deu uma risadinha. "Qual sabor fez você esquecer Gideon Cross?"

"Eu ainda não esqueci", confessei.

Ela balançou a cabeça. "Disso eu já sabia. Mas você se divertiu bastante no sábado, né? E, por falar nisso, ele é um idiota. Um dia vai perceber a besteira que fez e voltar rastejando pra você."

"Ele ligou pra minha mãe no fim de semana", eu falei, me inclinando sobre a mesa e baixando o tom de voz. "Pra perguntar sobre mim."

"Uau." Megumi se inclinou para a frente também. "E o que ele falou?"

"Ela não me deu muitos detalhes."

"E você toparia voltar com ele?"

Encolhi os ombros. "Não sei. Depende do quanto ele rastejar."

"É isso aí." Ela levantou a mão para eu bater. "O seu cabelo está lindo, aliás."

Eu agradeci e fui para o meu cubículo, me preparando mentalmente para ter que pedir dispensa do trabalho quando meu pai chegasse. Quando me viu passando, Mark saiu de seu escritório com um sorriso enorme no rosto.

"Ai, meu Deus." Eu parei para falar com ele. "Você parece estar felicíssimo. Vou tentar adivinhar. Você está noivo!"

"Estou!"

"Oba!" Larguei a bolsa e a sacola no chão e comecei a bater palmas. "Estou muito feliz por você! Parabéns!"

Ele se abaixou para pegar minhas coisas. "Entre aqui no meu escritório." Mark fez sinal para eu entrar e fechou a porta de vidro atrás de nós.

"Foi muito difícil?", eu perguntei depois de me sentar.

"A coisa mais difícil que já fiz na vida." Mark entregou as minhas coisas. Afundando na cadeira, ele começou a balançar de um lado para o outro. "E Steven ainda ficou fazendo suspense. Dá pra acreditar? Ele sabia que eu ia fazer o pedido. Disse que estava na cara, que dava pra entender tudo só de olhar pra mim."

Eu sorri. "Ele conhece você bem demais."

"E ainda enrolou por um ou dois minutos antes de responder. Foi como se ele tivesse demorado horas."

"Posso apostar que sim. Então o papo anticasamento era só da boca pra fora?"

Ele confirmou com a cabeça, ainda sorrindo. "O orgulho dele ficou ferido daquela vez, então ele queria uma pequena vingança. Mas disse que sempre soube que eu ia acabar voltando atrás. E que queria me fazer sofrer um pouco quando isso acontecesse."

Era uma atitude que combinava muito bem com Steven, sempre gregário e brincalhão. "E então, onde você fez o pedido?"

Ele deu risada. "Precisava ser a atmosfera perfeita, certo? Tipo o restaurante à luz de velas, ou o bar à meia-luz depois de um show. Mas não, eu esperei até a limusine deixar a gente em casa, e só então percebi que estava estragando a minha grande chance. Aí resolvi fazer o pedido no meio da rua mesmo."

"Acho isso tão romântico."

"Pelo jeito a única coisa romântica aqui é *você*", ele rebateu.

"Quem se importa com flores e vinho? Qualquer um pode fazer isso. Mostrar pra outra pessoa que você não pode viver sem ela? *Isso*, sim, é romântico."

"Como sempre, você tem razão."

Soprei as unhas das mãos e esfreguei no tecido da blusa. "Fazer o quê?"

"Vou deixar os detalhes por conta de Steven no almoço de quarta-feira. Ele contou a história um monte de vezes, já está craque nisso."

"Mal posso esperar pra falar com ele." Eu estava tão empolgada quanto Mark, e tinha certeza de que Steven estava andando nas nuvens. Aquele empreiteiro grande e musculoso tinha uma personalidade tão vibrante quanto seus cabelos vermelhos. "Estou muito feliz por vocês dois."

"Ele vai querer envolver você no planejamento da cerimônia com a Shawna, sabia?" Ele se ajeitou na cadeira e apoiou os cotovelos na mesa. "Como se não bastasse a irmã, ele está recrutando todas as mulheres que conhecemos. Aposto que a coisa vai ser uma loucura do início ao fim."

"Parece divertido!"

"Sugiro que você espere um pouco mais antes de dizer isso", ele avisou com uma expressão risonha. "Vamos pegar um café e começar a semana de trabalho, então?"

Eu fiquei de pé. "Hã, eu lamento muito dizer isso, mas meu pai está fazendo uma viagem de emergência pra cá nesta semana. Não sei quando exatamente, mas talvez seja hoje mesmo. Vou precisar buscá-lo no aeroporto e depois levá-lo até a minha casa quando ele chegar."

"Você vai precisar se ausentar por uns tempos?"

"Só o tempo de deixá-lo à vontade no meu apartamento. Umas duas horas, no máximo."

Mark concordou com a cabeça. "Você disse 'uma viagem de emergência'. Está tudo bem?"

"Vai ficar."

"Certo. Eu não tenho nada contra você tirar um tempinho pra resolver esse tipo de problema quando for preciso."

"Obrigada."

Deixei as minhas coisas sobre a mesa e pensei — pela milionésima vez — em como adorava o meu trabalho e o meu chefe. Eu entendia que Gideon quisesse me manter por perto e que gostasse da ideia de construirmos alguma coisa juntos, mas meu trabalho era algo que me fortalecia. Eu não estava disposta a abrir mão disso, e também não queria acabar me indispondo com ele se continuasse a insistir. Eu precisava encontrar um argumento aceitável o suficiente para convencer Gideon.

Comecei a pensar nisso já no caminho para a sala do café, para onde estava indo junto com Mark.

Apesar de Megumi ainda não ter dado o fora em Michael, eu a levei para almoçar em uma lanchonete ali perto que servia wraps deliciosos e tinha uma boa seleção de sabores de Ben & Jerry's. Para mim, escolhi um Chunky Monkey, banana com nozes e raspas de chocolate, e ela foi de Cherry Garcia, cereja com flocos, um ótimo refresco para um dia quente como aquele.

Sentamos a uma pequena mesa escondida lá nos fundos, e entre nós estava a bandeja com o que sobrou do nosso almoço. A lanchonete não ficava tão cheia na hora do almoço quanto os restaurantes da região, o que para nós era muito agradável. Era possível conversar sem precisar gritar.

"Mark está nas nuvens", ela falou, lambendo a colher. Megumi estava usando um vestidinho verde limão que combinava muito bem com seus cabelos escuros e sua pele clarinha. Ela sempre vestia cores e modelos ousados. Eu invejava sua capacidade de combinar as roupas tão bem.

"Eu sei." Abri um sorriso. "É muito legal ver alguém tão feliz."

"Felicidade sem culpa. Ao contrário deste sorvete."

"O que custa se deixar levar por um pequeno prazer de vez em quando?"

"Uma bunda gorda?"

Eu resmunguei. "Obrigada por me lembrar que vou precisar ir à academia hoje. Já faz dias que eu não me exercito."

A não ser em cima da cama...

"Como você faz pra manter a motivação?", ela perguntou. "Eu sei que preciso ir, mas sempre acabo arrumando uma desculpa."

"E ainda assim tem esse corpinho?" Eu sacudi a cabeça. "Você não vale nada."

Ela sorriu. "Onde você malha?"

"Numa academia comum e numa de krav maga lá no Brooklyn."

"Antes ou depois do trabalho?"

"Depois. Acordar cedo *não é* a minha", respondi. "Eu adoro dormir."

"Tudo bem se eu for com você algum dia? Não nesse krav não-sei-que--lá, na sua academia. Onde é?"

Engoli um pedaço de chocolate e estava quase respondendo quando ouvi um telefone tocar.

"Você não vai atender?", perguntou Megumi, só então percebi que o celular que tocava era o meu.

Era o telefone clandestino que Gideon me dera, por isso não reconheci o toque.

Tirei o aparelho às pressas da bolsa, e atendi quase sem fôlego: "Alô?".

"Meu anjo."

Por um segundo, me ocupei apenas de saborear a voz rouca dele. "Oi. Aconteceu alguma coisa?"

"O meu advogado acabou de me contar que a polícia está na pista de um suspeito."

"Quê?" Meu coração parou, e meu almoço começou a se revirar dentro do estômago. "Ai, meu Deus."

"E não sou eu."

Eu nem me lembro de como voltei para o escritório. Megumi teve que me perguntar de novo o nome da minha academia. O medo que senti naquele momento era inigualável. O temor era muito pior quando envolvia uma pessoa amada.

Que outro suspeito a polícia poderia ter?

Fiquei com a sensação terrível de que eles estavam apenas querendo mexer com a cabeça de Gideon. E com a minha.

Se era esse o plano, estava funcionando. Pelo menos no meu caso. Gideon parecia calmo e tranquilo durante nossa breve conversa. Ele me disse para não ficar preocupada, que queria apenas avisar que a polícia poderia me procurar de novo para fazer mais perguntas. Ou não.

Minha nossa. Fui caminhando lentamente até a minha mesa, com os nervos abalados. Parecia que eu tinha tomado um bule inteiro de café. Minhas mãos tremiam, e meu coração estava disparado.

Sentei à mesa e tentei voltar ao trabalho, mas não conseguia me concentrar. Ficava olhando para o monitor, sem enxergar nada.

E se a polícia tivesse mesmo outro suspeito que não fosse Gideon? O que poderíamos fazer? Permitir que uma pessoa inocente fosse para a prisão era uma ideia inaceitável.

No entanto, uma vozinha no fundo da minha cabeça ainda teve a coragem de dizer que Gideon estaria livre de qualquer acusação se outra pessoa fosse condenada por aquele crime.

No instante em que esse pensamento passou pela minha cabeça, senti meu estômago embrulhar. Meu olhar pousou sobre a foto do meu pai. Ele estava impecavelmente fardado ao lado de sua viatura.

Eu estava muito confusa, muito assustada.

Levei um susto quando meu celular começou a vibrar em cima da mesa. O nome do meu pai apareceu na tela. Eu atendi depressa. "Oi. Onde você está?"

"Em Cincinatti. Trocando de avião."

"Certo, me passa as informações do seu voo." Peguei uma caneta e anotei às pressas os números que ele me falou. "Vou estar lá esperando quando o avião pousar. Estou ansiosa pra ver você."

"Sim... Eva. Querida." Ele respirou fundo. "Nos vemos logo mais."

Ele desligou, e o silêncio que se seguiu foi ensurdecedor. Eu sabia que ele estava se sentindo dominado pela culpa. Foi o que sua voz transmitiu, o que fez o meu peito se apertar.

Levantei e fui até o escritório de Mark. "Meu pai acabou de ligar. Vai pousar em LaGuardia daqui duas horas."

Ele me olhou e franziu a testa. "Então vá pra casa, e depois até o aeroporto se encontrar com ele."

"Obrigada." Essa única palavra bastava. Mark sabia que naquele momento eu não estava a fim de conversar.

Com o telefone clandestino, mandei uma mensagem quando estava no táxi a caminho de casa. **Indo pro apto. Saio em 1 hora pra buscar meu pai. Vc pode falar?**

Eu precisava saber o que Gideon estava pensando... como ele estava se sentindo. Porque eu estava péssima, sem saber como agir diante daquela situação.

Quando cheguei em casa, coloquei um vestidinho de verão e uma sandália. Recebi uma mensagem de texto de Martin, dizendo que tinha sido muito divertido no sábado à noite, e que deveríamos sair outras vezes. Olhei nos armários da cozinha para ver se as coisas que meu pai gostava de comer estavam todas no lugar. Dei uma última conferida no quarto de hóspedes, apesar de já ter deixado tudo arrumado na noite anterior. Entrei na internet e confirmei o horário do voo.

Pronto. Ainda sobrava um tempinho para eu me torturar até ficar maluca.

Fiz uma busca no Google por "Corinne Giroux e marido", procurando principalmente por imagens.

O que descobri foi que Jean-François Giroux era um homem muito bonito. Um tremendo gato, para dizer a verdade. Não tanto quanto Gideon, o que afinal de contas era impossível. Gideon era um homem sem comparação, mas Jean-François tinha atrativos respeitáveis, como cabelos escuros ondulados e um belo par de olhos cor de jade. Sua pele era bronzeada, e ele usava um cavanhaque, algo que *nele* ficava muito bonito. Ele e Corinne formavam um casal formidável.

Meu telefone clandestino tocou, fazendo com que eu me levantasse às pressas e tropeçasse na mesinha de centro para ir atendê-lo. Arranquei-o da bolsa rapidamente e atendi: "Alô?".

"Estou no apartamento ao lado", Gideon falou. "E não tenho muito tempo."

"Estou indo."

Peguei minha bolsa e saí. Uma das vizinhas estava chegando em casa, o que me obrigou a abrir um sorriso educado e fingir que estava esperando o elevador. Assim que ela entrou, fui correndo até a porta de Gideon, que se abriu antes mesmo que eu apanhasse a minha chave.

Gideon me recebeu usando jeans, camiseta e um boné na cabeça. Ele me pegou pela mão e me puxou para dentro, tirando o boné antes de se abaixar para me beijar. Foi um beijo surpreendentemente carinhoso e suave.

Larguei a minha bolsa e o abracei, me enrolando a ele. Ao sentir o seu toque, minha ansiedade cedeu um pouco, permitindo que eu respirasse profundamente.

"Oi", ele murmurou.

"Não precisava ter vindo pra casa." Eu sabia que aquela interrupção era um tremendo inconveniente para sua rotina de trabalho. Ele teve que se trocar, ir até lá, e depois ainda teria o caminho de volta...

"Precisava, sim. Você queria falar comigo." Suas mãos subiram pelas minhas costas, e ele se afastou apenas o mínimo necessário para conseguir me encarar. "Não se preocupe com isso, Eva. Eu cuido de tudo."

"Como?"

Seus olhos azuis transmitiam uma sensação de tranquilidade, e seu rosto esbanjava confiança. "No momento, estou esperando por mais informações. Existe uma boa chance de isso tudo não dar em nada. Você sabe."

Eu olhei bem para o rosto dele. "E se der?"

"Se eu vou deixar alguém pagar pelo meu crime?" Ele cerrou os dentes. "É isso que você está perguntando?"

"Não." Eu desfiz a ruga em sua testa com a ponta dos dedos. "Eu sei que isso não vai acontecer. Só estou perguntando o que você vai fazer pra impedir isso."

Ele franziu ainda mais o rosto. "Você está me pedindo pra prever o futuro, Eva. Isso eu não sei fazer. Você vai ter que confiar em mim."

"Eu confio", eu disse com veemência. "Mas estou com medo. Não consigo evitar."

"Eu sei. Também estou preocupado." Ele passou o polegar pelo meu lábio inferior. "A detetive Graves é uma mulher muito inteligente."

Essa observação provocou um estalo dentro de mim. "Tem razão. Isso me tranquiliza um pouco."

Eu não conhecia Shelley Graves tão bem. Porém, nas poucas interações que tivemos, fiquei com a impressão de que ela era inteligente *e* esperta, conhecedora das malandragens das ruas. Eu ainda não tinha somado todos os fatores, mas deveria. Por mais estranho que isso pudesse parecer, eu sentia uma mistura de temor e gratidão por ela.

"Já está tudo certo pra receber o seu pai?"

Ao me lembrar disso, voltei a sentir um frio na barriga. "Está tudo pronto. Menos eu."

A expressão nos olhos dele se atenuou. "Já tem algum plano pra lidar com ele?"

"Cary voltou a trabalhar hoje, então vamos estourar uma champanhe e sair pra jantar."

"Você acha que ele vai estar a fim de fazer isso?"

"Não sei nem se *eu* vou estar", confessei. "É bizarro demais querer beber Cristal e usar salto alto no meio dessa confusão toda. Mas o que eu posso fazer? Se o meu pai não entender que está tudo bem comigo, nunca vai esquecer essa história de Nathan. Preciso provar que essa coisa horrível ficou esquecida no passado."

"E o resto você pode deixar comigo", ele garantiu. "Eu *vou* cuidar de tudo, de *nós*. Por enquanto, pode se concentrar só na sua família."

Dando um passo atrás, eu o peguei pela mão e o conduzi até o sofá. Era estranho demais vê-lo tão cedo em casa em um dia de trabalho. Ver o sol da tarde brilhando lá fora me transmitia uma sensação de estar totalmente fora da rotina, o que reforçava a impressão de que precisávamos sempre recorrer a uma escapadinha se quiséssemos nos ver com frequência.

Eu sentei, cruzei as pernas e o encarei quando ele se acomodou ao meu lado. Éramos muito parecidos em certo sentido, e isso incluía nosso passado. Gideon precisava tirar tudo a limpo com sua família também. Só assim poderia se curar totalmente.

"Sei que você precisa voltar ao trabalho", eu falei, "mas fiquei feliz por ter vindo. É verdade... eu precisava ver você."

Ele levou a minha mão aos lábios. "Você sabe quando seu pai volta pra Califórnia?"

"Não."

"Tenho consulta com o dr. Petersen amanhã, então só íamos nos ver no fim da noite de qualquer jeito." Gideon me olhou e abriu um sorriso. "A gente dá um jeito de se encontrar."

Tê-lo por perto... tocá-lo... vê-lo sorrir... ouvir aquelas palavras. Eu enfrentaria qualquer coisa, desde que ao final do dia ele fosse meu.

"Você me dá mais cinco minutinhos?", eu pedi.

"O quanto você quiser, meu anjo", ele disse baixinho.

"Só isso já está bom." Cheguei mais perto e apoiei meu corpo ao dele.

Gideon envolveu meus ombros com o braço. Demos as mãos e as deixamos cair sobre o colo. Formávamos um círculo perfeito. Não tão brilhante quanto o anel em nossos dedos, mas ainda assim de valor inestimável.

Depois de um tempo, senti seu corpo se inclinar na direção do meu. "Eu também estava precisando disso."

Eu o abracei com força. "É bom que você também precise de mim, garotão."

"Eu só queria precisar um pouco menos. Pra que não se tornasse essa coisa insuportável."

"E qual seria a graça?"

Sua risada suave fez com que eu me apaixonasse ainda mais por ele.

Gideon tinha razão a respeito do DB9. Quando vi aquele Aston Martin cinza metálico diante de mim, era como se estivesse diante de uma versão motorizada de Gideon. Era uma máquina das mais sensuais, e de uma elegância tamanha que fez os dedos dos meus pés se curvarem.

Fiquei morrendo de medo de dirigi-lo.

Andar de carro em Nova York era *bem* diferente de dirigir no Sul da Califórnia. Hesitei um pouco antes de aceitar as chaves oferecidas pelo garagista. Talvez fosse melhor contratar um serviço de limusine.

O telefone clandestino começou a tocar, e eu me apressei para atender. "Alô?"

"Anda logo", disse Gideon. "Não precisa ter medo, vai em frente."

Eu me virei, à procura das câmeras de segurança, reprimindo um frio na espinha. Eu conseguia *sentir* o olhar de Gideon sobre mim. "O que você está fazendo?"

"Imaginando o que faria se estivesse aí com você. Deitaria você no capô e começaria a meter bem devagarinho. Enfiando o pau até o fundo e colocando a suspensão do carro pra funcionar. Humm. Meu Deus, estou com muito tesão."

E estava me deixando molhadinha. Eu podia ouvir aquilo durante horas — era apaixonada pela voz dele. "Estou com medo de arranhar esse belo carro."

"Esquece o carro, pensa só na sua segurança. Pode ralar à vontade, só não se machuque."

"Se a sua ideia era me acalmar, fique sabendo que não funcionou."

"Podemos continuar conversando até você gozar, aí você se acalma."

Estreitei os olhos na direção dos garagistas, que por sua vez fingiram que não estavam me vendo. "Você acabou de me ver e já está todo excitado de novo. Eu tenho algum motivo pra me preocupar?"

"Imaginar você dirigindo o meu DB9 me deixou com tesão."

"Ah, é?" Tive que me esforçar para conter um sorriso. "Pensei que fosse eu que tivesse um fetiche por meios de transporte."

"Entra logo no carro", ele murmurou. "E finge que eu estou no banco do passageiro. Com a mão no meio das suas pernas. Enfiando o dedo na sua bocetinha molhada e macia."

Ao me aproximar do carro com as pernas trêmulas, eu murmurei: "Você está querendo me matar, não é possível".

"Eu tiraria o pau pra fora com a outra mão enquanto estivesse masturbando você bem gostoso."

"A sua falta de respeito pela imponência desse carro é uma coisa impressionante." Sentei no banco do motorista e demorei um bom tempo descobrindo como faria para fazê-lo funcionar.

Ouvi a voz áspera de Gideon no sistema de som do carro. "E então, que tal?"

Ele tinha sintonizado meu telefone clandestino ao sistema de som do carro via Bluetooth. Gideon sempre pensava em tudo.

"Parece ser bem caro", eu respondi. "Você é louco por me deixar dirigir esta coisa."

"Por você eu faço qualquer loucura", ele respondeu, me fazendo estremecer. "O trajeto até o LaGuardia está programado no GPS."

Fiquei muito contente em saber que o fato de vir para casa me ver melhorava seu humor. Eu entendia como ele se sentia. Para mim significava muito que Gideon pensasse como eu.

Liguei o GPS e tirei o câmbio automático do ponto morto. "Sabe de uma coisa, garotão? Vou querer chupar o seu pau enquanto você dirige essa coisa. Pôr uma almofada no console central e ficar chupando por quilômetros e quilômetros."

"Isso vai ter que ficar pra mais tarde. Me diz o que achou do carro."

"Macio. Potente." Acenei em despedida para os garagistas ao sair do subsolo. "Reações precisas."

"Assim como você", ele murmurou. "Só podia ser, afinal a máquina que eu mais gosto de conduzir é o seu corpo."

"Ah, que lindo, amor. E você é o meu condutor favorito." Eu mergulhei cautelosamente no mar de carros que passava pela rua.

Ele deu risada. "Espero que eu seja o seu único condutor."

"Mas eu não sou a sua única máquina", argumentei, emocionada por ele estar cuidando de mim naquele momento, fazendo com que me sentisse mais relaxada. Na Califórnia, eu usava o carro para ir a todos os lugares, mas desde que me mudei para Nova York era a primeira vez que me sentava atrás de um volante.

"Mas é a única que eu quero na minha cama", ele respondeu.

"Sorte sua, porque eu sou bastante possessiva."

"Eu sei." Seu tom de voz era de pura satisfação masculina.

"Onde você está?"

"Trabalhando."

"Em mais de uma coisa, aposto." Pisei no acelerador e respirei fundo ao mudar de pista. "O que significa um papinho com a namorada diante de um império do entretenimento?"

"Eu faria o mundo parar de girar por você."

Essa frase meio boba me deixou estranhamente emocionada. "Eu te amo."

"Você gostou dessa, né?"

Eu abri um sorriso, surpresa e extasiada pelo seu senso de humor meio ridículo.

Além disso, eu estava de olho em tudo ao meu redor. Havia placas indicando proibições por toda parte. Dirigir em Manhattan era como andar em linha reta para lugar nenhum. "Ei, não dá mais pra virar nem pra direita nem pra esquerda. Acho que estou indo pro túnel. Logo mais não vou mais poder falar com você."

"Você sempre vai poder falar comigo, meu anjo", ele garantiu. "Onde quer que você vá, não importa a distância, eu vou estar sempre ao seu lado."

Quando vi meu pai na área de desembarque, toda a confiança que Gideon me transmitiu no caminho até o aeroporto se perdeu. Ele parecia cansado, exausto, com os olhos vermelhos e a barba por fazer.

Senti as lágrimas brotarem nos meus olhos enquanto caminhava em sua direção, mas segurei firme — estava determinada a tranquilizá-lo. Abri os braços e o observei enquanto ele largava a mala e me abraçava com toda a força.

"Oi, papai", eu falei, com um tremor na voz que esperava que ele não percebesse.

"Eva." Ele deu um beijo na minha testa.

"Você parece cansado. Não dormiu à noite?"

"Só um pouco, depois de decolar em San Diego." Ele deu um passo para trás, me encarou com seus olhos da cor dos meus, e examinou bem o meu rosto.

"Você trouxe mais alguma mala?"

Ele sacudiu a cabeça, ainda me observando.

"Está com fome?", eu perguntei.

"Eu fiz um lanchinho em Cincinatti." Por fim, ele se afastou e pegou a mala. "Mas se você quiser comer..."

"Não. Eu estou bem. Mas estava pensando em sair pra jantar com Cary mais tarde, se você estiver a fim. Ele voltou ao trabalho hoje."

"Claro." Ele ficou parado com a mala na mão, parecendo um tanto perdido e inseguro.

"Pai, está tudo bem."

"Eu não estou. Preciso descontar a minha raiva em alguma coisa, e não tem nada por perto para eu poder bater."

Isso me deu uma ideia.

Eu o peguei pela mão e comecei a puxá-lo na direção da saída do terminal. "A gente resolve isso já."

12

“Ele está dando um trabalhão pro Derek”, observou Parker, limpando o suor da cabeça molhada com uma toalha de mão.

Eu me virei para olhar e vi meu pai treinando com um instrutor com o dobro de seu tamanho, e olha que Victor Reyes de pequeno não tinha nada. Com um metro e oitenta de altura e noventa quilos de puro músculo, meu pai era um adversário de respeito para qualquer um. Além disso, ele havia me falado que passaria a treinar krav maga quando eu manifestei interesse em começar a praticar essa arte marcial, e pelo jeito cumpriu a promessa — ele já demonstrava um bom domínio sobre uma série de movimentos. “Obrigada por deixar que ele participasse.”

Parker me olhou com seus olhos escuros e tranquilos. Ele vinha me ensinando muito mais do que defesa pessoal. Graças a sua ajuda, eu estava aprendendo a encarar cada coisa a seu tempo, e sem medo.

“Normalmente eu diria que aqui não é lugar pra alguém vir descarregar sua raiva”, ele respondeu, “mas Derek estava precisando de um desafio.”

Apesar de ele não ter perguntado diretamente, eu não quis deixar a questão no ar, já que Parker estava fazendo o favor de deixar que o meu pai monopolizasse a atenção de seu assistente. “Ele acabou de ficar sabendo de uma agressão que eu sofri muito tempo atrás. Agora já é tarde demais pra fazer alguma coisa a respeito, e ele não está conseguindo lidar muito bem com isso.”

Ele se agachou e apanhou a garrafa d’água colocada ao lado do tatame. Depois de um instante de silêncio, Parker falou: “Eu tenho uma filha. Posso imaginar como ele está se sentindo”.

O olhar reconfortante que ele lançou para mim antes de dar o primeiro gole me fez ter a certeza de que eu havia levado meu pai ao lugar certo.

Parker era muito gente boa e, além de ter um sorriso lindo, era uma das pessoas mais sinceras e diretas que conheci na vida. Porém, havia algo em sua conduta que alertava os demais a tomar cuidado onde pisavam. Qualquer um saberia logo de cara que ele era do tipo que não aceitava ser passado para trás. Sua capacidade de provocar estrago era tão aparente quanto suas tatuagens tribais.

“Então continue vindo aqui com ele, assim ele se solta e vê que você já sabe se cuidar sozinha. É uma boa ideia.”

"Eu não sei mais o que fazer", admiti. A academia de Parker ficava em uma área recém-revitalizada do Brooklyn. Era um antigo galpão desativado, e os tijolos aparentes e os imensos portões de correr contribuíam para uma atmosfera rústica, mas sem perder a elegância. Era um lugar onde eu me sentia segura e confiante.

"Nisso eu posso ajudar." Ele sorriu e apontou com o queixo para o tatame. "Vamos mostrar pra ele do que você é capaz."

Larguei no chão a minha água e a minha toalha e fiz que sim com a cabeça. "Vamos lá."

Não vi nenhum dos garagistas por perto quando entrei no estacionamento subterrâneo do prédio. Como queria devolver pessoalmente o carro ao seu lugar, não achei ruim. Encaixei o DB9 na vaga mais próxima e desliguei o motor. "Ótimo. Bem do lado do elevador."

"Pois é", disse o meu pai. "Esse carro é seu?"

Eu já estava esperando por essa pergunta. "Não. É de um vizinho."

"Que vizinho mais gentil", ele comentou, sarcástico.

"Uma xícara de açúcar, um Aston Martin, no fim dá no mesmo, não?" Eu olhei para ele com um sorriso.

Ele parecia bastante cansado e abatido, e não era por causa do treino. Era uma desolação que vinha de dentro, e estava acabando comigo.

Soltei o cinto de segurança e me virei para ele. "Pai... Eu não suporto ver você assim."

Ele soltou o ar com força antes de responder: "Eu só preciso de um tempo".

"Eu não queria que você soubesse." Estendi o braço para pegar sua mão. "Mas é até bom que tenha descoberto, porque agora podemos enterrar esse assunto de vez."

"Eu li os relatórios..."

"Meu Deus. Pai..." Senti meu estômago ir parar na garganta. "Eu não quero que você fique se torturando com isso."

"Eu sabia que tinha alguma coisa errada." Ele me olhou com uma expressão tão sofrida que foi difícil encará-lo. "A maneira como Cary reagiu quando a detetive Graves disse o nome de Nathan Barker... Sabia que você estava escondendo alguma coisa de mim. Mas queria que você mesma me contasse."

"Eu sempre fiz de tudo pra apagar a lembrança de Nathan da minha vida. Você foi uma das poucas pessoas importantes pra mim que não foram afetadas pelo que ele fez. Por isso, eu queria que tudo continuasse como estava entre nós."

Ele apertou a minha mão com força. "Me diz a verdade. Está mesmo tudo bem com você?"

"Pai, eu sou a mesma filha que você visitou semanas atrás. A mesma filha que você via o tempo todo em San Diego. Claro que estou bem."

"Você chegou a engravidar..." Sua voz ficou embargada, e uma lágrima escorreu pelo seu rosto.

Eu a limpei com o dedo, ignorando as que escorriam pelo meu. "E algum dia vou engravidar de novo. E quem sabe até mais de uma vez. Talvez você ainda tenha um monte de netinhos."

"Venha aqui."

Debruçando-se sobre o console, ele me abraçou. Ainda ficamos no carro por um bom tempo. Chorando. Desabafando.

Gideon estaria me observando pela câmera de segurança, transmitindo seu apoio silencioso? Eu iria adorar se estivesse.

O jantar daquela noite não foi a farra que costumava ser quando Cary, meu pai e eu nos juntávamos, mas também não foi tão amargo quanto poderia. A comida estava ótima, o vinho, melhor ainda, e Cary estava com a corda toda.

"Ela era pior que a Tatiana", ele contou sobre a modelo com quem contracenou nas fotos que fez durante o dia. "Ficava sempre se virando pra mostrar seu 'melhor lado', que pra mim era o de trás, que reparei quando ela saiu pela porta."

"Você já fez fotos com a Tatiana?", eu perguntei, e logo depois expliquei para o meu pai: "É uma menina com quem Cary anda saindo."

"Ah, sim." Cary passou a língua pelos lábios manchados de vinho tinto. "Nós trabalhamos juntos o tempo todo, na verdade. Eu sou o domador dela. Quando a moça começa a dar chilique, eu entro em cena e ela se acalma."

"Como você faz... Esquece", eu logo me arrependi. "Não quero nem saber."

"Você sabe muito bem." Ele deu uma piscadinha.

Olhei para o meu pai e revirei os olhos.

"E você, Victor?", Cary perguntou antes de morder um cogumelo *sauté*. "Está saindo com alguém?"

Meu pai encolheu os ombros. "Nada de muito sério."

Mas apenas por escolha dele. Eu já tinha visto como as mulheres agiam diante da sua presença — ficavam todas animadinhas para ganhar sua atenção. Meu pai era um gato, tinha um corpo incrível, um rosto lindo e um tremendo charme latino. E sabia tirar proveito disso, não era nenhum santo, mas nunca parecia encontrar ninguém que o atraísse de verdade. Pouco tempo antes, eu havia descoberto o motivo para isso: minha mãe.

"Você acha que algum dia vai ter mais filhos?", Cary perguntou.

Fiquei bastante surpresa. Afinal, já tinha me conformado com a ideia de ser filha única fazia tempo.

Meu pai sacudiu a cabeça. "Não que eu me oponha à ideia, mas Eva já é muito mais do que mereço na vida." Ele me olhou com uma expressão tão amorosa que senti um nó na garganta. "Ela é perfeita. Tudo o que eu poderia querer. Não sei se meu coração ainda tem espaço para mais alguém."

"Oh, pai." Apoiei a cabeça em seu ombro, muito feliz por tê-lo ali comigo, apesar de o motivo para a sua presença ser o pior possível.

Quando voltamos ao apartamento, decidimos ver um filme antes de ir para a cama. Fui até o meu quarto me trocar e me surpreendi com um lindo buquê de rosas brancas sobre a penteadeira. O cartão, escrito com a caligrafia marcante de Gideon, me deixou nas nuvens.

> ESTOU PENSANDO EM VOCÊ, COMO SEMPRE.
> E ESTOU BEM AQUI AO LADO.
> G.

Sentei na cama e apertei o cartão contra o peito, com a certeza de que ele estava pensando em mim naquele exato momento, e começando a acreditar que isso valia também para as semanas em que ficamos separados.

Naquela noite, caí no sono no sofá mesmo, no meio do filme *Dredd*. Mas lembro de ter acordado por um instante enquanto era levada para o quarto, meu pai me colocou na cama como se eu fosse uma garotinha e me deu um beijo na testa.

"Eu te amo, pai", murmurei.

"Eu também te amo, querida."

Acordei antes de o despertador tocar, e com uma sensação de bem-estar que não experimentava fazia tempo. Deixei um bilhete no balcão da cozinha dizendo para o meu pai me ligar se quisesse almoçar comigo. Não sabia se ele tinha algo planejado para o dia. Cary tinha uma sessão de fotos à tarde.

No táxi, a caminho do trabalho, respondi uma mensagem de texto de Shawna, celebrando o noivado de seu irmão com Mark. **Estou mto feliz por vcs**, escrevi.

Vou querer recrutar vc!, ela respondeu.

Eu abri um sorriso ao ler essa mensagem. **Como assim? Acho que ñ entendi...**

Quando o táxi estacionou na frente do Crossfire, ver o Bentley parado junto ao meio-fio me encheu de alegria. Quando desci, dei uma olhada pela janela do passageiro e vi Angus sentado atrás do volante.

Ele saiu do carro, ajeitando o quepe de chofer na cabeça. Assim como no caso de Clancy, era impossível saber que ele carregava uma arma no coldre — andar armado era seu estado natural, a arma parecia fazer parte de seu corpo.

"Bom dia, srta. Tramell", ele me cumprimentou. Apesar de não ser mais tão jovem, com os fios brancos já despontando em sua cabeleira ruiva, eu não tinha dúvidas de que ele era absolutamente capaz de proteger Gideon em qualquer situação.

"Oi, Angus. Que bom ver você."

"Está muito bonita hoje, senhorita."

Olhei para baixo, para o meu vestidinho amarelo. Eu o havia escolhido por ser alegre e jovial, e era assim que eu queria que meu pai me visse. "Obrigada. Tenha um ótimo dia." Fui andando em direção à porta giratória. "Vejo você mais tarde!"

Com a gentileza estampada em seus olhos azul-claros, ele bateu com os dedos no quepe.

Quando cheguei ao meu andar, encontrei Megumi com um humor mais próximo do habitual. Ela abriu um sorriso largo e sincero, e seus olhos brilhavam com a mesma intensidade de todas as manhãs.

Eu parei ao lado de sua mesa. "Tudo bem?"

"Tudo. Michael virá almoçar comigo hoje, e vou aproveitar pra terminar tudo. De maneira educada e civilizada."

"Que roupa mais linda você está usando", eu falei, admirando seu vestidinho verde-esmeralda. Era justinho, e o cinto de couro transmitia um visual moderno na medida certa.

Ela se levantou e mostrou as botas, que iam quase até os joelhos.

"Está no melhor estilo Kalinda Sharma", eu falei. "Ele vai fazer de tudo pra evitar o pé na bunda."

"Até parece", ela duvidou. "Estas botas são a minha vingança. Ele só me ligou ontem à noite, ficou quase quatro dias sem fazer contato. Não é nada de mais, só que eu quero um cara que seja louco por mim. Que pensa em mim tanto quanto eu penso nele, e que fique chateado se não pudermos estar juntos."

Eu concordei com a cabeça, me lembrando de Gideon. "Vale a pena esperar pelo cara certo. Quer que eu ligue durante o almoço pra criar um pretexto pra você se mandar?"

Ela sorriu. “Não precisa. Mas obrigada.”

“Certo. Mas se mudar de ideia é só avisar.”

Fui até a minha mesa e comecei a trabalhar imediatamente, decidida a compensar o período de ausência no dia anterior. Mark também estava a todo vapor, e desviou sua atenção do trabalho apenas uma vez, para dizer que Steven tinha um caderno abarrotado de ideias para cerimônias de casamento que vinha juntando fazia anos.

“Por que isso não é exatamente uma surpresa pra mim?”, eu comentei.

“Mas pra mim foi.” Mark abriu um sorriso afetuoso. “Ele guardava tudo no escritório, pra eu não ficar sabendo.”

“E ele mostrou tudo pra você?”

“Cada uma das páginas. Demorou *horas*.”

“Vai ser o casamento do século”, eu provoquei.

“Pois é.” Havia preocupações de sobra no mundo, mas a expressão dele era de uma alegria tamanha que eu não conseguia parar de sorrir ao seu lado.

Meu pai me ligou pouco depois das onze.

“Oi, querida”, ele falou, em resposta à minha saudação profissional. “Como está o seu dia?”

“Ótimo.” Eu me recostei na cadeira e olhei para a foto dele em cima da mesa. “Dormiu bem?”

“Muito bem. Estou precisando me esforçar pra ficar acordado.”

“Por quê? Você pode voltar pra cama e ficar de preguiça.”

“Liguei para avisar que não vou poder almoçar com você hoje. Vamos deixar isso para amanhã. Hoje eu quero conversar com a sua mãe.”

“Ah.” Eu conhecia bem aquele tom de voz. Era o mesmo que ele usava ao prender as pessoas, a mistura perfeita de afirmação de autoridade e demonstração de desapontamento. “Olha, eu não vou me meter na conversa entre vocês. Não vou tomar partido de ninguém. Vocês são adultos e sabem muito bem se virar sozinhos. Mas sou obrigada a dizer que a mamãe queria muito contar tudo pra você.”

“E deveria ter contado.”

“Ela estava se sentindo sozinha no mundo”, eu continuei, batendo com os pés no carpete, “no meio de um processo de divórcio, prestando queixas contra Nathan e ainda tendo que lidar com o meu trauma. Ela devia estar desesperada pelo apoio de alguém, você sabe bem como ela é. Mas estava se sentindo culpada demais, faria qualquer coisa por mim àquela altura, e eu pedi pra ela não contar.”

Ele ficou em silêncio do outro lado da linha.

“Pense nisso quando for falar com ela”, eu completei.

“Certo. A que horas você chega em casa?”

"Umas cinco e pouco. Quer ir à academia? Ou fazer mais uma aula de krav maga?"

"Podemos decidir isso quando você chegar, dependendo da sua disposição", ele falou.

"Tudo bem." Tentei ignorar a preocupação que aquela conversa entre meus pais me causava. "Se precisar de alguma coisa, me liga."

Desliguei o telefone e voltei ao trabalho, feliz por ter com que ocupar a mente.

Quando a hora do almoço chegou, decidi comprar algo rápido e prático que eu pudesse comer na mesa de trabalho mesmo. Encarei o sol do meio-dia até a Duane Reade mais próxima e comprei um pacote de palitinhos de carne-seca e um isotônico. Eu vinha faltando na academia desde que tinha voltado com Gideon, e achei que estava na hora de fechar um pouco a boca para compensar.

Fiquei pensando se mandava ou não um bilhete para Gideon dizendo que estava pensando nele quando passei pela porta giratória do Crossfire. Seria uma forma de agradecer pelas flores, que tinham feito com que meu dia difícil terminasse bem.

Foi quando dei de cara com a mulher que preferia nunca mais ver — Corinne Giroux. E ela estava falando com o meu namorado, com a palma da mão apoiada em seu peito.

Estavam escondidos em um canto, atrás de uma coluna, afastados do fluxo de pessoas que passavam pelas catracas. Os cabelos escuros de Corinne iam quase até a cintura, e eram tão brilhantes e sedosos que se destacavam até mesmo por cima do tecido preto do vestido que ela estava usando. Estavam ambos de perfil, então não consegui ver seus olhos, mas sabia que eram de um lindo tom de água-marinha. Ela era deslumbrante, e formava um casal belíssimo com ele. Especialmente naquele momento, em que ambos estavam vestidos de preto, e o único detalhe de cor era a gravata azul de Gideon. A minha favorita.

Gideon virou a cabeça de repente, e seus olhos encontraram os meus, como se soubesse que eu estava vendo tudo. Nesse exato momento, senti a conexão que havia entre nós, uma ligação profunda e primitiva que só era possível com ele. Instintivamente, alguma coisa dentro de mim dizia que ele era *meu*. E eu sabia disso desde a primeira vez que pus os olhos nele.

E uma outra mulher estava colocando as mãos em cima dele.

Ergui as sobrancelhas em um protesto silencioso. Foi quando Corinne se virou para onde ele estava olhando. Ela não ficou nada feliz em me ver parada no meio do saguão, encarando os dois.

Para sorte dela, consegui me conter para não ir até lá e arrancá-la de perto dele pelos cabelos.

Quando ela teve a audácia de segurá-lo pelo queixo, ficar na ponta dos pés e levar sua boca até a dele, precisei me esforçar para valer para não fazer isso. Cheguei até a dar um passo à frente.

Gideon jogou a cabeça para trás antes que ela conseguisse beijar sua boca, segurou-a pelos braços e a afastou.

Controlando minha irritação, soltei o ar com força e deixei que ele se livrasse daquele inconveniente sozinho. Não que não tenha sentido ciúmes, muito pelo contrário — afinal, Corinne podia ser vista em público com Gideon e eu não. No entanto, eu não sentia mais o medo doentio de antes, a terrível insegurança que me dizia que eu ia perder o homem que amava não estava mais lá.

Foi estranho não entrar em pânico diante daquela situação. Ainda havia uma vozinha no fundo da minha mente dizendo que eu estava confiante demais, que era melhor me precaver, tomar cuidado para não acabar me magoando. Mas, pela primeira vez, fui capaz de ignorá-la. Depois de tudo que Gideon e eu tínhamos passado, e ainda estávamos passando, depois de tudo o que ele havia feito por mim... era mais fácil confiar do que desconfiar.

Apesar de tudo, nossa relação estava mais forte do que nunca.

Entrei no elevador com a firme intenção de voltar ao trabalho, mas os meus pensamentos acabaram se voltando para os meus pais. O fato de nem a minha mãe nem Stanton terem ligado para reclamar do meu pai era um bom sinal. Cruzei os dedos e torci para que enfim conseguíssemos pôr uma pedra sobre o assunto Nathan para sempre. Eu me sentia mais do que pronta para isso, para dar início a uma nova fase da minha vida, fosse ela qual fosse.

O elevador parou no décimo andar, e foi invadido pelo som de ferramentas elétricas e das marretadas ritmadas dos operários. Logo na frente da porta, o plástico pendurado no teto bloqueava o acesso ao restante do andar. Eu não sabia que o Crossfire estava em reforma, e tentei dar uma olhada no que estava sendo feito.

"Alguém vai descer aqui?", perguntou o cara que estava mais perto da porta, olhando para trás.

Eu endireitei o corpo e sacudi a cabeça, mesmo sabendo que ele não estava se dirigindo somente a mim. Ninguém mais se moveu. Ficamos esperando que a porta se fechasse e bloqueasse o ruído incômodo da obra.

No entanto, isso não aconteceu.

Quando o sujeito perto da porta começou a apertar os botões no painel sem que nada acontecesse, eu percebi o que estava acontecendo.

Gideon.

Sorrindo para mim mesma, eu falei: "Com licença, por favor".

Os ocupantes do elevador abriram espaço para eu sair, e um outro cara desceu atrás de mim. A porta se fechou atrás de nós, e o elevador subiu.

"Mas o que foi isso?", o cara perguntou, franzindo a testa e olhando para a porta dos outros três elevadores. Era um pouco mais alto que eu, e usava uma calça social preta, camisa de manga curta e gravata.

A campainha que anunciava a chegada do outro elevador quase foi abafada pelo ruído da reforma. Quando a porta se abriu, Gideon desceu, lindo, lépido e um tanto irritado.

Minha vontade era de agarrá-lo ali mesmo. Eu ficava excitadíssima quando ele usava seu poder para chegar até mim.

Eu faria o mundo parar de girar por você. Às vezes, era exatamente isso que eu sentia que ele fazia.

Resmungando alguma coisa consigo mesmo, o cara de camisa de manga curta entrou no elevador e subiu.

Gideon pôs a mão na cintura, e seu paletó se abriu, revelando as roupas sob medida que ele vestia por baixo. As três peças eram pretas, feitas de um tecido que com certeza custava uma boa grana. A camisa também era preta, e as abotoaduras eram as mesmas de sempre, douradas com um toque de ônix.

Era a mesma roupa que ele estava usando no primeiro dia em que nos vimos. Já daquela vez, senti uma vontade tremenda de tomar posse de seu corpo perfeito e transar com ele até morrer de exaustão.

Todo esse tempo depois, nada disso tinha mudado.

"Eva", ele começou com sua voz tentadora. "Não é o que você está pensando. Corinne só veio até aqui porque eu não atendo mais às ligações..."

Ergui a mão para interrompê-lo e olhei para o pulso, para o relógio que ele tinha me dado. "Eu ainda tenho meia hora. Prefiro usar esse tempo pra trepar em vez de ficar falando da sua ex, se você não se importa."

Ele ficou imóvel e em silêncio por um longo instante, olhando para mim, tentando entender se eu estava mesmo falando sério. Deu para ver em seu rosto o momento exato em que seu estado de espírito mudou. Ele ficou vermelho, e seus lábios se entreabriram. Suas pernas ficaram inquietas, seu sangue esquentou e pude perceber seu pau endurecer, a sensualidade voltava a se tornar visível em seu corpo — era como um grande felino despertando de um cochilo e voltando a ser um predador.

A energia sexual entre nós era quase palpável, praticamente uma coisa viva. Diante disso, eu amoleci completamente, o que quase sempre acontecia numa situação como essa, e senti meu ventre se contrair de bom grado. Eu estava sedenta por ele. A confusão ao nosso redor só me deixava com mais tesão, acelerando as batidas do meu coração.

Gideon enfiou a mão no bolso interno do paletó e sacou o celular. Chamou algum número gravado na memória, levou o telefone à orelha e olhou bem nos meus olhos. "Vou atrasar uns trinta minutos. Se Anderson não puder esperar, cancele."

Ele desligou e jogou o telefone de volta no bolso.

"Estou morrendo de tesão por você", eu falei, com a voz embargada de desejo.

Ele ajeitou o paletó e veio até mim com os olhos em chamas. "Vamos."

Gideon pôs a mão sobre a base da minha coluna, o que eu adorava, e senti um calor se irradiar pelo meu corpo a partir daquele pequeno ponto de pressão. Olhei para ele por cima do ombro e vi o leve sorriso no seu rosto, uma prova de que ele sabia o que aquele toque provocava em mim.

Afastamos com as mãos o plástico que isolava o espaço da reforma e passamos por ele, deixando os elevadores para trás. Na nossa frente, só víamos a luz do sol, o cimento cru e plástico pendurado por toda parte. Através do plástico era possível ver a silhueta dos operários. Havia também uma música de fundo, abafada pela voz dos homens gritando uns com os outros.

Gideon me guiou pelo labirinto de plástico, demonstrando que sabia aonde estava indo. Seu silêncio me deixava ainda mais excitada, fazendo a expectativa crescer a cada passo. Chegamos a uma porta, e entramos no que algum dia seria o escritório de alguém.

A cidade se estendia sob os meus pés, uma selva moderna permeada de edifícios que contavam orgulhosamente sua história. Nuvens de vapor subiam de tempos em tempos ao céu azul, e os carros fluíam pelas ruas como rios na direção do mar.

Ouvi a porta ser trancada atrás de mim e me virei para Gideon. Ele já estava tirando o paletó. A sala era mobiliada com uma escrivaninha, cadeiras e alguns sofás em um canto. Tudo ainda coberto de lona, pois o espaço ainda estava em reforma.

Com movimentos metódicos, ele tirou o colete, a gravata e a camisa. Eu fiquei olhando, admirando sua perfeição masculina. "Existe o risco de sermos interrompidos", ele falou. "Ou então de nos ouvirem."

"Isso é um problema pra você?"

"Só se for pra você." Ele foi chegando perto com a braguilha aberta, com o elástico da cueca aparecendo.

"Você está só querendo me provocar. Jamais correria o risco de ser interrompido."

"Eu não pararia mesmo. Não consigo me controlar quando estou dentro de você." Ele tirou a bolsa da minha mão e largou sobre uma das cadeiras. "Você está vestida demais."

Gideon me envolveu em seus braços, baixou o zíper das costas do vestido com calma e perícia, com seus lábios murmurando bem próximos aos meus. "Vou tentar não desalinhar muito você."

"Eu gosto de ficar toda desalinhada." Tirei o vestido e estava prestes a tirar o sutiã quando ele me pôs em cima do ombro dele.

Eu gritei de surpresa, estapeando a bunda dele com as duas mãos. Ele me bateu com força, provocando uma sensação de ardor, e depois jogou meu vestido sobre seu paletó. Ainda atravessando a sala, ele ergueu a mão e baixou minha calcinha.

Gideon removeu a lona que cobria um dos sofás, me posicionou sobre o móvel e se agachou na minha frente. Enquanto tirava minha calcinha pelos calcanhares, ele perguntou: "Está tudo bem, meu anjo?".

"Está, sim." Eu sorri e acariciei seu rosto, sabendo que sua pergunta incluía tanto o problema com os meus pais quanto questões de trabalho. Ele sempre se interessava em saber como estava minha cabeça antes de se apossar do meu corpo. "Está tudo tranquilo."

Gideon puxou meus quadris até a beirada do sofá, com as pernas abertas, expondo minha abertura sedenta. "Então me diz o que deixou essa bocetinha linda tão gulosa hoje."

"Você."

"Ótima resposta."

Eu dei um empurrão em seu ombro. "Você está usando o mesmo terno de quando a gente se viu pela primeira vez. Fiquei morrendo de vontade de dar pra você naquele dia, mas não podia. Agora eu posso."

Ele escancarou gentilmente as minhas pernas, acariciando meu clitóris com o polegar. Meu sexo estremeceu com uma onda de prazer que se espalhou pelo meu corpo.

"E agora *eu* também posso", ele murmurou, baixando a cabeça.

Agarrei desesperadamente o estofado do sofá, sentindo minha barriga se contrair enquanto sua língua percorria meu sexo. Ele contornou minha abertura trêmula, me provocando antes de enfiar a língua profundamente em mim. Arqueei o corpo com violência enquanto ele torturava minha carne frágil.

"Vou contar pra você o que imaginei naquele dia", ele provocou, passando a língua no meu clitóris com movimentos circulares, me segurando com as mãos quando eu não parecia mais suportar suas carícias. "Você deitada debaixo de mim sobre lençóis de cetim, toda descabelada, com os olhos arregalados de tesão, sentindo meu pau entrando com força na sua bocetinha apertadinha e macia."

"Minha nossa, Gideon", eu gemi, seduzida por vê-lo me saborear tão intimamente. Era uma fantasia que se tornava realidade — o deus do sexo moreno e perigoso naquele terno de tirar o fôlego, me dando prazer com sua boca feita especialmente para levar as mulheres à loucura.

"Eu me imaginei segurando seus pulsos com as mãos", ele continuou, com a voz áspera, "comendo você sem parar. Seus peitos durinhos inchando na minha boca. Seus lábios vermelhos e úmidos chupando o meu pau. Os seus gemidos gostosos preenchendo o ar... Você gritando de desespero porque não conseguia parar de gozar."

Eu gemi bem alto, mordendo o lábio enquanto ele acariciava meu clitóris com os movimentos lascivos de sua língua. Apoiei uma das pernas sobre seu ombro nu, sentindo o calor de seu corpo na pele sensível da parte posterior do joelho. "Eu quero o que você quiser."

Ele sorriu. "Eu sei."

Gideon me chupou com força, comprimindo ainda mais minhas tensas terminações nervosas. Eu gozei com um grito abafado, sentindo as minhas pernas tremerem.

Ainda estava estremecendo de prazer quando ele me deitou no sofá, posicionou seu corpo sobre o meu e abaixou a cueca apenas o suficiente para pôr o pau para fora. Eu estendi o braço para pegá-lo, senti-lo na minha mão, mas ele agarrou os meus pulsos e me imobilizou.

"Gosto de você assim", ele disse em um tom pervertido. "Prisioneira do meu desejo."

Gideon me encarava fixamente, com os lábios úmidos, o peito ofegante. Eu sempre ficava impressionada com a diferença entre o macho viril que estava prestes a me possuir e o executivo sofisticado que me atraiu irresistivelmente logo à primeira vista.

"Eu te amo", falei, sentindo minha respiração acelerar ao sentir a cabeça de seu pau duro se esfregar contra a minha abertura inchada, fazendo meu sexo se abrir para recebê-lo.

"Meu anjo." Com um grunhido, ele afundou o rosto no meu pescoço e me penetrou profundamente com seu pau grande e grosso. Sussurrando meu nome, juntou seus quadris com os meus, tentando chegar ainda mais fundo, com movimentos circulares incessantes. "Como eu preciso de você."

O tom de desespero em sua voz me pegou de surpresa. Eu queria tocá-lo, mas estava imobilizada, sentindo seus quadris se remexerem sem parar. A sensação de tê-lo dentro de mim, seu calor, a cabeça de seu pau me massageando por dentro, estava me deixando enlouquecida. Comecei a rebolar seguindo seu ritmo, incapaz de me conter.

Seus lábios roçaram de leve o meu rosto. "Quando vi você ali parada no saguão, com esse vestidinho amarelo, toda radiante e linda... Pensei no quanto você é perfeita."

Senti um nó na garganta. "Gideon."

"O sol estava brilhando bem atrás de você, pensei que fosse uma miragem."

Eu lutei para libertar minhas mãos. "Eu quero agarrar você."

"Vim atrás de você porque não conseguia mais ficar longe, e quando eu te encontrei, você disse que me queria." Ele segurou os meus pulsos com uma das mãos e agarrou a minha bunda com a outra, me erguendo para chegar ainda mais fundo.

Eu gemi, me remexendo ao seu ritmo, sugando avidamente seu pau com o meu sexo faminto. "Ai, meu Deus, que delícia. Você é tão gostoso..."

"Eu quero gozar em você todinha, dentro de você. Quero você de joelhos e de quatro por mim. E é *assim que você me quer*."

"É assim que eu preciso de você."

"Quando eu meto em você, não consigo mais tirar." Ele levou sua boca até a minha e sugou o meu lábio. "Preciso tanto de você."

"Gideon. Eu quero agarrar você."

"Eu capturei um anjo." Seu beijo era molhado, sensual, apaixonado. Seus lábios cobriam os meus, sua língua entrava fundo na minha boca. "E fico passando as mãos em você todinha. Atacando você. E você adora."

"Eu adoro *você*."

Ele arremeteu com vontade contra mim, e eu gemi bem alto, agarrando seus quadris com as coxas. "Me fode. Ai, Gideon. Me fode com força."

Ele apoiou os joelhos no chão e me deu o que eu pedi, me penetrando ferozmente. Gideon metia em mim sem parar, soltando grunhidos e traduzindo seu tesão em palavras no meu ouvido.

Meu ventre se contraiu, e eu sentia meu clitóris tremer a cada impacto de sua pélvis contra a minha. Seu saco pesado se chocava com força contra a curvatura da minha bunda, e o sofá ia sendo arrastado pelo chão de cimento cru a cada estocada de Gideon, cujos músculos pareciam todos contraídos ao mesmo tempo.

Os sons obscenos daquele sexo selvagem fizeram com que a balbúrdia dos operários desaparecesse da minha mente. Nós dois fomos envolvidos pela busca intensa do orgasmo, transformando nossos corpos em veículos transmissores da intensidade de nossos sentimentos.

"Eu vou gozar na sua boca", ele grunhiu, com o suor escorrendo pela testa.

Só o fato de pensar que aquilo terminaria desse jeito me fez gozar. Meu sexo se desfez em espasmos, se contraindo em torno de seu pau em movimento, irradiando pulsações incessantes de orgasmo que chegavam até as extremidades do meu corpo. Ele não parava, remexia e impulsionava os quadris incansavelmente, me proporcionando prazer até o meu limite.

"*Agora*, Eva." Ele recuou um passo e eu o segui, cambaleante, ficando de joelhos e abocanhando seu membro ereto e úmido.

À primeira sucção, ele gozou, esguichando na minha língua jorros poderosos. Eu engolia sem parar, bebendo tudinho, me deliciando com os gemidos de satisfação que reverberavam a partir do meu peito.

Com as mãos nos meus cabelos, ele baixou a cabeça para me olhar, com o suor escorrendo pelo abdome. Minha boca percorria o pau dele de cima a baixo, sugando com força até minhas bochechas ficarem côncavas.

"Para", ele disse ofegante, me afastando. "Assim você vai me deixar de pau duro de novo."

Ele ainda estava duro, mas preferi não dizer nada.

Gideon pegou meu rosto entre as mãos e me beijou, fazendo com que o gosto dos nossos corpos se misturasse. "Obrigado."

"Por que está me agradecendo? Foi você que fez todo o esforço."

"Comer você não é esforço nenhum, meu anjo." Seu sorriso aberto era de pura satisfação masculina. "Eu tenho que agradecer pelo privilégio."

Eu me sentei sobre os calcanhares. "Você está acabando comigo. Um cara lindo e gostoso como você não pode dizer uma coisa dessas. É um peso gigante pros meus sentidos. O meu cérebro entra em curto-circuito. Eu fico toda mole."

Seu sorriso se abriu ainda mais, e ele me beijou. "Eu sei bem como é isso."

13

Talvez tenha sido porque eu tinha acabado de transar que percebi os sinais no comportamento de Megumi. Ou então meu radar sexual, como dizia Cary, estava voltando a funcionar. Fosse qual fosse o motivo, eu sabia que minha amiga tinha dado para o cara com quem pretendia terminar, e dava pra ver que não estava nem um pouco feliz com isso.

"Você terminou com ele ou não?", eu perguntei, me inclinando sobre a mesa da recepção.

"Ah, terminei, sim", ela falou, desanimada. "Mas não sem antes tirar uma última casquinha. Pensei que fosse ser algo libertador. Além disso, não sei até quando o meu período de seca vai durar."

"Está arrependida de ter terminado tudo?"

"Na verdade, não. Mas ele ficou todo ofendidinho, dizendo que estava se sentindo usado. Acho que até foi esse o caso desta última vez, só que quem não quis assumir um compromisso foi ele. Não imaginei que ele fosse levar a mal uma rapidinha na hora do almoço."

"E agora a sua cabecinha está um caos." Eu abri um sorriso de compaixão para ela. "Mas você não pode esquecer que esse é o mesmo cara que não ligava pra você desde sexta, e que mesmo assim ainda ganhou uma trepada e um almoço com uma mulher linda. Ele até que se deu muito bem."

Ela inclinou a cabeça para o lado. "É mesmo."

"Pois é."

Ela pareceu se animar um pouco. "Você vai à academia hoje à noite, Eva?"

"Eu deveria, mas o meu pai está na cidade, então vou fazer companhia pra ele. Se a gente for, você está convidada, mas só vou decidir isso quando chegar em casa."

"Eu não quero atrapalhar."

"Está querendo arrumar outra desculpa pra não malhar, é isso?"

Ela abriu um sorriso maroto. "Talvez."

"Se você quiser, pode ir pra casa comigo quando a gente sair. Se ele estiver a fim de ir à academia, eu empresto uma roupa de ginástica pra você. Caso contrário, a gente faz outra coisa."

"Seria legal."

"Então está combinado." Seria bom para todo mundo. O meu pai poderia ver que eu estou seguindo com a minha vida normalmente, e Megumi arrumaria uma distração para não ficar se torturando por causa de Michael. "A gente se vê às cinco."

"É aqui que você mora?" Megumi olhou para cima para ver melhor o meu prédio. "Que lindo."

Assim como os outros edifícios daquela rua arborizada, o meu tinha história, e ostentava certos detalhes arquitetônicos abolidos fazia tempo das construções mais recentes. A fachada havia passado por uma reforma que incluía uma marquise moderna envidraçada. Surpreendentemente, esse acréscimo harmonizou muito bem com o restante do prédio.

"Vamos entrar", eu disse para ela, e abri um sorriso para Paul, que abriu a porta para nós.

Quando o elevador chegou ao meu andar, não tive como evitar uma olhadinha para a porta de Gideon. Qual seria a reação dele quando eu aparecesse sem aviso com uma amiga quando morássemos juntos?

Era o tipo de coisa que eu queria. Dividir um lar com ele, receber visitas.

Abri a porta do apartamento e peguei a bolsa de Megumi quando entramos. "Fique à vontade. Só vou lá dentro avisar o meu pai que você está aqui."

Ela arregalou os olhos diante da enorme sala de estar conjugada com a cozinha. "Este apartamento é enorme."

"Nós nem precisamos de tanto espaço assim, na verdade."

Ela sorriu. "Mas também não acham ruim, né?"

"Não mesmo."

Estava caminhando na direção do quarto de hóspedes quando minha mãe apareceu no corredor que dava acesso ao meu quarto e ao de Cary. Levei um susto, e fiquei ainda mais surpresa ao ver que ela estava vestindo uma roupa minha. "Mãe? O que você está fazendo aqui?"

Os olhos vermelhos dela se concentraram em um ponto na região da minha cintura, seu rosto muito pálido destacava que ela tinha exagerado na maquiagem. Reparei que ela estava usando os meus cosméticos também. Apesar de muita gente achar que éramos irmãs, meus olhos e minha pele tinham um tom mais próximo aos do meu pai, o que exigia uma outra paleta de cores de maquiagem.

Senti meu estômago embrulhar. "Mãe?"

"Eu preciso ir." Ela se recusou a me encarar. "Não sabia que era tão tarde."

"Por que você está usando as minhas roupas?", eu perguntei, apesar de já *saber* o motivo.

"O meu vestido sujou. Eu vou devolver, fique tranquila." Ela passou por mim apressada, mas se deteve de novo ao dar de cara com Megumi.

Fiquei paralisada — meus pés pareciam estar pregados no carpete. Fechei os dois punhos. Eu sabia reconhecer uma pessoa envergonhada quando via uma. Meu peito ficou apertado de raiva e decepção.

"Oi, Monica." Megumi foi até ela e a abraçou. "Tudo bem?"

"Megumi. Oi." Minha mãe não sabia o que dizer. "Que bom ver você. Queria poder ficar para conversar com vocês, meninas, mas preciso mesmo ir."

"Foi Clancy que trouxe você?", eu perguntei, pois não tinha prestado atenção nos carros parados na frente do prédio.

"Não, eu vou pegar um táxi." Ela ainda se recusava a me olhar nos olhos, apesar de ter virado a cabeça na minha direção.

"Megumi, você se importaria de dividir um táxi com a minha mãe? Desculpa dar o cano desse jeito, mas não estou me sentindo bem."

"Ah, claro." Ela me olhou e imediatamente percebeu que alguma coisa estava errada. "Sem problemas."

Minha mãe enfim resolveu me encarar, mas eu não tinha nada a dizer a ela. Fiquei enojada com o olhar de culpa no seu rosto, e também com a ideia de que ela tivesse traído Stanton. Se era para fazer isso, que pelo menos tivesse mais convicção.

Meu pai escolheu justamente esse momento para se juntar a nós. Apareceu na sala de jeans e camiseta, com os pés descalços e os cabelos ainda molhados do chuveiro.

Mais uma vez, a minha falta de sorte se fazia presente.

"Pai, esta é Megumi, minha amiga. Megumi, este é meu pai, Victor Reyes."

Meu pai foi até Megumi para apertar sua mão, tentando fingir que não estava incomodado pela presença da minha mãe, uma precaução que nada valia, pois a eletricidade que pairava no ar entre os dois era palpável.

"Achei que seria legal a gente sair pra fazer alguma coisa", eu disse para ele ao sentir que um silêncio constrangedor havia se instalado, "mas estou me sentindo um pouco indisposta."

"Eu preciso ir", minha mãe disse mais uma vez, e pegou sua bolsa. "Quer ir comigo, Megumi?"

"Quero, sim." Ela me deu um abraço de despedida. "Mais tarde eu ligo pra saber se você melhorou."

"Obrigada." Eu apertei sua mão com força antes que ela fosse embora.

Assim que a porta se fechou atrás delas, tomei o caminho do meu quarto.

Meu pai veio atrás. "Eva."

"Eu não estou a fim de falar com você."

"Por favor, não seja infantil."

"Como é?" Eu me virei para ele. "É o meu padrasto que paga este apartamento. Ele fez questão que eu morasse num lugar seguro, onde Nathan não pudesse entrar. Você por acaso pensou nisso enquanto comia a mulher dele?"

"Cuidado com o que diz. Eu sou seu pai."

"Verdade. E quer saber de uma coisa?" Eu dei as costas para ele. "Até hoje, eu nunca tinha sentido vergonha por causa disso."

Deitei na cama e fiquei olhando para o teto. Queria falar com Gideon, mas sabia que ele estava em uma consulta com o dr. Petersen.

Decidi mandar uma mensagem para Cary. **Preciso de vc. Vem pra casa.**

Eram quase sete horas quando ele bateu na porta do meu quarto. "Gata? Sou eu. Abre aqui."

Fui correndo até a porta dar um abraço nele. Ele me pegou no ar e me carregou para dentro do quarto, fechando a porta com o pé.

Cary me pôs na cama e se sentou ao meu lado, envolvendo meus ombros com o braço. Ele estava usando o mesmo perfume gostoso de sempre. Eu apoiei a cabeça no corpo dele, agradecida pela demonstração incondicional de amizade.

Depois de alguns minutos, resolvi contar. "Os meus pais transaram."

"É, eu sei."

Levantei a cabeça para olhar para ele.

Cary fez uma careta. "Eu ouvi os dois quando estava saindo pra sessão de fotos hoje à tarde."

"Eca." Senti meu estômago embrulhar.

"Pois é, eu também não achei nada legal", ele murmurou, acariciando meus cabelos. "O seu pai está deitado no sofá, todo triste. Você disse alguma coisa pra ele?"

"Infelizmente. Eu peguei pesado, e agora estou me sentindo péssima. Preciso conversar com ele, mas não vai ser fácil, porque não consigo parar de pensar no Stanton, apesar de na maior parte do tempo ele me dar nos nervos."

"Ele sempre cuidou bem de você, e da sua mãe também. Além disso, ser traído não é nada legal."

Eu soltei um gemido. "Acho que não estaria tão incomodada se eles tivessem ido pra algum outro lugar. Quer dizer, ainda assim seria errado, mas é o Stanton que paga tudo isto. Isso só piora as coisas."

"É mesmo", ele concordou.

"O que você acha de mudar de casa?"

Ele ergueu as sobrancelhas. "Só porque os seus pais transaram aqui?"

"Não." Eu levantei e comecei a andar de um lado para o outro. "A gente só veio morar aqui por causa da questão da segurança. Quando a ameaça de Nathan ainda existia, fazia sentido aceitar a ajuda de Stanton, mas agora..." Eu olhei para ele. "Agora tudo mudou."

"E pra onde a gente iria? Pra algum lugar de Nova York que a gente possa pagar? Ou pra outra cidade?"

"Eu não quero ir embora de Nova York", eu falei. "O seu trabalho está aqui. O meu também."

E Gideon.

Cary encolheu os ombros. "Claro. Tanto faz. Eu topo."

Fui até ele e o abracei. "Você pode pedir alguma coisa pra jantar enquanto eu converso com o meu pai?"

"Você tem alguma coisa em mente?"

"Não. Pode me surpreender."

Fui até a sala falar com o meu pai. Ele estava navegando na internet com meu tablet, mas o colocou de lado quando eu sentei no sofá.

"Desculpa pelo que eu falei mais cedo", comecei. "Eu não queria dizer aquilo."

"Queria, sim." Ele passou a mão na nuca, aflito. "E eu entendo. Não estou nada orgulhoso do que fiz. E não vou nem tentar me justificar. Eu sabia muito bem o que estava fazendo. E ela também."

Eu estiquei as pernas e me virei para ele, encostada no braço do sofá. "Vocês dois têm muita química. Eu sei como é."

Ele me observou com atenção, com um olhar sério e um tanto inquieto. "É o que você sente por Cross. Deu para perceber isso quando ele veio jantar aqui. Você acha que ainda vai se acertar com ele?"

"Espero que sim. Você veria algum problema nisso?"

"Ele ama você?"

"Sim." Eu abri um sorriso. "Mais que isso... ele precisa de mim. Faria qualquer coisa por minha causa."

"Então por que vocês dois não estão mais juntos?"

"Bom... não é assim tão simples."

"Nunca é", ele comentou, amargo. "Então. Tem uma coisa que você precisa saber... Eu sou apaixonado pela sua mãe desde o dia em que nos conhecemos. O que aconteceu hoje não devia ter acontecido, mas significou muito pra mim."

"Eu entendo." Segurei a mão dele. "E agora, o que acontece?"

"Vou para casa amanhã. Tentar pôr minha vida em ordem."

"Cary e eu estávamos combinando de ir a San Diego daqui a duas semanas. Pra visitar você e o dr. Travis."

"Você falou com o Travis sobre o que sofreu?"

"Sim. Você salvou minha vida quando me pôs em contato com ele", disse com toda a sinceridade. "Não tenho nem palavras pra agradecer por isso. A mamãe me arrumou um monte de terapeutas caríssimos, mas não consegui me dar bem com nenhum deles. Parecia que eu era só um estudo de caso. O dr. Travis fez com que eu me sentisse uma pessoa normal. Além disso, foi assim que conheci o Cary."

"Querem parar de falar de mim?" Naquele exato momento, Cary apareceu na sala com um cardápio na mão. "Eu sei que sou interessante demais, mas é melhor vocês economizarem saliva pro jantar, porque pedi uma tonelada de comida tailandesa."

Meu pai pegaria o voo de volta para a Califórnia às onze horas no dia seguinte, então tive que deixar a tarefa de levá-lo ao aeroporto para Cary. Nos despedimos antes de eu sair para o trabalho, e nos comprometemos a planejar a visita a San Diego da próxima vez que conversássemos.

Estava no táxi a caminho do trabalho quando Brett ligou. Por um instante, cheguei a pensar em deixar a ligação cair na caixa postal, mas acabei atendendo. "Alô, você."

"Oi, linda." Sua voz envolveu meus sentidos como uma calda de chocolate quente. "Está pronta pra amanhã?"

"Vou estar. A que horas vai ser o evento? Quando vamos precisar estar na Times Square?"

"Acho que às seis."

"Certo. Não sei que roupa usar."

"Você vai estar linda de qualquer jeito."

"Tomara que sim. E a turnê, como vai?"

"Estou me divertindo como nunca." Sua risada sensual me trouxe uma porção de lembranças. "É tudo muito diferente do Pete's."

"Pois é, o Pete's..." Eu nunca iria me esquecer daquele bar, apesar de algumas lembranças de lá serem meio nebulosas. "Está animado pro lançamento?"

"Claro, eu vou ver você. Mal posso esperar."

"Não foi isso que eu quis dizer, você sabe."

"Estou empolgado pro lançamento do clipe também." Ele deu risada de novo. "Queria ver você hoje mesmo, mas vou chegar só de madrugada. Mas pode reservar um jantar comigo amanhã."

"Cary pode ir também? Ele já está convidado pro lançamento do clipe. Vocês já se conhecem, então achei que não ia se importar. Pelo menos não muito."

Ele soltou um risinho de deboche. "Não precisa levar ninguém pra proteger você de mim, Eva. Eu consigo me controlar numa boa."

O táxi encostou na frente do Crossfire, e o motorista travou o taxímetro. Entreguei o dinheiro e deixei a porta aberta para o próximo passageiro, que já vinha correndo na direção do carro. "Pensei que você gostasse do Cary."

"Eu gosto, mas preferia ter você só pra mim. E se ele fosse só ao lançamento e deixasse o jantar pra nós dois?"

"Tudo bem." Achei que Gideon não veria problema nisso, desde que eu escolhesse um de seus restaurantes. "Pode deixar que eu faço a reserva."

"Maravilha."

"Preciso desligar. Acabei de chegar no trabalho."

"Me manda o seu endereço por mensagem, pra eu saber onde pegar você."

"Certo." Passei pela porta giratória e segui em direção às catracas. "Até amanhã."

"Mal posso esperar. Encontro você lá pelas cinco."

Guardei o celular e entrei no primeiro elevador que apareceu. Quando cheguei lá em cima e passei pela porta de vidro, fui recebida por Megumi colocando o telefone na minha cara.

"Dá pra acreditar nisso?", ela perguntou.

Dei um passo para trás para enxergar o que estava escrito na tela. "Três ligações perdidas de Michael."

"Eu *detesto* esse tipo de cara", ela se queixou. "Eles acham que podem sumir e reaparecer quando quiserem. Eles ficam no seu pé até te conquistar, depois decidem algo diferente."

"Então diz isso pra ele."

"Sério?"

"Na lata. Você pode continuar evitando as ligações, mas isso não vai resolver a questão. Só não aceita se encontrar com ele pessoalmente. Transar de novo só iria piorar as coisas."

"Certo." Megumi concordou com a cabeça. "Sexo não é uma boa ideia, apesar de ser uma ideia boa."

Ainda dando risada, eu fui para o meu cubículo: Eu tinha outras coisas para fazer além de servir como conselheira sentimental. Mark estava cuidando de várias contas ao mesmo tempo, e três delas já estavam na fase final do lançamento da campanha. O pessoal da criação estava a todo vapor, e sempre havia alguma coisa na mesa dele à espera de aprovação. Essa era a minha parte preferida — ver o resultado de todo o trabalho tomando forma.

Lá pelas dez horas, eu e Mark estávamos em meio a uma discussão profunda sobre possíveis abordagens para a campanha publicitária de um advogado especializado em divórcios. Estávamos tentando encontrar um meio termo entre a compaixão pelas pessoas que passavam por um processo doloroso e a exaltação da melhor característica que um advogado pode ter nesses casos — a capacidade de ser frio e implacável.

"Eu nunca vou precisar de um desses", Mark falou do nada.

"Não mesmo", eu respondi. "Você nunca vai passar por isso. Não vejo a hora de dar um abraço no Steve no nosso almoço de hoje. Estou muito, muito feliz por vocês."

Mark abriu um sorriso, revelando seus dentes meio tortos, que eu achava uma graça. "Nunca me senti tão feliz na minha vida."

Perto das onze, estávamos trabalhando na conta de um fabricante de guitarras quando o telefone da minha mesa tocou. Fui correndo até o meu cubículo e tive minha saudação habitual de trabalho interrompida por um grito.

"Ai, meu Deus, Eva! Acabei de descobrir, a gente vai se ver no evento do Six-Ninths amanhã!"

"Ireland?"

"E quem mais podia ser?" A irmã de Gideon estava tão histérica que parecia ter bem menos que seus dezessete anos. "Eu *adoro* o Six-Ninths. Brett Kline é muito lindo. E Darrin Rumsfeld também. O baterista. Ele é um gato."

Eu dei risada. "E da música deles, você também gosta?"

"Pff. Claro. Viu", ela assumiu um tom de voz mais sério, "acho que você devia tentar falar com Gideon amanhã. Tipo dar um oi, como quem não quer nada. Se você der abertura, ele vai atrás de você, tenho certeza. Ele está sentindo muito a sua falta."

Eu me recostei na cadeira e entrei na brincadeira. "Você acha mesmo?"

"Está na cara."

"Sério? Por que você acha isso?"

"Sei lá. Tipo, a voz dele muda quando fala de você. Eu não sei explicar, mas pode acreditar em mim, ele está louco pra vocês voltarem. Foi você que disse pra ele me convidar pro evento de amanhã, né?"

"Não exatamente..."

"Ha! Eu sabia. Ele sempre faz o que você manda." Ela deu risada. "Obrigada, aliás."

"Agradeça a ele. Eu só queria ver você de novo."

Ireland era a única pessoa da família por quem Gideon sentia um afeto sincero, apesar de fazer de tudo para não demonstrar isso. Na minha opinião, ele tinha medo de ser rejeitado ou então fazer alguma coisa que pudesse arruinar a relação entre os dois. De qualquer modo, o fato era que Ireland idolatrava o irmão mais velho, e ele fazia de tudo para manter distância, apesar de precisar desesperadamente do amor que ela tinha a oferecer.

"Me promete que vai falar com ele", ela insistiu. "Você ainda é apaixonada por ele, né?"

"Mais do que nunca", respondi com convicção.

Ela ficou em silêncio por um instante, e então falou: "Ele mudou muito desde que conheceu você".

"Também acho. Eu também mudei." Eu me endireitei quando vi que Mark saiu de seu escritório. "Preciso desligar agora, mas amanhã conversaremos melhor. E podemos combinar de fazer alguma coisa só nós duas."

"Legal. Até mais!"

Quando desliguei, estava feliz porque Gideon tinha seguido meu conselho de passar mais tempo com Ireland. Nós estávamos progredindo, tanto como indivíduos quanto como casal.

"Um passinho de cada vez", eu sussurrei, e voltei ao trabalho.

Na hora do almoço, Mark e eu fomos nos encontrar com Steven em um bistrô. Assim que entramos no restaurante, localizamos com facilidade o noivo de Mark, apesar de ser um local movimentado e de tamanho razoável.

Steven Ellison era um cara de presença — alto, musculoso e de ombros largos. Ele era empreiteiro, tinha sua própria construtora, mas gostava de trabalhar junto com os operários no canteiro de obras. No entanto, eram seus cabelos ruivos que mais chamavam a atenção. Sua irmã Shawna tinha os cabelos da mesma cor — e a mesma jovialidade e alegria.

"Ei, você!" Eu o cumprimentei com um beijo no rosto, pois com ele podia ter uma intimidade maior do que com o meu chefe. "Meus parabéns."

"Obrigada, querida. Mark finalmente decidiu me transformar em um homem de respeito."

"Vai ser preciso muito mais do que um casamento pra isso", rebateu Mark, puxando a cadeira para mim.

"E quando foi que eu faltei com o respeito com você?", protestou Steven.

"Hã, vejamos." Mark esperou que eu me acomodasse na cadeira e depois sentou ao meu lado. "Quando mentiu pra mim, dizendo que o casamento não era o que você desejava pra sua vida, por exemplo."

"Ah, eu nunca disse que *eu* não queria." Steven piscou para mim, com seus olhos azuis cheios de malícia. "Só disse que não era uma coisa tão importante pra maioria das pessoas hoje em dia."

"Ele estava aflito antes de fazer o pedido", eu contei. "Fiquei até com pena."

"É isso mesmo." Mark abriu o cardápio. "Ela foi testemunha de todo o meu sofrimento."

"Você precisa ter pena é de mim", retrucou Steven. "Eu providenciei vinho, rosas e violinistas. Fiquei ensaiando o pedido durante dias. Até hoje fico chateado quando lembro disso."

Ele revirou os olhos como se estivesse brincando, mas dava para perceber que era uma ferida que ainda não tinha cicatrizado. Mark pôs sua mão sobre a do parceiro e a apertou, o que confirmou essa impressão.

"Então, como foi o pedido?", eu perguntei, apesar de Mark já ter me contado.

A garçonete nos interrompeu, perguntando se alguém queria água. Aproveitamos a presença dela para pedir a comida, e só depois Steven começou a descrever a noite de comemoração do aniversário de namoro deles.

"Ele estava suando muito", Steven contou. "Enxugando o rosto a cada dois minutos."

"Estamos no verão", murmurou Mark.

"Mas os restaurantes têm ar-condicionado", rebateu Steven. "Ele passou a noite inteira assim, e no fim resolvemos ir pra casa. Achei que ele tinha mudado de ideia. Que a noite ia acabar e ele não ia dizer nada. Já estava pensando em fazer o pedido eu mesmo de novo, só pra acabar logo com aquilo. Mas se ele dissesse não de novo..."

"Eu não disse não da primeira vez", interrompeu Mark.

"... eu ia resolver isso na base da ignorância. Ia dopar o cidadão e enfiar num avião pra Las Vegas, porque o tempo está passando e ninguém aqui está ficando mais jovem."

"E nem mais gentil", resmungou Mark.

Steven olhou feio para ele. "A gente estava saindo da limusine, e eu tentando me lembrar do discurso maravilhoso que elaborei da outra vez, quando de repente ele me agarrou pelo cotovelo e falou: 'Porra, Steven, você *precisa* casar comigo'."

Eu dei risada, me inclinando para trás a fim de abrir espaço para a garçonete servir a minha salada. "Assim do nada?"

"Do nada", confirmou Steven, balançando a cabeça enfaticamente.

"Foi de coração." Mostrei meu polegar erguido para Mark. "Você arrasou."

"Viu?", falou Mark. "Mandei bem pra caralho."

"Vocês já estão escrevendo os votos?", eu perguntei. "Isso, sim, vai ser legal."

Steven deu uma gargalhada que chamou a atenção do restaurante inteiro.

Engoli o tomate cereja que estava mastigando e completei: "Você sabe que eu estou morrendo de vontade de ver o seu fichário com as ideias pra cerimônia, né?".

"Bom, por um acaso..."

"Você não fez isso." Mark sacudiu a cabeça quando Steven se abaixou e pegou um fichário enorme de uma pasta colocada no chão ao lado de sua cadeira.

Estava tão cheio que os papéis caíam por cima, por baixo e pelos lados.

"Espera só pra ver o bolo que eu achei." Steven afastou a cesta de pães para abrir espaço para o fichário.

Tive que segurar o riso quando vi que estava tudo organizado por temas, com divisórias e tudo.

"Nós não vamos fazer um bolo de casamento no formato de um prédio com guindastes e *outdoors*", Mark fez questão de dizer.

"Sério mesmo?", eu perguntei intrigada. "Me deixa ver isso."

Quando cheguei em casa naquele fim de tarde, larguei a bolsa e a sacola no lugar de sempre, tirei os sapatos e fui direto para o sofá, onde fiquei deitada por um tempo, olhando para o teto. Megumi ia se encontrar comigo na CrossTrainer às seis e meia, então eu ainda tinha um bom tempo, e bem que estava precisando de um descanso. Eu havia menstruado na tarde anterior, o que me deixou irritada e mal-humorada, expressando meu cansaço o tempo todo com palavrões e risadinhas nervosas.

Soltei um suspiro bem alto quando lembrei que em algum momento teria que lidar com a minha mãe. Nós tínhamos muito o que conversar, e ficar adiando isso estava começando a me incomodar. Resolver as coisas com ela não era tão simples quanto com o meu pai, mas isso não era desculpa para não botarmos tudo em pratos limpos. Ela era minha mãe, e eu a amava. Eu ficava mal quando nós brigávamos.

Meus pensamentos se voltaram então para Corinne. Eu deveria ter desconfiado que uma mulher que largou o marido em Paris para vir até Nova York atrás de um cara não desistiria assim tão facilmente. Mas, por outro lado, ela conhecia Gideon bem o suficiente para saber que esse tipo de assédio não iria funcionar.

E Brett... Eu tinha que fazer alguma coisa a respeito do assédio dele.

O interfone tocou. Franzindo a testa, levantei e fui atender. Megumi teria feito confusão e achado que era para me encontrar em casa? Não que isso fosse um problema, mas...

"Sim?"

"Oi, Eva", o funcionário da recepção me cumprimentou com toda a simpatia. "Os detetives Michna e Graves estão aqui."

Merda. Todas as outras preocupações perderam o sentido naquele momento. O medo se espalhou pelo meu corpo como um toque gelado e arrepiante.

Eu queria a presença de um advogado. Aquele caso envolvia coisas importantes demais para mim.

Por outro lado, não queria que eles pensassem que eu tinha algo a esconder.

Tive que engolir em seco duas vezes antes de responder. "Obrigada. Você pode pedir pra eles subirem, por favor?"

14

Com o coração disparado, corri até a minha bolsa, pus o telefone clandestino no silencioso e o guardei em um compartimento fechado com zíper. Percorri a sala com os olhos, procurando por algo que fosse preciso esconder. Lembrei das flores no meu quarto, e do cartão.

Corri para fechar a porta, depois fui até o quarto de Cary e fechei também. Quando a campainha tocou, eu estava ofegante. Tive que me esforçar para controlar a respiração e ir calmamente até a sala. Quando cheguei à porta da frente, respirei fundo antes de abrir.

"Olá, detetives."

Graves, uma mulher magra, com uma expressão severa e olhos azuis atentos, vinha à frente. Michna, seu parceiro, era mais reservado, um homem mais velho com cabelos grisalhos e uma barriga protuberante. Eles tinham seu próprio ritmo para fazer as coisas — Graves mantinha seu interlocutor sempre ocupado e desconfortável. Já a especialidade de Michna era ficar observando tudo em seu canto, sem deixar passar nada com seus olhos de policial experiente. A combinação dessas características devia produzir uma dupla com altíssimas porcentagens de resolução de casos.

"Podemos entrar, srta. Tramell?" O tom de voz de Graves não dava abertura para uma resposta negativa. Seus cabelos castanhos ondulados estavam amarrados, e ela vestia uma jaqueta que escondia sua arma. Em suas mãos, ela trazia uma bolsa de couro.

"Claro." Eu abri a porta. "Querem alguma coisa? Café? Água?"

"Seria ótimo", disse Michna.

Eu os conduzi até a cozinha e peguei uma garrafa de água na geladeira. Os detetives ficaram à minha espera no balcão — Graves com os olhos cravados em mim e Michna de olho no ambiente ao redor.

"Você acabou de chegar do trabalho?", ele perguntou.

Eles já deviam saber a resposta, mas disse do mesmo jeito: "Faz uns minutinhos. Vocês preferem sentar no sofá?".

"Aqui está bom", Graves falou com sua maneira séria de sempre, deixando a bolsa de couro sobre o balcão. "Gostaríamos de fazer umas perguntinhas, se você não se importa. E mostrar algumas fotografias."

Fiquei paralisada. Eu seria capaz de suportar ver as fotos que Nathan tirou de mim? Durante um momento de desespero, imaginei que poderiam ser imagens da cena do crime, ou então da autópsia. Mas eu sabia que isso era bastante improvável. "Do que se trata?"

"Surgiram novas informações que podem estar relacionadas à morte de Nathan Barker", disse Michna. "Estamos indo atrás de toda e qualquer pista, e pensamos que você poderia nos ajudar."

Soltei um suspiro profundo e trêmulo. "Eu posso tentar, claro. Mas não vejo como."

"Você já ouviu falar de Andrei Yedemsky?", perguntou Graves.

Eu franzi a testa. "Não. Quem é?"

Ela remexeu dentro da bolsa e tirou de lá uma pilha de fotos em tamanho grande e os dispôs diante de mim. "Este homem. Você já o viu antes?"

Com os dedos trêmulos, eu apanhei a foto mais próxima de mim. Era de um homem de sobretudo, falando com outro que se preparava para embarcar no banco traseiro de um carro. Era bonito, com cabelos loiros bem clarinhos e a pele bronzeada. "Não. E ele não é do tipo de quem eu me esqueceria." Eu a encarei. "Existe algum motivo por que eu deveria saber de quem se trata?"

"Ele tinha fotos suas em casa. Tiradas na rua, ou então saindo ou entrando em casa. As mesmas que encontramos com Barker."

"Não estou entendendo. Onde ele arrumou essas fotos?"

"Provavelmente com Barker", respondeu Michna.

"E o que esse tal de Yedemsky falou? Por que Nathan daria fotos minhas para ele?"

"Yedemsky não disse nada", informou Graves. "Ele está morto. Foi assassinado."

Senti uma pontada de uma dor de cabeça que se anunciava. "Não estou entendendo. Eu não sei nada sobre esse homem, e nem o que ele poderia querer comigo."

"Andrei Yedemsky é um membro notório da máfia russa", explicou Michna. "Além de contrabandear armas e bebidas, ele também é suspeito de tráfico de mulheres. É possível que Barker estivesse tentando vender você com esse propósito."

Eu me afastei do balcão, sacudindo a cabeça, incapaz de aceitar o que eles estavam dizendo. Que Nathan estivesse me perseguindo eu conseguia entender. Ele me odiou desde a primeira vez que me viu, queria que seu pai não tivesse se casado de novo e ficasse chorando a morte de sua mãe para sempre. Ele me detestava por ser o motivo pelo qual ficou internado em um hospital psiquiátrico, e por ter lhe custado cinco milhões de dólares do dinheiro de sua herança. Mas máfia russa? Tráfico de mulheres? Isso eu não era capaz de compreender.

Graves foi virando as fotos até encontrar a de uma pulseira de platina com safiras. Estava ao lado de uma régua de medição em formato de L — sem dúvida nenhuma era uma foto tirada pela perícia criminal. "Você reconhece esse objeto?"

"Sim. Era da mãe de Nathan. Ele tinha feito uma modificação pra poder usar no próprio braço. Não ia a lugar nenhum sem essa pulseira."

"Yedemsky a estava usando no dia em que morreu", ela disse sem se alterar. "Talvez como um suvenir."

"Do quê?"

"Do assassinato de Barker."

Eu olhei bem para Graves, sabendo que sua opinião era outra. "Está me dizendo que Yedemsky pode ser o responsável pelo assassinato de Nathan? Então quem matou Yedemsky?"

Ela me encarou, mostrando que entendia a motivação por trás da minha pergunta. "Ele foi morto pelos próprios comparsas."

"Vocês têm certeza?" Eu precisava saber se eles *sabiam* que Gideon não estava envolvido nesse caso. Sim, ele havia matado por mim — para me proteger —, mas não voltaria a matar simplesmente para não ir para a cadeia.

Michna franziu a testa ao ouvir minha pergunta. Foi Graves quem respondeu. "Sem dúvida nenhuma. Temos as filmagens do sistema de vigilância. Um de seus parceiros no crime não gostou de saber que Yedemsky tinha dormido com sua filha menor de idade."

Uma nova esperança surgiu, seguida por um medo aterrorizante. "E agora, o que acontece? O que isso tudo significa?"

"Você conhece alguém que tenha ligação com a máfia russa?", perguntou Michna.

"Pelo amor de Deus, claro que não", eu disse com convicção. "Isso... é como se fosse outro mundo pra mim. Não consigo nem acreditar que Nathan tivesse contato com essa gente. Está certo que fazia anos que eu não falava com ele..."

Eu esfreguei o peito no local onde senti uma pontada, e olhei para Graves. "Quero deixar esse assunto no passado de uma vez por todas. Não quero mais que ele tenha interferência nenhuma na minha vida. Será que isso algum dia vai acontecer? Ou ele vai continuar me atormentando mesmo depois de morto?"

Ela recolheu as fotos rapidamente, com movimentos econômicos e uma expressão impassível. "Fizemos o que foi possível para esclarecer tudo. Daqui para a frente, você está livre para seguir sua vida como quiser."

Cheguei à CrossTrainer às seis e quinze. Fui até lá porque havia me comprometido com Megumi, e não queria dar o cano nela de novo. Além disso, estava me sentindo inquieta, precisando movimentar meu corpo até a exaustão se não quisesse enlouquecer. Mandei uma mensagem para Gideon assim que os detetives saíram, dizendo que precisava falar com ele mais tarde, mas até o momento em que guardei a bolsa no armário, ele ainda não tinha respondido.

Como todas as coisas que pertenciam a Gideon, a CrossTrainer causava uma forte impressão, tanto em termos de tamanho como de luxo. Era uma academia de três andares — uma entre centenas do mesmo tipo espalhadas pelo país —, equipada com tudo o que um entusiasta da boa forma física poderia querer, além de serviços de spa e uma lanchonete que servia ótimas vitaminas.

Megumi estava meio perdida, precisando de ajuda com o maquinário de última geração, então seria supervisionada por um dos instrutores, assim como acontecia com todos os novos alunos e convidados. Eu preferi correr na esteira. Comecei com uma caminhada para me aquecer e fui progressivamente aumentando a velocidade até chegar a um trote estável. Quando peguei o ritmo, deixei meus pensamentos vagarem à vontade.

Seria mesmo verdade que Gideon e eu estávamos livres para juntar os cacos que sobraram de nossas vidas e seguir em frente? Como? E por quê? Inúmeras perguntas se acumulavam na minha mente, e eu precisava fazê-las para Gideon, na esperança de que ele soubesse tanto quanto eu. Não era possível que ele estivesse envolvido na morte de Yedemsky. Nisso eu não era capaz de acreditar.

Corri até minhas coxas e panturrilhas começarem a queimar, até o suor escorrer abundantemente pelo meu corpo e meus pulmões doerem ao respirar.

Foi Megumi que por fim me fez parar, acenando para mim enquanto vinha na direção da minha esteira. “Fiquei impressionada agora. Você é uma máquina.”

Diminuí o ritmo para uma corrida leve, depois uma caminhada, e então parei. Apanhei a toalha, a garrafa d’água e desci da esteira, sentindo os efeitos de ter levado meu corpo ao limite por tempo demais.

“Eu detesto correr”, confessei, ainda ofegante. “E a sua malhação, como foi?”

Mesmo usando roupas de ginástica, Megumi ficava chique. Seu top tinha detalhes em azul que combinavam com a cor da calça justa. Era o visual perfeito para o verão, alegre e estiloso.

Ela bateu seu ombro contra o meu. “Assim fica parecendo que eu não fiz nada. Só fiz um circuito rapidinho e fiquei de olho nos gatinhos. A instrutora que me ajudou era boa, mas eu preferia ter pegado *aquele* cara ali."

Olhei para onde ela estava apontando. "Aquele é o Daniel. Quer conhecer?"

"Quero!"

Fui andando com ela até os colchonetes espalhados no centro do espaço aberto do andar, acenando para Daniel até que ele nos visse. Megumi tirou às pressas o elástico que prendia seus cabelos, apesar de ficar linda também com o cabelo preso. Sua pele era linda, e a boca, de fazer inveja.

"Eva, que bom ver você." Daniel estendeu a mão para eu apertar. "Ainda mais acompanhada."

"Essa é a minha amiga Megumi. Ela começou hoje."

"Eu vi você malhando com a Tara." Ele abriu seu lindo sorriso para Megumi. "Eu sou Daniel. Se precisar de alguma coisa é só pedir."

"Olha que eu peço mesmo", ela avisou, apertando a mão dele.

"Fique à vontade. Você tem algum objetivo específico para começar a frequentar a academia?"

À medida que a conversa entre os dois prosseguia, eu me distraí e comecei a olhar ao redor, para os equipamentos, em busca de um exercício leve para fazer enquanto eles se entrosavam. Em vez disso, encontrei um rosto conhecido.

Joguei a toalha sobre os ombros e encarei aquela que nem de longe era minha repórter favorita. Respirei fundo e fui em sua direção, observando enquanto ela se exercitava com halteres de cinco quilos. Seus cabelos escuros estavam presos, e as pernas e a barriga rígida e lisinha, à mostra. Ela estava linda. "Oi, Deanna."

"Eu até perguntaria se você vem sempre aqui", ela respondeu, guardando o peso no lugar e ficando de pé, "mas isso é muito clichê. Como vai, Eva?"

"Vou bem, e você?"

Seu sorriso tinha o poder de sempre me deixar com um pé atrás. "Você não se incomoda de saber que Gideon Cross usa o próprio dinheiro pra anular as consequências de seus atos?"

Então Gideon estava certo sobre Ian Hager ao dizer que ele desapareceria no mundo depois de receber seu dinheiro. "Se eu achasse que o seu interesse era descobrir a verdade, até conversaria melhor com você."

"É tudo verdade, Eva. Eu conversei com Corinne Giroux."

"Ah, é? Como vai o marido dela?"

Deanna deu risada. "Gideon devia contratar você como relações-públicas."

Aquele comentário soou incomodamente familiar. "Por que você não vai até o escritório dele e diz tudo o que está entalado na sua garganta? Ou então você pode jogar uma bebida na cara dele, ou até dar um tapa nele."

"Ele nem ligaria. Isso não faria a menor diferença."

Limpei o suor que descia pelo meu rosto e pensei comigo mesma que na verdade concordava com ela. Eu sabia muito bem o quanto Gideon podia ser frio e impessoal. "Mas talvez assim você se sentisse melhor."

Deanna tirou sua toalha de cima do aparelho. "Sei exatamente o que vai fazer com que eu me sinta melhor. Uma boa noite pra você, Eva. Logo a gente volta a se falar, pode ter certeza."

Deanna se afastou, e não tive como espantar da minha mente o pensamento de que ela estava tramando alguma coisa. O que estava me matando era não saber o que era.

"Pronto, voltei", disse Megumi, juntando-se a mim. "Quem era essa?"

"Ninguém importante." Meu estômago escolheu esse momento para roncar audivelmente, anunciando que o *bouef bouguignon* que eu havia comido no almoço já tinha sido queimado.

"Malhar sempre me deixa com fome também. Quer ir comer alguma coisa?"

"Claro." Tomamos o caminho do vestiário. "Vou ligar pro Cary e perguntar se ele quer vir se encontrar com a gente."

"Ah, sim." Ela passou a língua pelos lábios. "Eu já falei que ele é tudo de bom?"

"Mais de uma vez." Me despedi de Daniel com um aceno antes de sairmos.

Quando chegamos ao vestiário, Megumi logo jogou sua toalha no cesto na entrada. Eu hesitei um pouco antes de me desfazer da minha, passando os dedos sobre o logo bordado da CrossTrainer. Lembrei das toalhas penduradas no banheiro de Gideon.

Talvez da próxima vez eu pudesse ligar para ele também e convidá-lo para um jantar entre amigos.

Talvez o pior já tivesse ficado para trás.

Escolhemos um restaurante indiano perto da academia, e Cary apareceu por lá de mãos dadas com Trey. Nossa mesa ficava bem ao lado da janela, era possível sentir a energia pulsante da cidade enquanto comíamos.

Estávamos sentados em almofadas no chão, bebendo uma boa quantidade de vinho e nos divertindo com os comentários de Cary sobre as pessoas que passavam. Era quase possível ver os coraçõezinhos nos olhos de Trey quando se virava para Cary, e fiquei feliz ao ver que ele retribuía todo esse afeto. Quando Cary gostava de verdade de alguém, preferia evitar demonstrações constantes de carinho. Mas, para mim, aquilo era um sinal de que a intimidade entre os dois era cada vez maior, e não que Cary pudesse estar perdendo o interesse.

Megumi recebeu mais uma ligação de Michael enquanto comíamos, mas preferiu ignorar. Cary perguntou se ela estava dando uma de difícil, e Megumi contou a história toda.

"Se ele ligar de novo, pode deixar que eu atendo", ele falou.

"Ai, meu Deus, de jeito nenhum", eu respondi.

"Por que não?" Cary deu uma piscadinha. "Eu posso dizer que ela está ocupada demais pra atender, e Trey pode ficar fazendo uns gemidos de fundo."

"Que do mal!" Megumi esfregou as mãos uma na outra. "Michael não é o cara certo pra esse tipo de brincadeira, mas algum dia vou ser obrigada a aceitar essa sua oferta, considerando a sorte que tenho com os homens."

Sacudindo a cabeça, olhei furtivamente para o telefone clandestino na minha bolsa e fiquei desanimada ao constatar que Gideon ainda não tinha respondido à minha mensagem.

Cary estava me espiando do outro lado da mesa. "Está esperando uma ligação do seu amante?"

"Quê?" Megumi ficou de boca aberta. "Você está saindo com alguém e nem me contou?"

Estreitei os olhos na direção de Cary. "É uma história meio complicada."

"É exatamente o oposto de uma história complicada", Cary foi logo dizendo, inclinando-se para trás. "É pura sacanagem."

"Mas e o Cross?", ela perguntou.

"Quem?", rebateu Cary.

Megumi insistiu. "Ele quer reatar com ela."

Foi a vez de Cary me encarar com um olhar de interrogação. "Quando foi que você falou com ele?"

Eu sacudi a cabeça. "Ele ligou pra minha mãe. E não disse com todas as letras que quer voltar comigo."

Cary abriu um sorriso malicioso. "E você trocaria o seu novo amante por um replay com Cross, o maratonista?"

Megumi beliscou minha perna. "Gideon Cross é um maratonista na cama? Puta merda... E lindo daquele jeito? Meu Deus." Ela se abanou com uma das mãos.

"Que tal se a gente *parasse* de falar da minha vida sexual?", eu resmunguei, olhando para Trey em busca de ajuda.

Ele me socorreu. "Cary contou que vocês vão ao lançamento de um clipe amanhã. Nem sabia que os videoclipes ainda tinham tanta importância hoje em dia."

Agradecida, eu aproveitei a mudança de assunto. "Pois é! Eu também não sabia."

"E o bom e velho Brett vai estar lá", Cary falou, se inclinando na direção de Megumi como se fosse revelar um segredo. "Um personagem do passado. E que pode voltar a aparecer no futuro."

Eu enfiei os dedos no copo e joguei água nele.

"Ai, Eva. Você está me deixando molhadinho."

"Continua com essas gracinhas", eu avisei, "e vai ficar ensopado."

Quando chegamos em casa, às quinze para as dez, Gideon ainda não tinha respondido à minha mensagem. Megumi foi para casa de metrô, e Cary, Trey e eu dividimos um táxi. Os dois foram direto para o quarto de Cary, mas eu fiquei na cozinha, tomando coragem para ir até o apartamento ao lado ver se Gideon estava lá.

Eu estava prestes a pegar as chaves na bolsa quando Cary apareceu na cozinha, sem camisa e descalço.

Ele pegou uma lata de chantilly na geladeira, mas parou para falar comigo antes de voltar. "Está tudo bem?"

"Está, sim."

"Já falou com a sua mãe?"

"Não, mas pretendo falar em breve."

Ele se encostou no balcão. "Tem mais alguma coisa incomodando você?"

Eu preferi dispensá-lo. "Vai lá se divertir. Eu estou bem. Amanhã a gente se fala."

"Por falar nisso, que horas eu preciso estar pronto?"

"Brett quer pegar a gente às cinco. Você pode estar a essa hora lá no Crossfire?"

"Sem problemas." Ele veio até mim e me deu um beijo na testa. "Bons sonhos, gata."

Esperei a porta do quarto de Cary se fechar, peguei as chaves e fui até o apartamento ao lado. No momento em que entrei na sala às escuras, soube que Gideon não estava lá, mas olhei em todos os quartos mesmo assim. Era impossível disfarçar que alguma coisa parecia... fora do lugar.

Onde ele poderia estar?

Voltei para o meu apartamento decidida a ligar para Angus. Peguei meu celular clandestino e o levei comigo para o quarto.

Onde encontrei Gideon no meio de um pesadelo.

Alarmada, bati a porta atrás de mim e a tranquei. Ele estava se debatendo na cama, arqueando as costas e soltando um gemido de dor. Ainda estava de jeans e camiseta, deitado por cima da coberta, um sinal de que havia adormecido enquanto me esperava. Seu laptop estava caído no chão, ainda aberto, e com a violência de seus movimentos os papéis sob seu corpo faziam um imenso barulho.

Fui correndo até ele, tentando pensar em uma maneira de acordá-lo sem correr perigo, ciente de que ele poderia me machucar involuntariamente.

Ele emitiu um grunhido furioso e ameaçador. "Nunca mais", ele soltou por entre os dentes. "Você *nunca mais* vai pôr as mãos nela de novo."

Fiquei paralisada.

Contorcendo o corpo furiosamente, ele se virou de lado e começou a tremer e gemer.

Sua demonstração de sofrimento me motivou a tomar uma atitude. Subi na cama e pus a mão em seu ombro. Quando dei por mim, estava deitada de costas, imobilizada pelo peso de Gideon, sob seu olhar vidrado. O medo me deixou sem ação.

"Agora você vai sentir na pele o que fez", ele sussurrou sinistramente, esfregando os quadris contra o meu em uma perversão doentia do amor que fazíamos.

Virei a cabeça e mordi seu bíceps, mas meus dentes não conseguiram se encravar em sua musculatura rígida.

"Caralho!" Ele só saiu de cima de mim quando eu o desloquei conforme Parker havia me ensinado, rolando para o lado e saindo da cama.

"Eva!"

Eu me virei e o encarei, sentindo meu corpo pronto para a luta.

Quando se levantou da cama, ele quase caiu de joelhos antes de recuperar o equilíbrio e endireitar o corpo. "Desculpa. Eu peguei no sono... Pelo amor de Deus, me desculpa."

"Está tudo bem", eu falei, me esforçando para aparentar calma. "Relaxa."

Ele passou uma das mãos pelos cabelos, ofegante. Seu rosto estava molhado de suor, e seus olhos estavam vermelhos. "Minha nossa."

Eu cheguei mais perto, tentando afastar o medo que ainda restava. Aquilo era parte da nossa vida. Era algo com que precisaríamos aprender a lidar. "Você se lembra do sonho?"

Gideon engoliu em seco e sacudiu a cabeça.

"Mentira."

"Puta que pariu. Você precisa..."

"Você estava sonhando com Nathan. Isso acontece com frequência?", eu perguntei e peguei sua mão.

"Não sei."

"Não mente pra mim."

"Não estou mentindo!", ele gritou. "Eu quase nunca me lembro dos meus sonhos."

Eu o levei pela mão até o banheiro, e tentei mudar de assunto. "A polícia veio aqui hoje falar comigo."

"Eu sei."

A desolação em seu tom de voz me deixou preocupada. Há quanto tempo que ele tinha pesadelos e perdia o sono? A ideia de que ele estivesse sendo atormentado pela própria mente, sofrendo sozinho, fez meu coração se apertar. "Eles foram falar com você também?"

"Não. Mas andaram fazendo perguntas por aí."

Acendi a luz e ele se deteve, me segurando. "Eva."

"Pro chuveiro, garotão. A gente conversa depois que você tomar banho."

Ele pegou o meu rosto com as mãos, passando os polegares pelas minhas bochechas. "Você está apressando demais as coisas. Vamos com calma."

"Eu não quero que cada pesadelo seu se transforme em um drama."

"Espera um pouco", ele murmurou, encostando a testa contra a minha. "Eu assustei você. E *eu* também estou assustado. Espera um pouco."

Decidi pegar mais leve, e pus uma das mãos sobre seu coração disparado.

Ele afundou o nariz nos meus cabelos. "Quero sentir o seu cheiro, meu anjo. O seu corpo. Dizer que sinto muito."

"Está tudo bem."

"Não está tudo bem coisa nenhuma", ele rebateu, com a voz ainda trêmula. "Eu devia ter esperado no nosso apartamento."

Encostei o meu rosto ao dele, saboreando suas palavras sobre o "nosso" apartamento. "Fiquei olhando pro telefone a noite toda, esperando uma mensagem sua."

"Eu trabalhei até tarde hoje." Ele enfiou a mão por baixo da minha blusa, acariciando as minhas costas. "Vim pra cá pra fazer uma surpresa... fazer amor com você..."

"Acho que a gente está livre", eu sussurrei, agarrando sua camiseta. "Os detetives... Acho que já está tudo certo."

"Explica isso direito."

"Nathan tinha uma pulseira que sempre usava..."

"De safira. Bem feminina."

Eu o encarei. "Sim."

"O que é que tem?"

"Ela foi encontrada no braço de um gângster morto. Um cara da máfia russa. Eles estão trabalhando com a hipótese de que era uma conspiração criminosa que deu errado."

Gideon ficou imóvel, limitando-se a estreitar os olhos. "Interessante."

"*Esquisito*, isso sim. Eles falaram de fotos minhas, de tráfico de mulheres, umas coisas sem sentido..."

Ele beijou minha boca, me obrigando a me calar. "Eu disse que era interessante porque essa pulseira estava no braço de Nathan naquela noite."

Enquanto escovava os dentes, fiquei observando Gideon no chuveiro. Ele passava as mãos ensaboadas pelo corpo com movimentos econômicos e indiferentes, de uma forma até meio bruta. Era bem diferente de quando eu o acariciava, com idolatria, admiração e amor. Ele terminou o banho em minutos, e saiu do chuveiro exibindo sua gloriosa nudez por um instante antes de pegar uma toalha para se secar.

Depois de se enxugar, ele se posicionou atrás de mim e me deu um beijo na nuca. "Eu não tenho nenhuma ligação com o submundo", ele murmurou.

Terminei de enxaguar a boca e o encarei pelo espelho. "Você acha que precisa dizer isso pra mim?"

"Antes dizer do que ouvir você perguntar."

"Alguém se arriscou um bocado pra proteger você." Eu me virei para ele. "Será que foi Angus?"

"Não. Me conta como o tal mafioso morreu."

Passei os dedos pelos músculos de seu abdome, me deleitando quando vi que se enrijeceram ao meu toque. "Foi assassinado por um comparsa. Como retaliação. Ele estava sob vigilância, então Graves tem uma prova documentada do crime."

"Então foi alguém de dentro. Com acesso aos mafiosos ou aos arquivos da polícia, ou então as duas coisas. Quem quer que seja, escolheu um cara já condenado, que poderia levar a culpa sem que isso fizesse a menor diferença."

"Não quero nem saber quem foi que fez isso, desde que você esteja a salvo."

Ele beijou a minha testa. "Mas precisamos saber", ele disse baixinho. "Se a intenção era me proteger, então o responsável por tudo isso sabe o que eu fiz."

15

Pouco depois das cinco da manhã, acordei sobressaltada, ainda assustada por um sonho que havia tido, no qual Gideon e eu brigávamos feio. Ainda abalada por um sentimento profundo de tristeza e solidão, permaneci deitada imóvel na cama por vários minutos. Queria que Gideon estivesse ao meu lado. Queria poder apenas me virar para o lado para poder abraçá-lo e sentir seu corpo contra o meu.

Em parte pelo fato de eu estar menstruada, nós não transamos na noite anterior. Em vez disso, simplesmente desfrutamos do conforto da companhia um do outro. Ficamos agarradinhos na cama vendo televisão até que o cansaço proporcionado pelo exercício pesado na esteira cobrasse seu preço e me fizesse apagar.

Eu adorava aqueles momentos de tranquilidade em que nos limitávamos a ficar abraçados em silêncio. Quando a atração sexual não vinha à tona com tanta violência. Adorava sentir sua respiração contra a minha pele, e a maneira como minhas curvas se encaixavam em seu corpo, como se tivéssemos sido feitos um para o outro.

Soltando um suspiro, me dei conta do que estava me deixando aflita. Era quinta-feira, e Brett Kline estava chegando a Nova York, isso se já não estivesse na cidade.

Gideon e eu estávamos só começando a criar uma nova rotina juntos, o que significava que a visita de Brett aconteceria no pior momento possível. Eu estava com medo de que algo saísse errado, que algum gesto mal interpretado pudesse criar mais problemas para nós.

Seria a primeira vez que Gideon e eu seríamos vistos publicamente em um mesmo evento depois de nosso "rompimento". E tinha tudo para ser uma tortura. Ficar ao lado de Brett enquanto meu coração estava com Gideon.

Saí da cama, fui até o banheiro, me lavei e vesti um short e uma camiseta curtinha. Eu precisava estar com Gideon, ficar mais um pouco com ele antes que aquele dia tão complicado começasse.

Silenciosamente, fui até o apartamento ao lado, incapaz de disfarçar a excitação pelo ato de ousadia de aparecer na casa dele no meio da madrugada, por mais que ele dissesse que ela era *nossa*.

Uma vez lá dentro, larguei a chave sobre o balcão da cozinha e segui pelo corredor até o quarto de hóspedes. Ele não estava lá, e meu coração se apertou, mas continuei procurando, porque era capaz de *sentir* sua presença. Meus nervos estavam à flor da pele como só ficavam quando ele estava por perto.

Eu o encontrei na suíte principal, abraçado ao meu travesseiro, deitado quase de bruços. Estava coberto até a cintura, deixando as costas e os braços musculosos à mostra e revelando apenas uma curvatura da sua bunda fenomenal.

Ele era como a encarnação de uma fantasia erótica. E era *meu.*

Eu o amava demais.

E queria que, pelo menos uma vez, ele acordasse ao meu lado sentindo prazer, em vez de medo, tristeza e arrependimento.

Acompanhada pela luz tímida dos primeiros raios de sol da manhã, eu me despi sem fazer barulho imaginando mil e uma formas de satisfazer o meu homem. Queria passar a mão e a boca pelo seu corpo, deixá-lo suado e sem fôlego, sentir seu corpo tremer. Queria reafirmar a ligação que tínhamos — meu comprometimento total e irrevogável com ele — antes que as turbulências do dia a dia viessem inevitavelmente à tona.

Ele se remexeu quando apoiei o joelho no colchão. Fui rastejando até ele, beijando a base de sua coluna e subindo a partir daí.

"Humm. Eva", ele disse com a voz rouca, esticando-se sob o meu toque.

"Ainda bem que você falou meu nome, garotão." Eu dei uma mordida no ombro dele. "Caso contrário a coisa ia ficar feia pro seu lado."

Eu me deitei sobre seu corpo e me deliciei por um instante com o calor de sua pele.

"Está cedo demais pra você estar acordada", ele murmurou, ainda deitado na mesma posição, desfrutando assim como eu do fato de estarmos juntos.

"Está mesmo", eu concordei. "Você está agarrado no meu travesseiro."

"É pra sentir o seu cheiro. Isso me ajuda a dormir."

Eu tirei seus cabelos da frente do rosto e o beijei no pescoço. "Que lindo. Eu bem que queria ficar deitada aqui com você o dia todo."

"Não esquece que no fim de semana você vai ser só minha."

"Verdade." Passei a mão pelo bíceps dele, acariciando o músculo rígido com os dedos. "Mal posso esperar."

"Vamos decolar logo depois do trabalho na sexta e chegar pouco antes do começo do expediente na segunda. Você não vai precisar de nada além do passaporte."

"E de você." Eu dei um beijo em seu ombro, e depois comecei a falar, um tanto apressada e ansiosa: "Eu quero você, e vim aqui pra isso, mas não sei se vai rolar. Quer dizer, a pior parte já passou, mas entendo se você não quiser transar comigo menstruada, porque eu mesma nunca gostei de..."

"Eu só quero *você*, meu anjo. Do jeito que for."

Ele contraiu o corpo todo, um aviso de que iria se levantar. Eu me afastei para o lado e vi seu corpo se mover de um modo fluido e natural.

"Fica sentado pra mim", eu pedi, pensando comigo mesma que ele era ainda mais incrível do que eu pensava. Ou mais tarado, fato sobre o qual eu jamais iria reclamar. "Com as costas apoiadas na cabeceira."

Ele fez conforme eu pedi, sonolento e sensual, com a barba por fazer começando a aparecer no rosto. Subi no colo dele e comecei a remexer os quadris. Fiquei só saboreando a atração entre nós, a sensação de perigo quando nossos corpos entravam em contato. Gideon não era um amante possível de domar. Um grande felino pode até esconder as garras, mas isso não significa que não vai usá-las quando achar necessário.

Essa era uma das minhas maiores alegrias. Ele era manso comigo, mas continuava fiel à própria natureza. Ainda era o homem por quem eu tinha me apaixonado — duro e implacável — e ainda assim parecia mudado. Ele era tudo para mim, o que eu mais queria e precisava, apesar de suas imperfeições.

Afastei os cabelos de seu rosto, e contornei a curvatura de seu lábio inferior com a língua. Suas mãos fortes e quentes agarraram meus quadris. Sua boca se abriu, e sua língua tocou a minha.

"Eu te amo", murmurei.

"Eva." Ele inclinou a cabeça e me beijou com vontade. Seus lábios firmes e macios pressionavam os meus. Sua língua explorava minha boca, me lambendo e me saboreando. Ao sentir seu toque em meus tecidos sensíveis, um arrepio se espalhou pela minha pele. Seu pau começou a endurecer e crescer, roçando a parte inferior da minha barriga.

Meus mamilos se enrijeceram, e eu estremeci, roçando o meu peito contra o dele.

Com uma das mãos, ele agarrou minha nuca, me capturando, me mantendo imóvel enquanto me beijava apaixonadamente. Sua boca atacava a minha, faminta e ansiosa, sugando meus lábios e minha língua. Soltando um gemido, eu me inclinei sobre ele, agarrando seus cabelos escuros com as mãos.

"Meu Deus, você me mata de tesão", ele murmurou, erguendo os joelhos. Ele me empurrou para trás, me amparando com as pernas. Suas mãos agarraram meus seios, circulando com os polegares meus mamilos pontudos. "Olha só pra você, como é maravilhosa."

Senti uma onda de calor se espalhar pelo meu corpo. "Gideon..."

"Às vezes você parece um desejo impossível pra mim, uma mulher fria e inatingível." Ele cerrou os dentes e levou a mão até o meio das minhas pernas, brincando com a minha abertura com os dedos. "E de repente você fica assim. Toda carente e cheia de tesão. Querendo as minhas mãos pelo seu corpo, o meu pau dentro de você."

"Eu estou assim *pra você*. É isso o que você faz comigo. Desde o momento em que nos conhecemos."

Gideon passou os olhos pelo meu corpo, e depois a mão. Quando seus dedos começaram a acariciar ao mesmo tempo meu peito e meu clitóris, eu me estremeci toda.

"Eu quero você", ele disse com um tom de voz áspero.

"E eu estou aqui pra você... peladinha."

Lentamente, ele foi abrindo seu sorriso mais sexy. "Nisso eu já reparei."

A ponta de seu dedo circulava em meu sexo. Eu me ajeitei melhor para proporcionar a ele um ângulo mais favorável, apoiando as mãos sobre seus ombros.

"Mas eu não estava falando de sexo", ele murmurou. "Apesar de querer isso também."

"Comigo."

"Só com você", ele concordou. Ele passou o dedo bem de leve sobre o meu mamilo. "Hoje e sempre."

Eu gemi e peguei no pau dele, acariciando-o de cima a baixo.

"Eu olho pra você, meu anjo, e não consigo pensar em mais nada. Quero estar com você, ouvir você, conversar com você. Quero ouvir a sua risada e oferecer o meu ombro quando você chorar. Quero sentar ao seu lado, respirando o mesmo ar, compartilhando a mesma vida. Quero acordar todos os dias ao seu lado. Eu quero *você*."

"Gideon." Eu me inclinei para a frente e o beijei de leve. "Eu também te quero ."

Ele provocou o bico do meu peito, beliscando e remexendo com os dedos. Eu soltei um leve gemido quando ele voltou a massagear meu clitóris. O pau de Gideon endureceu ainda mais na minha mão, reagindo ao meu desejo cada vez mais aguçado.

À medida que o sol nascia, o quarto se iluminava, mas o mundo lá fora parecia mais do que distante. A intimidade que dividíamos naquele momento era ao mesmo tempo romântica e erótica, o que me encheu de alegria.

Acariciei seu membro ereto com uma reverência carinhosa. Minha única intenção era agradá-lo e mostrar como eu o amava. Gideon me tocou da mesma forma, revelando em seu olhar uma alma ferida que precisava de mim tanto quanto eu precisava dele.

"Fico feliz quando estou com você, Eva. Você me faz feliz."

"Vou fazer você feliz pelo resto da sua vida", eu prometi. Meus quadris começaram a se remexer quando o desejo invadiu de vez as minhas veias. "Não existe nada que eu queira mais."

Gideon se inclinou para a frente e passou a língua pelo meu mamilo, fazendo meus seios se comprimirem dolorosamente. "Eu adoro os seus peitos. Sabia disso?"

"Ah, então é só nisso que você está interessado... no meu corpo."

"Continua me provocando, meu anjo. Me dá uma desculpa pra dar uns bons tapas em você. Eu adoro a sua bunda também."

Ele pôs uma das mãos abertas nas minhas costas e me puxou na direção de sua boca. Senti sua língua úmida circulando a ponta enrijecida do mamilo. Depois ele sugou com força, fazendo suas bochechas se contraírem, assim como o meu sexo, faminto para receber seu pau.

Eu o sentia intensamente, por dentro e por fora. Seu calor e sua afeição. Sua paixão. Seu pau duro pulsava nas minhas mãos, com a cabecinha umedecida pelo líquido pré-ejaculatório.

"Diz que me ama", eu pedi.

Ele me olhou nos olhos. "Você sabe que sim."

"Imagina só como seria se eu nunca dissesse isso pra você. Se você nunca ouvisse essas palavras saindo da minha boca."

Ele respirou fundo. "Crossfire."

Minhas mãos pararam de se mexer no ato.

Ele engoliu em seco. "É a sua palavra pra quando as coisas fogem de controle, ficam intensas demais. Mas também é a minha palavra porque é como você faz eu me sentir. O tempo todo."

"Gideon, eu..." Ele me deixou sem palavras.

"Quando você diz isso, significa que é pra parar tudo." A mão que estava no meu peito subiu até encontrar o meu rosto. "Quando eu disser, é pra não parar nunca. O que quer que você esteja fazendo, quero que você continue."

Eu ergui o corpo e me posicionei sobre ele. "Posso?"

"Claro." Ele tirou a mão do meio das minhas pernas, e um instante depois seu pau estava dentro de mim, alargando meus tecidos mais sensíveis.

"Devagar", ele disse baixinho, lambendo os dedos com movimentos lentos e sensuais. Ele parecia profundamente entregue aos seus desejos, sem nenhum pudor.

"Então me ajuda." Para mim, era sempre difícil transar com ele daquele jeito, com a gravidade e o peso do meu corpo jogando contra. Por mais que ele me deixasse com tesão, o membro dele era grande demais para o meu corpo.

Ele agarrou meus quadris, me puxando para cima e para baixo lentamente, sentindo toda a extensão de sua ereção. "Aproveite cada centímetro, meu anjo", ele gemeu. "Olha só como você me deixa duro."

Minhas pernas tremeram quando ele alcançou um ponto especialmente sensível dentro de mim. Eu agarrei seus pulsos, sentindo meu sexo se contrair com força.

"Não goza", ele falou com um tom tão autoritário que quase provocou o efeito contrário naquele mesmo instante. "Só depois que eu meter tudo."

"Gideon." O atrito lento e constante de sua penetração cuidadosa estava me levando à loucura.

"Pense em como é bom quando estamos juntos, meu anjo. Em como a sua bocetinha se contrai toda quando você goza."

Eu me contraí em torno do pau dele naquele exato momento, excitada pelo tom áspero em seu tom de voz. "Anda logo."

"Mas é você que precisa me deixar entrar." Seus olhos brilhavam de prazer. Ele fez com que eu me inclinasse para trás, modificando o ângulo da minha descida.

Eu me deixei cair sobre ele, recebendo-o por inteiro com um único movimento. "Ah!"

"Caralho!" Ele jogou a cabeça para trás, com a respiração acelerada. "Você é uma delícia. Toda apertadinha."

"Amor." Meu tom de voz era quase de súplica. Ele estava tão duro e tão profundamente dentro de mim que eu mal conseguia respirar...

Gideon me lançou um olhar que me provocou um calor pelo corpo inteiro. "É isso o que eu quero. Eu e você, sem mais nada entre nós."

"Nada", eu repeti, ofegante. Trêmula. Prestes a perder a cabeça. Desesperada para gozar.

"Shh. A gente já resolve isso." Gideon lambeu a ponta do dedão, levou a mão até o meio das minhas pernas e começou a massagear meu clitóris com maestria. O calor da minha pele transbordou na forma de uma camada de suor, fazendo com que eu me sentisse febril.

Cheguei ao orgasmo com uma explosão de prazer, sentindo espasmos violentos no meu sexo. Ele soltou um gemido que expressava toda a sua sexualidade animal, e seu pau inchou em resposta às contorções desordenadas do meu corpo.

Gideon não gozou naquele momento, o que tornou o meu clímax um acontecimento ainda mais íntimo. Eu estava toda aberta, vulnerável, entregue ao meu desejo. E ele me observava atentamente com seus olhos azuis tentadores, mantendo impecavelmente o controle. O fato de ele ter permanecido imóvel, adiando seu prazer, fez com que a ligação entre nós se fortalecesse ainda mais.

Uma lágrima escorreu pelo meu rosto. O orgasmo havia feito meus sentimentos aflorarem.

"Vem cá", Gideon disse baixinho, passando as mãos pelas minhas costas e me puxando para junto de seu corpo. Ele limpou a lágrima com a língua, depois me acariciou de leve com a ponta do nariz. Meus seios se comprimiram contra seu peito quando eu abracei com força sua cintura. Eu o queria bem perto de mim enquanto meu corpo se sacudia em tremores pós-orgasmo.

"Você é tão linda", ele murmurou. "Tão macia e gostosinha. Me beija, meu anjo."

Inclinei a cabeça e ofereci minha boca a ele. Seu beijo foi quente e molhado, uma mistura de tesão não saciado e paixão avassaladora.

Enfiei os dedos entre seus cabelos, agarrando sua nuca para mantê-lo imóvel. Ele fez o mesmo comigo. Nossa comunicação não precisava de palavras. Seus lábios cobriam os meus, e sua língua explorava a minha boca assim como seu pau fazia com o meu ventre.

Senti uma certa tensão em seu beijo e em seu toque, e percebi que ele também estava preocupado com o que aconteceria naquele dia. Arqueei as costas, empurrando meu corpo em sua direção, desejando que nos tornássemos inseparáveis. Ele mordeu de leve meu lábio inferior. Eu gemi e ele resmungou alguma coisa, acalmando minha dor com a língua.

"Não se mexa", ele disse com a voz rouca, restringindo meus movimentos me segurando pela nuca. "Quero gozar sentindo você assim."

"Por favor", eu sussurrei. "Goza dentro de mim. Eu quero sentir."

Estávamos completamente unidos, nos agarrando e nos puxando, seu pau duro dentro de mim, nossas mãos nos cabelos um do outro, nossos lábios e nossa língua se mexendo freneticamente.

Gideon era meu por inteiro. Uma parte de mim, porém, ainda se surpreendia por tê-lo daquele jeito, sem roupa em cima de uma cama, em um apartamento que era só nosso. Ele estava dentro de mim, era parte do meu corpo, recebendo todo meu amor e me retribuindo com muito mais.

"Eu amo", gemi, contraindo meu ventre e o espremendo lá dentro. "Eu te amo demais."

"Eva. Meu Deus." Ele estremeceu e gozou. Gideon gemeu na minha boca, em um beijo que era a mistura perfeita de amor e desejo.

Senti ele jorrando dentro de mim, me preenchendo, e eu tremi em mais um orgasmo, o prazer gentilmente pulsando em meu corpo.

As mãos dele percorriam o meu corpo sem descanso, subindo e descendo pelas minhas costas. Senti sua gratidão e seu desejo, que fui capaz de reconhecer porque eram as mesmas emoções que me dominavam naquele momento.

Encontrá-lo tinha sido um milagre — o fato de ele ser capaz de me compreender daquela maneira, e de eu conseguir me entregar a um homem tão profunda e completamente apesar de todos os meus traumas sexuais. E ser seu refúgio, assim como ele era o meu porto seguro.

Deitei meu rosto contra o seu peito e ouvi seu coração bater bem forte, sentindo seu suor se misturando com o meu.

"Eva." Ele soltou o ar com força. "Essas respostas que você quer de mim... Você precisa me perguntar tudo o que gostaria de saber."

Fiquei abraçada com ele por um bom tempo, esperando nossos corpos se recuperarem do orgasmo e minha sensação de pânico se acalmar. Ele ainda estava dentro de mim. Nossa proximidade era a maior possível entre dois corpos, mas não parecia suficiente para Gideon. Ele precisava de mais, em todos os sentidos. Não desistiria enquanto não tomasse posse de cada parte do meu corpo, e fizesse parte de cada aspecto da minha vida.

Eu me inclinei para trás e olhei para ele. "Eu vou estar sempre ao seu lado, Gideon. Você não precisa se pressionar tanto se ainda não estiver pronto."

"Eu estou pronto." Ele me olhou nos olhos, com uma expressão determinada. "E preciso que *você* esteja pronta. Porque não vai demorar muito pra eu fazer uma certa pergunta, Eva, e quero ouvir a resposta certa."

"Ainda é cedo demais", eu sussurrei, sentindo um nó na garganta. Eu me afastei um pouco, tentando me distanciar, mas ele me puxou de volta. "Eu não sei se consigo."

"Mas você vai estar sempre ao meu lado", ele relembrou minhas palavras. "E eu do seu. Por que adiar o inevitável?"

"Não é assim tão simples. Nós ainda temos muitos traumas e questões pessoais a resolver. Se não tomarmos cuidado, um de nós pode se fechar, querer se afastar..."

"Pode me perguntar o que quiser, Eva", ele garantiu.

"Gideon..."

"Agora."

Incomodada com sua teimosia, fiquei quieta por um momento, mas depois de pensar um pouco cheguei à conclusão de que havia, *sim*, perguntas que inevitavelmente precisavam ser feitas. "Sobre o dr. Lucas. Você sabe por que ele mentiu pra sua mãe?"

Ele cerrou os dentes, e seu rosto assumiu uma expressão de frieza. "Pra proteger o cunhado dele."

"Quê?" Eu me inclinei para trás, com a cabeça girando a mil. "O irmão de Anne? A mulher com quem você dormia?"

"Com quem eu trepava", ele corrigiu asperamente. "Todo mundo na família dela trabalha no ramo da saúde mental. Todos aqueles loucos. Ela é terapeuta. Isso não apareceu nas suas pesquisas no Google?"

Eu fiz que sim com a cabeça, ainda atordoada, incomodada pela forma como ele havia dito as palavras *saúde mental*, com um certo tom de desprezo. Será que era por isso que ele não tinha procurado ajuda antes? Fiquei imaginando o esforço que devia ser para ele conversar com o dr. Petersen se era esse o conceito que tinha daquela profissão.

"Na época eu não sabia", ele continuou. "Não consegui entender por que Lucas mentiu. Ele é um pediatra, porra. Deveria se preocupar com o bem-estar das crianças."

"Mais que isso. Ele deveria ter um pingo de humanidade!" A raiva tomou conta de mim, um desejo enlouquecedor de encontrar Lucas e me vingar de tudo. "Não acredito que ele teve a coragem de olhar pra minha cara e dizer todos aqueles absurdos."

Culpando Gideon por tudo... tentando nos afastar...

"Só quando conheci você comecei a entender melhor", ele continuou, apertando minha cintura com as mãos. "Ele é apaixonado por Anne. Talvez tanto quanto eu sou por você. O suficiente pra perdoar a traição e proteger o cunhado pra ela não ter que encarar a verdade. Ou o vexame."

"Ele não devia nem ter permissão pra ser médico."

"Isso é verdade."

"E você ainda aluga um consultório pra ele em um dos seus prédios?"

"Eu comprei aquele prédio justamente porque o consultório dele ficava lá. Assim posso ficar de olho nele, saber se a sua reputação continua em alta... ou não."

A maneira como ele disse aquilo me levou a pensar se Gideon não estaria por trás das dificuldades financeiras enfrentadas por Lucas nos últimos tempos. Lembrei que, quando Cary estava no hospital, Gideon conseguiu que ele tivesse certas regalias porque era um doador generoso. Qual seria o limite de sua influência?

Se havia alguma maneira de dificultar a vida de Lucas, Gideon certamente saberia, e se aproveitaria disso.

"E o tal cunhado?", eu perguntei. "Por onde anda?"

Gideon ergueu o queixo e estreitou os olhos. "Os crimes cometidos contra mim já prescreveram, mas eu fui atrás dele e falei que, se continuasse na profissão ou voltasse a pôr as mãos em uma criança novamente, eu usaria todo o meu dinheiro pra abrir um processo cível e criminal contra ele em nome das vítimas. Logo depois disso, ele se matou."

Ele falou a última parte sem demonstrar qualquer emoção, o que fez os cabelos da minha nuca se arrepiarem. Eu estremeci ao sentir um súbito frio na barriga.

Gideon passou as mãos pelos meus braços, para tentar me aquecer, mas não me puxou para junto de si. "Hugh era casado. Tinha um filho pequeno, um menino."

"Gideon." Eu o abracei com força, pois entendia o que aquilo significava para ele. O pai de Gideon também tinha se suicidado. "O que Hugh fez ou deixou de fazer não é culpa sua. Você não pode ser responsabilizado pelas atitudes dele."

"Ah, não?", ele perguntou com um tom de frieza.

"Não mesmo." Eu o apertei com a maior força que podia, tentando amolecer seu corpo tenso e rígido com todo o meu amor. "E o menino... A morte do pai pode ter impedido que ele passasse pelo mesmo sofrimento por que você passou. Já parou pra pensar nisso?"

Ele respirou fundo. "Já pensei, sim. Mas ele mal conheceu o pai. Só sabe que ele morreu, tirou a própria vida, deixou o filho pra trás. Deve achar que não era importante o suficiente pra fazer seu pai continuar vivendo."

"Amor." Eu puxei sua cabeça para junto de mim. Não sabia o que dizer. Eu não tinha como justificar os atos de Geoffrey Cross, e sabia que Gideon estava pensando nele, e em sua própria infância. "Você não fez nada de errado."

"Preciso de você comigo, Eva", ele murmurou, enfim retribuindo meu abraço. "E você está resistindo. Isso está me enlouquecendo."

Comecei a balançar o corpo lentamente, embalando seu sofrimento. "Só estou sendo cautelosa, porque você é importante demais pra mim."

"Eu sei que não é justo pedir pra você ficar comigo", ele falou, colocando a cabeça pra trás, "sendo que nem dormir juntos nós podemos, mas ninguém vai ser capaz de amar você como eu. Vou cuidar de você e da sua felicidade. Disso eu sei que sou capaz."

"Claro que é." Eu afastei os cabelos de sua testa e senti vontade de chorar ao ver o sofrimento estampado no rosto dele. "E quero que acredite que vou ficar do seu lado."

"Você está com medo."

"Não de você." Eu suspirei, tentando escolher as palavras para expressar o que sentia de uma maneira que fizesse sentido. "Eu não posso... A minha vida não pode ser só uma simples extensão da sua."

"Eva." Sua expressão se atenuou. "Eu não posso mudar quem eu sou, e não quero mudar quem você é. Quero que cada um continue sendo o que é... só que juntos."

Eu o beijei. Não sabia mais o que falar. Eu também queria compartilhar minha vida com ele, tudo o que houvesse de bom e de ruim, mas não acreditava que estivéssemos prontos para isso.

"Gideon." Eu o beijei mais uma vez, sentindo demoradamente seus lábios.

"Você e eu mal conseguimos lidar com nossos próprios problemas. Estamos progredindo, mas ainda falta muito. E não estou falando só dos pesadelos."

"Então me diz qual é o problema."

"Sei lá... Tudo. Não estou mais me sentindo à vontade com a ideia de Stanton pagar meu aluguel agora que Nathan não representa mais uma ameaça. Principalmente depois de os meus pais terem transado..."

Ele levantou as sobrancelhas. "Como é?"

"Pois é", eu confirmei. "Puta coisa chata."

"Vamos morar juntos", ele falou, acariciando as minhas costas para me consolar.

"Ah, sim... E a minha vontade de viver de acordo com os meus próprios meios, sem ter que depender de ninguém?"

"Puta que pariu." Ele soltou um rugido de frustração. "Se a gente rachasse o aluguel você se sentiria melhor?"

"Ha! Eu não tenho dinheiro pra viver numa cobertura como a sua, nem se precisar pagar só um terço do aluguel. E Cary muito menos."

"Então a gente pode mudar pra cá, se você quiser, ou morar no seu apartamento, pagando aluguel pro Stanton. Pra mim não importa o lugar, Eva."

Eu olhei bem para ele, tentada a aceitar a oferta, mas com medo de dar um passo maior que a perna e acabar magoando nós dois.

"Você veio me ver assim que acordou", ele argumentou. "Também não gosta de ficar longe de mim. Pra que ficar se torturando? Viver sob o mesmo teto não vai piorar nossos problemas."

"Eu não quero estragar o que existe entre a gente", eu falei, acariciando seu peito com os dedos. "Eu *preciso* que a gente dê certo, Gideon."

Ele pegou minha mão e a posicionou sobre o coração. "Eu também preciso, meu anjo. E também preciso de manhãs como as de hoje, e de noites como as de ontem."

"Não podemos nem contar pra ninguém que estamos juntos. Como podemos aparecer morando juntos, assim do nada?"

"Vamos começar a mudar isso hoje mesmo. Você vai com Cary ao lançamento do clipe. Eu posso ir até vocês junto com Ireland, pra dar um oi..."

"Ela me ligou", interrompi, "e me pediu pra falar com você. Ela quer que a gente volte a namorar."

"Menina esperta." Ele sorriu, e eu fiquei animada ao ver que ele estava começando a se abrir para ela. "Então podemos chegar perto um do outro, começar a conversar, eu posso ir cumprimentar Cary. A atração entre nós vai ficar na cara. Amanhã eu convido você pra almoçar. O Bryant Park Grill é o lugar ideal pra isso. Pra mostrar pra todo mundo."

Tudo parecia simples e maravilhoso, mas... "Isso é seguro?"

"A pulseira de Nathan foi encontrada no braço de um mafioso. Isso é mais do que suficiente pra me absolver de qualquer culpa. Não precisamos de mais nada."

Nós nos olhamos com um sentido renovado de esperança em um futuro que poucas horas antes parecia muito mais nebuloso.

Ele acariciou o meu rosto. "Você fez uma reserva no Tableau One pra hoje à noite."

Eu confirmei com a cabeça. "Ah, é. Precisei usar seu nome pra conseguir uma mesa. Brett me chamou pra jantar, e eu queria que fosse num lugar em que você pudesse se sentir seguro."

"Ireland e eu temos reserva pra esse mesmo horário. Podemos jantar todos juntos."

Eu me remexi inquietamente, um tanto apreensiva, e senti Gideon se endurecer dentro de mim. "Hã..."

"Não se preocupa", ele murmurou, com os pensamentos claramente já voltados para algo bem mais interessante. "Vai ser divertido."

"Até parece."

Com um braço em torno do meu quadril e outro no meu ombro, Gideon me virou e me posicionou sob seu corpo. "Confia em mim."

Eu até queria responder, mas ele começou a me beijar e a me foder enlouquecidamente.

Tomei banho e me troquei no apartamento de Gideon, depois fui correndo até o meu para pegar minha bolsa e minha sacola antes que alguém me visse. Ele tinha feito um estoque de cosméticos e produtos de toalete em seu apartamento, e comprado roupas e lingeries suficientes para que eu nunca mais precisasse recorrer ao meu closet.

Era um exagero, mas ele era assim mesmo.

Eu estava enxaguando a caneca em que tomei um café apressado quando Trey apareceu na cozinha.

Ele abriu um sorriso envergonhado. Vestido com uma das calças de moletom de Cary e a mesma camiseta da noite anterior, parecia estar se sentindo em casa. "Bom dia."

"Pra você também." Pus a caneca na lava-louças e me virei para ele. "Fiquei feliz por você ter ido jantar com a gente ontem."

"Eu também. Foi divertido."

"Quer café?", eu ofereci.

"Por favor. Preciso me trocar pra ir trabalhar, mas estou morrendo de sono."

"Eu sei bem como é isso", confessei ao servir o café para ele.

Ele pegou a caneca e a ergueu em sinal de agradecimento. "Posso perguntar uma coisa pra você?"

"Claro."

"Você gosta da Tatiana também? Não é estranho ter a cada hora um dos dois na sua casa?"

Eu encolhi os ombros. "Eu nem conheço direito a Tatiana, na verdade. Não é a mesma coisa de quando vocês dois estão juntos."

"Ah."

Tomei o caminho da porta e apertei seu ombro quando passei por ele. "Um bom dia pra você."

"Pra você também."

No táxi, a caminho do trabalho, verifiquei as mensagens no celular. Quase me arrependi de não ter ido a pé, já que o motorista fazia questão de manter as janelas fechadas e pelo jeito não era adepto do uso de desodorante. A única vantagem era que eu chegaria mais depressa do que se fosse caminhando.

Havia uma mensagem de texto de Brett, enviada às seis da manhã: **Cheguei. Mal posso esperar pra ver vc!**

Mandei em resposta uma carinha sorridente.

Megumi parecia bem quando a encontrei ao chegar, o que me deixou feliz, mas Will estava desolado. Enquanto eu guardava minha bolsa na gaveta, ele parou no meu cubículo e apoiou os braços por cima da divisória.

"O que foi?", eu perguntei, olhando para cima, sentada na cadeira.

"Preciso de carboidratos."

Eu dei risada, sacudindo a cabeça. "Acho lindo você estar sofrendo tanto por causa da dieta da sua namorada."

"Pois é, eu não devia estar reclamando", ele falou. "Ela perdeu quase três quilos — não que precisasse, na minha opinião —, ela está linda e cheia de energia. Mas, minha nossa... Eu estou um caco. O meu corpo não funciona assim."

"Isso é um convite pro almoço?"

"Sim, por favor." Ele juntou as mãos como se estivesse rezando. "Você é uma das poucas mulheres que eu conheço que gosta de comer."

"E a minha bunda grande não nega isso", eu falei, um tanto amarga. "Mas claro que sim. Vamos nessa."

"Você é o máximo, Eva." Quando se virou para ir embora, ele esbarrou em Mark. "Opa. Desculpa."

Mark sorriu. "Não foi nada."

Will voltou para seu cubículo e Mark voltou seu sorriso para mim.

"O pessoal da Drysdel vai estar aqui às nove e meia", eu lembrei.

"Certo. E eu tive uma ideia que gostaria de discutir antes que eles cheguem."

Peguei meu tablet e me levantei, pensando no quanto seria arriscado propor uma mudança de planos de última hora. "Você gosta mesmo de viver perigosamente, chefe."

"É a única maneira que eu sei viver. Vamos lá."

O dia passou voando, sem um minuto de descanso sequer, e eu dei conta de tudo, estava me sentindo energizada. Apesar de ter acordado cedo e ter comido um belo prato de *pierogi* na hora do almoço, não senti nem um pouco de sono.

Terminei tudo exatamente às cinco horas e fui até o banheiro me trocar, dispensando o conjuntinho formal de saia e blusa e colocando um vestidinho de brim azul-claro, bem mais casual. Calcei um par de sandálias de salto plataforma, troquei os brinquinhos discretos por um par de argolas de prata e transformei o rabo de cavalo num coque feito às pressas antes de ir para o saguão.

Enquanto caminhava na direção da porta giratória, vi Cary parado na calçada, conversando com Brett. Eu diminuí o passo, pois precisava de um tempinho para me acostumar com a visão do cara por quem fui apaixonada durante tanto tempo.

Brett mantinha a coloração natural de seus cabelos curtos e espetados, um tom de loiro-escuro, mas as pontas eram descoloridas, o que combinava bem com sua pele morena e seus olhos verdes. No palco ele geralmente ficava sem camisa, mas para a ocasião do lançamento vestia calça cargo preta e uma camiseta vermelha, exibindo apenas em parte seus braços musculosos e cobertos de tatuagens.

Ele virou a cabeça, olhando lá para dentro, e comecei a andar de novo, sentindo um frio na barriga quando ele me olhou e seu lindo rosto se abriu em um sorriso, revelando covinhas charmosíssimas.

Meu Deus, ele era muito gato.

Com medo de que meus olhos revelassem mais do que deviam, pus os óculos escuros. Respirei fundo antes de passar pela porta giratória, desviando o olhar para o Bentley preto parado atrás da limusine alugada por Brett.

Ele assobiou. "Porra, Eva. Você está ainda mais maravilhosa do que na última vez que a gente se viu."

Abri um sorriso nervoso para Cary, sentindo meu pulso se acelerar. "Oi."

"Você está linda, gata", ele falou e segurou a minha mão.

Com o canto do olho, vi quando Angus saiu do Bentley. Distraída por um instante, nem percebi que Brett estava vindo na minha direção. Uma fração de segundo depois, percebi que suas mãos estavam na minha cintura, e que ele ia me beijar. Mal consegui virar a cabeça a tempo. Seus lábios tocaram o canto da minha boca, produzindo uma sensação bem familiar. Eu cambaleei para trás e esbarrei em Cary, que me pegou pelos ombros.

Desorientada e vermelha de vergonha, desviei os olhos para não ter que encarar Brett.

E me vi diante dos olhos azuis e implacáveis de Gideon.

16

Parado diante da porta giratória do Crossfire, Gideon me olhava com tamanha intensidade que eu estremeci toda.

Desculpa, eu falei silenciosamente para ele, sabendo como eu me sentiria caso Corinne tivesse conseguido beijá-lo dias antes no saguão.

"Oi", Brett falou, concentrado demais em mim para prestar atenção no homem parado com os pulsos e os dentes cerrados atrás dele.

"Olá." Eu podia sentir o olhar de Gideon sobre mim, e tive que segurar a vontade de ir embora com ele. "Vamos lá?"

Sem esperar pela resposta dos dois, abri a porta da limusine e entrei. Assim que encostei a bunda no assento, saquei o celular clandestino da bolsa e mandei uma mensagem para Gideon: *Eu te amo*.

Brett se acomodou ao meu lado, e Cary entrou em seguida.

"Eu ando te vendo estampado por toda parte, cara", disse Brett para Cary.

"Pois é." Cary abriu um meio-sorriso para mim. Ele estava lindo com seu jeans rasgado e sua camiseta de grife, com braceletes nos pulsos que combinavam com as botas de couro.

"O restante da banda também veio?", eu perguntei.

"Sim, está todo mundo aqui." Brett abriu seu sorriso encantador para mim mais uma vez. "Darrin capotou assim que chegamos no hotel."

"Não sei como ele consegue ficar tantas horas tocando bateria. Eu me canso só de olhar."

"Quando estar no palco é o que a pessoa mais gosta de fazer na vida, arrumar energia pra tocar nunca é problema."

"E Erik, como vai?", Cary perguntou com um interesse deliberado, o que me fez desconfiar — mais uma vez — que ele e o baixista da banda já haviam tido alguma coisa. Até onde eu sabia, Erik era hétero, mas alguns sinais aqui e ali sugeriam que ele pode ter tido algumas experiências com meu melhor amigo.

"Erik teve que ir resolver uns problemas que surgiram na turnê", respondeu Brett. "E Lance foi se encontrar com uma garota que conheceu na última vez em que tocamos em Nova York. Mas vai estar todo mundo no lançamento."

"Essa vida de astros do rock...", eu provoquei.

Brett encolheu os ombros e sorriu.

Olhei para o outro lado, arrependida da decisão de ter convidado Cary. Por causa da presença dele, eu não podia dizer para Brett tudo o que queria — que estava apaixonada por outro e não havia futuro para nós.

Um relacionamento com Brett seria bem diferente do que o que eu tinha com Gideon. Eu ficaria muito tempo sozinha enquanto ele estivesse viajando com a banda. Poderia fazer um monte de coisas que gostaria de fazer antes de casar — morar sozinha e me bancar sem qualquer ajuda, e ter mais tempo para mim e para os amigos. Era meio que o melhor de dois mundos: ter um namorado e ainda poder preservar minha individualidade.

Mas, apesar de estar apreensiva em relação a assumir um compromisso sério logo depois de sair da faculdade, eu não tinha dúvida de que Gideon era o homem com quem queria estar. A única coisa que não estava batendo era o *timing* — eu achava que não tínhamos motivos para tanta pressa, e ele não via motivo para esperar.

"Chegamos", disse Brett, olhando para a multidão pela janela.

Apesar do calor intenso, a Times Square estava lotada como sempre. A escadaria vermelha na Duffy Square estava tomada de gente tirando fotos, e o fluxo de pedestres nas calçadas era incessante. Os policiais vigiavam as esquinas, sempre de olho aberto. Os artistas de rua convidavam o público a assistir a suas performances, e o cheiro que emanava dos carrinhos de comida competia com o odor não tão agradável da própria rua.

Painéis eletrônicos gigantescos acoplados nas laterais dos edifícios brigavam pela atenção dos passantes, inclusive com uma imagem de Cary com uma modelo o abraçando por trás. Cinegrafistas e operadores de microfone se aglomeravam em torno de um telão montado sobre um palco diante de uma arquibancada provisória.

Brett foi o primeiro a descer da limusine, saudado pelos gritos exaltados do público — composto em sua maioria de mulheres. Ele abriu seu sorriso irresistível, acenou e estendeu a mão para me ajudar a descer. Minha recepção foi bem menos calorosa, principalmente depois de Brett me abraçar pela cintura. Cary, por sua vez, causou burburinho. Quando tirou os óculos escuros, provocou uma nova onda de gritinhos e assobios.

Fiquei um tanto perdida no meio daquela balbúrdia, mas logo recuperei o foco quando vi Christopher Vidal Jr. conversando com o apresentador de um programa de fofocas. O irmão de Gideon estava vestido mais formalmente, de camisa, gravata e calça azul-marinho. O brilho de seus cabelos castanhos chamava a atenção mesmo imerso nas sombras dos edifícios ao redor. Ele acenou para mim quando me viu, atraindo também a atenção da moça da TV. Eu retribuí o cumprimento de longe.

O restante da banda estava na frente das arquibancadas, claramente satisfeito com a presença de tantos fãs. Eu olhei para Brett. "Vai lá fazer o seu trabalho."

"Sério?" Ele ficou me olhando, querendo saber se de fato eu não me incomodava em ser deixada ali sozinha.

"Sério." Eu fiz um sinal para que ele fosse até lá. "Este momento é seu. Aproveita. Quando o evento começar, eu vou estar aqui."

"Beleza. A gente se vê daqui a pouco."

Ele se afastou. Cary e eu entramos em uma tenda com o logotipo da Vidal Records. Protegida da multidão por seguranças particulares, era como um oásis no meio da loucura da Times Square.

"Agora entendi por que você me convidou, gata. Eu tinha esquecido de como a coisa era quente entre vocês dois."

"*Era* é a palavra certa", eu assinalei.

"Ele está diferente", Cary continuou. "Mais... seguro."

"Que ótimo pra ele. Principalmente agora, que a vida dele anda tão agitada."

Ele me encarou. "Vai dizer que não está curiosa pra saber se ele ainda é capaz de deixar você maluquinha na cama?"

Eu o encarei de volta. "Química é química, isso não muda. E aposto que ele teve oportunidades de sobra pra afinar seu desempenho sexual, que já era incrível naquela época."

"Afinar, ha! Cuidado com os trocadilhos." Ele franziu a testa para mim. "Mas você parece estar aguentando firme."

"Ah, quem me dera."

"Ora, ora, olha só quem está aqui", ele murmurou, chamando minha atenção para Gideon, que chegava ao lado de Ireland. "E está vindo pra cá. Se rolar outra briga por sua causa, eu vou ver lá da arquibancada."

Dei um empurrão de leve nele. "Valeu, hein?"

Eu sempre me surpreendia ao ver que Gideon permanecia absolutamente à vontade de terno e gravata mesmo em dias de tanto calor. Ireland estava linda, com uma saia longa e justa e uma blusinha que deixava a barriga de fora.

"Eva!", ela gritou e saiu correndo deixando o irmão para trás. Ela me cumprimentou com um abraço, depois se afastou para me ver melhor. "Que arraso! Ele vai ficar babando em você."

Eu olhei para Gideon, procurando em seu rosto algum sinal de que pudesse estar irritado por causa de Brett. Ireland cumprimentou Cary também com um abraço, o que o pegou de surpresa. Enquanto isso, Gideon veio até mim, me segurou pelos braços e deu um beijo de cada lado do meu rosto.

"Olá, Eva", ele falou com uma voz rouca que fez os dedos do meu pé se curvarem. "Que bom ver você."

Eu pisquei os olhos, estupefata, sem esconder meu deslumbramento. "Hã, oi, Gideon."

"Ela não está linda?", Ireland entrou na conversa sem a menor sutileza.

Gideon se virou para a irmã. "Como sempre. Eu queria roubar um minutinho do seu tempo, Eva."

"Claro." Lancei um olhar de perplexidade para Cary e deixei que Gideon me conduzisse até um canto da tenda. Logo depois que nos afastamos, já comecei a falar: "Você está bravo? Por favor, me diz que não".

"Claro que estou", ele disse sem se alterar. "Mas não com vocês dois."

"Ah, tá." Na verdade, não entendi o que ele quis dizer.

Gideon parou, virou para mim e passou a mão pelo cabelo. "Essa situação é insuportável. Quando existia um motivo pra isso era até tolerável, mas agora..." Seu olhar era de pura determinação. "Você é minha. E o mundo precisa saber disso."

"Eu já disse pro Brett que sou apaixonada por você. E pro Cary também. Pro meu pai. Pra Megumi. Nunca menti pra ninguém sobre como me sinto."

"Eva!" Christopher nos interrompeu e me deu um beijo no rosto. "Que bom que Brett trouxe você. Eu não fazia a menor ideia de que vocês eram namorados."

Eu consegui abrir um sorriso, apesar da minha preocupação com a reação de Gideon. "Isso foi há muito tempo."

"Nem tanto tempo assim." Ele sorriu. "Afinal de contas, você está aqui, não?"

"Christopher", Gideon falou, como um cumprimento.

"Gideon." Christopher manteve o sorriso aberto, mas a expressão em seu rosto não era mais tão calorosa. "Você não precisava ter vindo. Está tudo sob controle."

Apesar de serem irmãos por parte de mãe, os dois tinham pouquíssimas características físicas em comum. Gideon era mais alto, mais forte e bem mais sério. Christopher era um homem bonito, com um sorriso muito sexy, mas não tinha nem metade do magnetismo pungente de Gideon.

"Estou aqui por causa da Eva", Gideon disse sem se alterar, "não por causa do evento."

"Sério?" Christopher se virou para mim. "Pensei que você e Brett estivessem se entendendo."

"Eu e Brett somos só amigos", respondi.

"A vida pessoal dela não é da sua conta", interveio Gideon.

"E nem da sua, até onde eu sei." Christopher o encarou com uma hostilidade que me deixou até com medo. “O fato de ‘Golden’ ser baseada em uma história real e de Eva estar aqui com Brett é um marketing muito positivo tanto pra gravadora como pra banda.”

“A música é sobre o fim dessa história.”

Christopher franziu a testa, enfiou a mão no bolso e sacou o celular. Ele olhou para a tela e depois para o irmão, fazendo cara feia. “E vê se liga pra Corinne. Ela está maluca atrás de você.”

“Eu conversei com ela faz uma hora”, garantiu Gideon.

“Então vê se para de ficar dando esperança pra ela”, repreendeu Christopher. “Se não quer mais nada, não devia ter ido até a casa dela ontem à noite.”

Eu fiquei tensa, e senti meu pulso acelerar. Olhei para Gideon e notei que seu maxilar estava cerrado. Eu me lembrei do quanto tinha esperado por uma resposta na noite anterior. Ele estava no meu apartamento quando cheguei, mas não explicou por que não me mandou uma resposta. E com certeza não disse nada sobre uma visita ao apartamento de Corinne.

E ele não tinha dito que não estava nem atendendo aos telefonemas dela?

Dei um passo atrás, sentindo um nó no estômago. Meu dia não estava sendo nada fácil, e aquele enfrentamento entre Gideon e Christopher só fez as coisas piorarem. “Com licença.”

“Eva”, Gideon tentou me deter.

“Foi bom rever vocês dois”, eu murmurei sem sair do meu papel, virei as costas e fui caminhando na direção de Cary.

Gideon me alcançou poucos passos depois, me segurou pelo cotovelo e murmurou no meu ouvido. “Ela estava me ligando toda hora. Eu precisava dar um jeito nisso.”

“Você deveria ter me contado.”

“A gente tinha coisas mais importantes pra conversar.”

Brett olhou para nós. Estava distante demais para que eu pudesse ver a expressão em seu rosto, mas sua linguagem corporal expressava uma boa dose de tensão. Apesar de estar cercado por uma multidão que se acotovelava para chegar até ele, só parecia ter olhos para mim.

Droga. Ele havia me visto com Gideon, e isso estava arruinando uma experiência que tinha tudo para ser o ponto alto de sua carreira. Conforme eu temia, estava dando tudo errado.

“Gideon”, Christopher falou atrás de nós com um tom bem sério. “A nossa conversa ainda não terminou.”

“Se manda, Christopher.” Gideon encarou o irmão com tanta hostilidade que eu até estremeci, apesar do calor. “Se não quiser que isto aqui vire um escândalo e o evento vá por água abaixo.”

Christopher parecia disposto a insistir na discussão, mas percebeu a tempo que seu irmão estava falando sério. Ele soltou um palavrão baixinho e, quando se virou, deu de cara com Ireland.

"Quer deixar os dois em paz?", ela falou, com as mãos na cintura. "Eles precisam conversar pra se entender."

"Você não tem nada a ver com isso."

"Até parece." Ela franziu a testa para ele. "Vem me mostrar onde vai ser o lançamento."

Ele parou e estreitou os olhos, antes de soltar um suspiro e sair de braço dado com Ireland. Percebi que a relação entre eles era bem próxima, o que me deixou triste, porque Gideon não tinha a menor intimidade com nenhum dos dois.

Gideon atraiu minha atenção de volta para si tocando no meu rosto, uma carícia que transmitia muito amor... e possessividade. Qualquer um que visse aquele gesto seria capaz de entender seu significado. "Me diz que você sabe que não aconteceu nada entre mim e Corinne."

Eu suspirei. "Eu sei que você não quer nada com ela."

"Ótimo. Ela está perdendo a cabeça. Nunca vi alguém tão... Merda. Sei lá. Carente. Irracional."

"Desesperada?"

"Talvez. Pois é." A expressão em seu rosto se atenuou. "Ela não ficou assim quando terminou nosso noivado."

Eu me senti mal pelos dois. Rompimentos traumáticos não eram uma coisa fácil para ninguém. "Da outra vez foi ela que quis terminar tudo. Agora é você. É sempre mais difícil ser a pessoa abandonada."

"Estou tentando dar um jeito nisso, mas você precisa me prometer que ela não vai conseguir arruinar as coisas entre nós."

"Isso eu não vou deixar acontecer. E você, nada de se preocupar com Brett."

Ele pensou por um instante antes de responder: "Me preocupar eu vou, mas pode deixar que consigo me controlar".

Eu sabia que aquilo não era nada fácil para ele.

Gideon estreitou os lábios. "Preciso falar com Christopher. Estamos conversados?"

Fiz que sim com a cabeça e respondi: "Por mim, estamos. E por você?".

"Desde que Kline mantenha distância da sua boca." O tom de ameaça em sua voz era nítido.

"O mesmo vale pra você."

"Se ele me beijar, vai levar porrada."

Eu dei risada. "Você sabe o que eu quis dizer."

Ele pegou minha mão e mexeu no meu anel com os dedos. "Crossfire."

Senti meu coração se apertar dentro do peito, mas de uma forma agradável. "Eu também te amo, garotão."

Brett se desvencilhou das fãs e voltou para a tenda, com uma expressão bem séria no rosto.

"Não está se divertindo?", eu perguntei, na esperança de manter uma atmosfera positiva.

"Ele quer você de volta", Brett falou, desanimado.

Eu não hesitei em responder. "Sim."

"Se ele vai ter uma segunda chance, eu também mereço uma."

"Brett..."

"Sei que não vai ser fácil, que eu estou no meio de uma turnê..."

"E mora em San Diego", eu completei.

"... mas posso vir sempre pra cá, e você também pode ir me encontrar, conhecer lugares novos. Além disso, a turnê termina em novembro. Eu posso passar o fim do ano aqui." Ele me encarou com seus olhos verdes, e a atração que existia entre nós se tornou palpável. "O seu pai ainda mora na Califórnia, mais um motivo pra você ir até lá com frequência."

"Só você já seria um bom motivo. Mas, Brett... Não sei mais o que dizer. Eu sou apaixonada por ele."

Ele cruzou os braços, revelando toda a sua beleza de menino rebelde. "Isso não importa. O seu lugar não é com ele, Eva, é comigo."

Olhei bem para ele, e cheguei à conclusão de que somente o tempo seria capaz de convencê-lo.

Brett chegou mais perto e passou uma das mãos pelo meu braço, com o corpo inclinado na direção do meu. Eu me lembrei de outras vezes em que estivemos nessa mesma posição, momentos antes de ele me prensar contra uma superfície plana e me foder com força.

"Só uma vez pra mim já basta", ele murmurou na minha orelha com uma voz que era um convite ao pecado. "Quando você me sentir dentro do seu corpo, vai se lembrar de como as coisas funcionavam entre nós."

Eu engoli em seco. "Isso não vai rolar, Brett."

Ele abriu um sorriso, revelando suas covinhas tentadoras. "Isso é o que nós vamos ver."

"Não estou conseguindo acreditar que eles são ainda mais gatos pessoalmente", comentou Ireland, olhando para os membros da banda enquanto davam uma entrevista para a TV. "O mesmo vale pra você, Cary."

Ele sorriu, mostrando seus dentes impecavelmente brancos. "Ora, obrigado, querida."

"Então..." Ela me olhou com seus olhos azuis como os de Gideon. "Você namorava o Brett Kline."

"Não exatamente. Na verdade, a gente só saía de vez em quando."

"Você era apaixonada por ele?"

Tive que pensar um pouco antes de responder. "Eu achava que era, mas as coisas não eram bem assim. Acho que me apaixonaria por ele se as circunstâncias fossem outras. Ele é um cara legal."

Ela sorriu.

"E você?", eu perguntei. "Está namorando?"

"Estou." Ela abriu um sorrisinho malicioso. "Eu gosto muito dele, mas é uma situação meio esquisita, porque os pais dele não podem saber."

"Por que não?"

"Os avós dele perderam tudo o que tinham naquele esquema do pai do Gideon."

Olhei para Cary, que ergueu as sobrancelhas por trás dos óculos escuros.

"Isso não é culpa sua", eu falei, irritada com a injustiça cometida contra ela.

"Os pais do Rick acham 'coincidência demais' que Gideon seja tão rico hoje", ela murmurou.

"*Coincidência*? O que eles querem dizer com isso?"

"Meu anjo."

Eu me virei na direção da voz de Gideon, que me pegou de surpresa. "Que foi?"

Ele se limitou a me olhar. Eu estava tão irritada que demorei para perceber o sorriso em seu rosto.

"Nem tente me interromper", falei, estreitando os olhos. Eu me virei de novo para Ireland. "Mande os pais do Rick darem uma olhada no site da Fundação Crossfire."

"Já chega de ficar tomando as minhas dores", Gideon falou, chegando tão perto que seu corpo se encostou no meu, "o lançamento vai começar em cinco minutos."

Procurei por Brett, que havia voltado para o meio da multidão, e estava acenando para mim.

Eu olhei para Cary.

"Vai lá", ele falou, apontando com o queixo. "Eu fico aqui com Ireland e Cross."

Fui caminhando até a banda, e sorri quando vi como estavam empolgados. "É um grande momento pra vocês, né?"

"Ah, sim." Darrin abriu um sorriso. "Na verdade esse circo todo foi armado pra gente aparecer nesse programa de TV com transmissão simultânea pela internet. Só assim pra Vidal conseguir uma exposição legal pra gente. Tomara que dê resultado porque, puta que pariu, está quente pra caralho aqui."

O apresentador anunciou a estreia do clipe com exclusividade, e no telão o logotipo de seu programa deu lugar ao início do clipe e aos primeiros acordes da música.

A tela preta de repente se iluminou, mostrando Brett sentado em um banquinho sob um holofote, assim como na apresentação ao vivo. Ele começou a cantar com sua voz grave e rouca. Absurdamente sexy. O efeito da sua música sobre mim foi poderoso e imediato, como sempre.

A câmera foi aos poucos se afastando de Brett, revelando uma pista na frente do palco onde uma multidão dançava. As pessoas eram todas retratadas em branco e preto, menos uma jovem loira, que se destacava em cores vibrantes.

Fiquei paralisada. Ela só aparecia de costas e de perfil, mas obviamente era uma referência a mim. Tinha a minha altura, a mesma cor de cabelo e o mesmo penteado que eu usava antes da minha recente mudança de visual. Até a silhueta curvilínea era a mesma.

Acompanhei petrificada e horrorizada os três minutos seguintes do vídeo. "Golden" era uma canção abertamente erótica, e a atriz fazia todas as coisas cantadas por Brett — ficava de joelhos diante de um sósia seu, trocava beijos acalorados com ele no banheiro de um bar e cavalgava em seu colo no banco traseiro de um Mustang 67 idêntico ao dele. Para piorar, essas lembranças eram entrecortadas por imagens de Brett cantando no palco, acompanhado pelo restante da banda.

O fato de serem atores interpretando tudo aquilo amenizou um pouco meu susto, mas uma rápida olhada na direção de Gideon foi o suficiente para revelar que para ele não fazia diferença. Ele estava testemunhando um dos momentos de maior descontrole da minha vida, e de uma forma bem realista.

O clipe terminava com um close em Brett que expressava todo o seu sofrimento, com direito a uma lágrima escorrendo pelo rosto.

Eu me virei para ele.

Seu sorriso se desfez quando ele notou a cara que eu fiz.

Aquele vídeo era pessoal demais. E milhões de pessoas o veriam.

"Uau", disse o apresentador, caminhando até a banda com o microfone na mão. "Brett, você se expôs um bocado nesse vídeo. Foi por causa dessa música que você e Eva se reaproximaram?"

"De um jeito meio torto, mas sim."

"E, Eva, você interpretou a si mesma nesse clipe?"

Eu pisquei os olhos, confusa, ao me dar conta de que estava sendo apresentada como a Eva da canção em rede nacional. "Não, aquela não sou eu."

"O que você acha de 'Golden'?"

Eu passei a língua pelos lábios ressecados. "Uma música incrível, de uma banda incrível."

"Sobre uma história de amor incrível." O apresentador sorriu para a câmera e continuou falando, mas eu me desliguei dele e comecei a procurar desesperadamente por Gideon. Não conseguia vê-lo em lugar nenhum.

Enquanto o apresentador continuava a conversar com a banda, eu me afastei e saí em busca dele. Cary veio até mim, acompanhado de Ireland.

"Que vídeo foi esse?", ele falou.

Eu o encarei com a infelicidade estampada no olhar antes de me virar para Ireland. "Você sabe onde está o seu irmão?"

"Christopher está por aí em algum lugar. Gideon foi embora." Ela fez uma careta, como quem pede desculpas. "Ele pediu pro Christopher me levar pra casa."

"Merda." Peguei o telefone clandestino na bolsa e digitei uma mensagem às pressas. **Eu te amo. Diz que ainda vai me ver hj.**

Fiquei à espera de uma resposta durante um bom tempo, com o telefone na mão, desesperada para que ele vibrasse.

Brett foi até mim. "Já estou livre. Vamos nessa?"

"Claro." Eu me virei para Ireland. "Vou viajar nos próximos dois fins de semana, mas vamos combinar alguma coisa um dia desses."

"Pode deixar", ela falou, e me deu um abraço.

Depois me virei para Cary e apertei sua mão com força. "Obrigada por ter vindo."

"Está brincando? Fazia séculos que eu não me divertia tanto." Ele e Brett trocaram um aperto de mão todo elaborado. "Bom trabalho, cara. Eu pirei nesse seu vídeo."

"Valeu por ter vindo. A gente se fala."

Brett apoiou a mão na base da minha coluna e fomos embora.

17

Gideon não apareceu para jantar no Tableau One.

Em certo sentido, fiquei aliviada por isso, porque não queria que Brett pensasse que eu havia planejado uma interrupção deliberada. Apesar de ter tido minhas expectativas sempre frustradas em nosso relacionamento, Brett havia sido uma pessoa muito importante para mim, e eu queria que continuássemos sendo amigos se possível.

Por outro lado, não conseguia deixar de me preocupar com os sentimentos de Gideon, de imaginar o que poderia estar se passando em sua cabeça.

Não consegui nem comer direito. Quando Arnoldo Ricci parou para nos cumprimentar, todo bonito e elegante com seu jaleco de chef, me senti até mal por ele ter visto o quanto de sua comida maravilhosa eu tinha deixado no prato.

Gideon era um sócio oculto do Tableau One e Arnoldo era amigo dele, razão pela qual eu havia escolhido aquele restaurante. Caso Gideon quisesse saber como tinha sido meu jantar com Brett, com certeza teria para quem perguntar.

Obviamente, eu gostaria que Gideon *confiasse* em mim, mas por outro lado sabia que o ciúme era um dos problemas mais sérios do nosso relacionamento, e não queria piorar as coisas.

"Que bom ver você, Eva", disse Arnoldo com seu delicioso sotaque italiano. Ele me deu um beijo no rosto, depois puxou uma cadeira para se sentar conosco.

Arnoldo estendeu a mão para Brett. "Bem-vindo ao Tableau One."

"Arnoldo é fã do Six-Ninths", eu contei. "Ele foi ao show comigo e com Gideon naquele dia."

Brett abriu um sorriso malicioso ao cumprimentá-lo. "Prazer em conhecê-lo. Você acompanhou o espetáculo até o fim?"

Ele estava claramente se referindo à sua briga com Gideon, e Arnoldo entendeu o recado. "Sim. Eva é uma pessoa muito importante para Gideon."

"E pra mim também", disse Brett, pegando sua caneca geladíssima de cerveja Nastro Azzurro.

"Muito bem, então." Arnoldo sorriu. "*Che vinca il migliore.* Que vença o melhor."

"Argh." Eu me remexi na cadeira. "Eu não sou um troféu. Não quero ser disputada por ninguém."

Arnoldo lançou um olhar de surpresa na minha direção. Obviamente, ele tinha um bom motivo para desconfiar da sinceridade das minhas palavras. Ele me viu beijando Brett, e o efeito que isso causou em Gideon.

"Algum problema com a sua refeição, Eva?", ele perguntou. "Se tivesse gostado, certamente o seu prato estaria vazio."

"Os seus pratos são bem servidos", argumentou Brett.

"Do tamanho do apetite de Eva."

Brett olhou para mim. "É mesmo?"

Eu encolhi os ombros. Apesar de todas as evidências, ele insistia em não admitir que nós mal nos conhecíamos. "Esse é um dos meus defeitos."

"Não para mim", garantiu Arnoldo. "E como foi o lançamento do clipe?"

"Pra mim foi ótimo." Brett me encarou em busca de uma resposta.

Concordei com a cabeça, pois não queria estragar uma ocasião programada para ser a comemoração de um grande momento da banda. Àquela altura, o estrago já tinha sido feito. Eu era até capaz de compreender a motivação de Brett, mas jamais perdoaria a maneira como ele havia conduzido tudo. "Eles estão a caminho do estrelato."

"E eu posso dizer que conhecia vocês antes da fama." Arnoldo sorriu para Brett. "Comprei o primeiro single de vocês no iTunes quando ainda era sua única faixa gravada."

"Nossa, agradeço o seu apoio, cara", disse Brett. "A gente só chegou aonde chegou graças aos fãs."

"Mas não teriam chegado lá se não fossem bons." Arnoldo se virou para mim. "A sobremesa pelo menos você vai querer, não? E mais um pouco de vinho."

Quando Arnoldo se recostou na cadeira, percebi que o papel de vigia de Gideon naquela noite caberia a ele. Quando olhei para Brett, o sorriso amarelo que ele abriu revelou que ele também tinha notado isso.

"Então, Eva", começou Arnoldo, "e a Shawna, como vai?"

Soltei um suspiro silencioso. Pelo menos Arnoldo era uma pessoa bonita e agradável para fazer o papel de babá.

O motorista da limusine alugada por Brett me deixou em casa pouco depois das dez. Eu convidei Brett para subir, porque não queria parecer mal-educada. Ele ficou impressionado com a fachada do prédio, e também com a presença do porteiro e do pessoal da recepção.

"Esse seu trabalho pelo jeito paga uma fortuna", ele comentou enquanto caminhávamos até os elevadores.

Ouvi o som de sapatos de salto alto nos seguindo. "Eva!"

Senti um arrepio ao ouvir a voz de Deanna. "Imprensa na área", eu murmurei antes de me virar.

"E isso é ruim?", ele perguntou, virando-se também.

"Oi, Deanna." Eu a cumprimentei com um sorriso amarelo.

"Olá." Seus olhos escuros mediram Brett da cabeça aos pés, e depois ela estendeu a mão para ele. "Brett Kline, certo? Deanna Johnson."

"Prazer em conhecer, Deanna", ele falou, jogando todo o seu charme.

"Em que eu posso ajudar?", perguntei enquanto eles se cumprimentavam.

"Me desculpa interromper o encontro de vocês. Só fiquei sabendo que estavam juntos de novo quando vi vocês no evento da Vidal hoje à tarde." Ela sorriu para Brett. "Então quer dizer que sua briga com Gideon Cross não teve maiores consequências?"

Brett levantou as sobrancelhas. "Não sei do que você está falando."

"Ouvi dizer que você e Cross saíram no tapa um dia desses."

"Tem gente imaginando coisas por aí."

Gideon teria falado com ele? Ou o treinamento de mídia da gravadora havia ensinado Brett a não cair nesse tipo de armadilha?

Não estava gostando nada de ter Deanna por perto, vigiando meus passos. Ou melhor, os passos de Gideon. Era nele que ela estava interessada. Eu era só o caminho mais fácil para atingi-lo.

Ela respondeu abrindo um sorriso sem graça. "A minha fonte se enganou, então."

"Acontece", Brett respondeu prontamente.

A atenção dela se voltou de novo para mim. "Eu vi você com Gideon hoje, Eva. Meu fotógrafo conseguiu umas imagens ótimas de vocês dois. Vim até aqui atrás de uma declaração, mas, vendo com quem você está agora, por que não me fala a respeito do seu relacionamento com Brett?"

A pergunta era direcionada a mim, mas Brett interveio, abrindo um sorriso e revelando suas lindas covinhas. "Acho que a música 'Golden' já diz tudo. Nós temos um passado juntos, e ainda somos amigos."

"É uma ótima declaração, obrigada." Deanna me encarou. Eu a encarei de volta. "Muito bem. Não vou mais tomar o tempo de vocês. Obrigada pela atenção."

"Disponha." Eu peguei Brett pela mão e o puxei. "Boa noite."

Entramos apressadamente no elevador, e só relaxei quando a porta se fechou.

"Posso saber por que tem uma jornalista interessada em saber com quem você está namorando?"

Eu olhei bem para ele. Estava encostado no corrimão, agarrando o aparato de bronze com as duas mãos ao lado dos quadris. Era uma pose inegavelmente sensual, mas naquele momento eu só conseguia pensar em Gideon. Estava ansiosa para falar com ele.

"Ela é uma ex do Gideon – cheia de rancor."

"E isso não diz nada pra você a respeito dele?"

Eu sacudi a cabeça. "Não é o que você está pensando."

O elevador parou no meu andar e eu o conduzi até o apartamento, aflita por ter que passar na frente da porta de Gideon para chegar lá. Ele também teria se sentido assim quando foi visitar Corinne? Consumido pela culpa e pela preocupação?

Abri a porta e, para minha infelicidade, constatei que Cary não estava sentado no sofá da sala. Ao que parecia, nem em casa ele devia estar. As luzes estavam apagadas, o que era um sinal quase certo de sua ausência. Ele costumava deixar uma luz sempre acesa, onde quer que estivesse.

Acionei o interruptor e examinei a reação de Brett quando as lâmpadas do teto rebaixado iluminaram o ambiente. Eu sempre ficava meio sem graça quando as pessoas descobriam que eu era rica.

Ele me olhou e franziu a testa. "Acho que estou começando a pensar em mudar de ramo."

"Não é o meu salário que banca tudo isso. É o meu padrasto. Pelo menos por enquanto." Fui até a cozinha e deixei a minha bolsa e a minha sacola em um banquinho junto ao balcão.

"Você e Cross frequentam os mesmos lugares?"

"Às vezes."

"Então eu devo ser alguém de outro mundo pra você."

Essa afirmação me deixou um tanto desconfortável, apesar de em parte ser verdadeira. "Eu não julgo as pessoas pelo dinheiro, Brett. Quer beber alguma coisa?"

"Não, estou bem."

Apontei para o sofá, e nós fomos sentar.

"Quer dizer que você não gostou do vídeo?", ele falou, esticando o braço sobre o encosto do sofá.

"Eu não disse isso!"

"Não precisou nem dizer. Deu pra ver na sua cara."

"É que eu achei... pessoal demais."

Seus olhos verdes se acenderam de tal maneira que fiquei toda vermelha. "Eu me lembro de todos os detalhes com você, Eva. O clipe é uma prova disso."

"Mas isso é porque na verdade não tem muito do que se lembrar", eu argumentei.

"Aposto que sei de coisas sobre você que Cross não sabe nem nunca vai saber."

"O contrário também é verdadeiro."

"Pode até ser", ele admitiu, batucando com os dedos no estofado. "O meu voo está marcado pra amanhã bem cedo, mas eu posso ir mais tarde. Vem comigo. Nós vamos tocar em Seattle e San Francisco no fim de semana. Você pode voltar no domingo à noite."

"Não posso. Já tenho outros planos."

"No outro fim de semana vamos tocar em San Diego. Aparece por lá." Ele passou os dedos pelo meu braço. "Vai ser como nos velhos tempos, só que com umas vinte mil pessoas a mais."

Eu pisquei os olhos, atordoada. Era muita coincidência estarmos em San Diego no mesmo fim de semana. "É justamente quando eu marquei de ir pra Califórnia. Só Cary e eu."

"Então temos um encontro marcado."

"Como amigos", eu fiz questão de dizer, e levantei quando vi que ele estava fazendo o mesmo. "Você já vai?"

Ele chegou mais perto. "Está me pedindo pra ficar?"

"Brett..."

"Certo." Ele abriu um sorriso malicioso que fez meu coração se acelerar. "A gente se vê lá, então."

Eu o acompanhei até a porta.

"Obrigada pelo convite pro lançamento", eu falei, me sentindo estranhamente triste por ele estar indo embora tão cedo.

"Pena que você não gostou do clipe."

"Gostei, sim", eu garanti, e segurei a mão dele. "Vocês fizeram um ótimo trabalho. Só achei estranho ver a minha vida assim de fora, sabe?"

"Pois é, eu entendo." Ele segurou meu rosto com a outra mão e se inclinou para me beijar.

Eu virei o rosto, e em vez de me beijar ele acariciou meu rosto com o nariz. O cheiro de seu perfume, misturado ao odor de sua pele, atiçou meus sentidos e me trouxe boas lembranças. Sentir seu corpo tão perto do meu era algo dolorosamente familiar.

Eu tinha sido louca por ele no passado. O fato de a nossa relação ter se invertido parecia uma estranha ironia.

Brett segurou meus braços e gemeu baixinho, um som que reverberou dentro de mim. "Eu ainda me lembro do seu corpo", ele murmurou com a voz grave e rouca. "Por dentro e por fora. Mal posso esperar para sentir você novamente."

Minha respiração se acelerou. "Obrigada pelo jantar."

Ele abriu um sorriso com os lábios ainda encostados no meu rosto. "Me liga. Eu vou manter contato, pode apostar, mas você também pode me telefonar quando quiser. Certo?"

Eu fiz que sim com a cabeça e tive que engolir em seco antes de responder. "Certo."

Assim que ele foi embora, fui correndo até a bolsa para pegar o celular clandestino. Não havia nem sinal de Gideon. Nenhuma ligação perdida, e nenhuma mensagem.

Peguei minhas chaves, saí do meu apartamento e fui correndo até o dele, estava tudo escuro e sem vida. No momento em que entrei percebi que Gideon não estava lá, sem nem precisar ver se ele tinha esvaziado o conteúdo dos bolsos em uma tigela de vidro colorido que ficava perto da porta.

Sentindo que havia alguma coisa errada, voltei para casa. Larguei as chaves no balcão e fui ao quarto, e de lá diretamente para o chuveiro.

O incômodo que eu sentia na barriga não ia embora de jeito nenhum, nem mesmo depois de lavar do corpo todo o suor daquela tarde quente. Passei o xampu na cabeça e comecei a relembrar os acontecimentos do dia, ficando cada vez mais nervosa ao pensar que Gideon estava vagando por aí em vez de estar em casa comigo resolvendo as questões pendentes do nosso relacionamento.

Foi quando eu senti a presença dele.

Enxaguei o sabão do rosto, me virei e o vi tirando a gravata e entrando no banheiro. Parecia cansado e desanimado, o que me deixou ainda mais perturbada do que se estivesse com raiva.

"Oi", eu cumprimentei.

Ele ficou me olhando enquanto tirava a roupa com movimentos rápidos e metódicos. Gloriosamente nu, Gideon se juntou a mim no chuveiro, me envolvendo imediatamente em um abraço apertado.

"Oi", eu repeti, retribuindo o abraço. "O que foi? Você ficou chateado por causa do clipe?"

"Eu odiei aquele clipe", ele disse, desolado. "Deveria ter cancelado aquela porcaria toda assim que percebi que era sobre você."

"Desculpe."

Ele se afastou para me olhar. A névoa do chuveiro fez seus cabelos ficarem úmidos. Ele era muito mais sexy que Brett. E o que sentia por mim — e eu por ele — era muito mais profundo. "Corinne me ligou logo depois que o clipe acabou. Ela estava... histérica. Descontrolada. Fiquei preocupado, e fui falar com ela."

Respirei fundo, lutando para conter meu ciúme. Eu não tinha direito de reclamar, principalmente depois de ter passado aquele tempo todo com Brett. "E como é que foi?"

Ele puxou minha cabeça de leve para trás. "Fecha os olhos."

"Fala comigo, Gideon."

"Estou falando." Enquanto ele enxaguava meu cabelo, continuou: "Acho que descobri qual é o problema. Ela está tomando uns antidepressivos que estão causando reações adversas".

"Nossa."

"Ela devia ter falado com o médico se sentisse que o tratamento não estava funcionando, mas acho que nem percebeu que seu comportamento andava tão bizarro. Demorou horas pra eu conseguir fazer ela se dar conta disso, e depois entender por que está agindo daquele jeito."

Eu me endireitei e esfreguei os olhos, tentando esconder minha irritação com o fato de outra mulher estar monopolizando a atenção do meu namorado. Não era possível descartar nem mesmo a ideia de que ela estava fazendo tudo de propósito para atrair a atenção de Gideon.

Nós trocamos de lugar, e ele entrou debaixo do chuveiro. A água escorreu lentamente por seu corpo rígido e musculoso.

"Mas e agora, como é que fica?", eu perguntei.

Ele encolheu os ombros, preocupado. "Ela vai ao médico amanhã pra ver se consegue trocar a medicação."

"Não venha me dizer que você vai com ela!", eu protestei.

"Eu não sou responsável por ela." Ele me encarou fixamente, e sem dizer nada demonstrou que entendia meu medo, minha insegurança e minha raiva. Como sempre. "E foi isso o que disse pra própria Corinne. Depois liguei pro Giroux e falei a mesma coisa. Quem precisa tomar conta dela é ele."

Ele pegou o xampu, que ficava em uma das prateleiras de vidro junto com o restante de seus produtos de banho. Gideon levou suas coisas para minha casa assim que concordei em começar um relacionamento com ele, e ao mesmo tempo abasteceu seu apartamento com os produtos que eu costumava usar.

"Mas também não foi um escândalo gratuito, Eva. Deanna apareceu lá no começo da noite com as fotos que tirou de nós dois no lançamento."

"Que maravilha", eu murmurei. "Isso explica por que Deanna estava aqui de tocaia à minha espera."

"Ah, ela veio aqui também?", ele disse em um tom ameaçador que me fez sentir até pena de Deanna — por uma fração de segundo. Ela estava cavando a própria cova.

"Ela devia ter fotos suas na casa da Corinne, e queria mostrar pra mim." Eu cruzei os braços. "Essa mulher está perseguindo você."

Gideon colocou a cabeça para trás para enxaguar o cabelo, e seus bíceps se flexionaram quando ele passou os dedos entre os fios.

Ele era um homem lindo, absurdamente sensual.

Passei a língua pelos lábios, excitada ao vê-lo apesar de toda irritação que ele e Brett tinham me causado. Cheguei mais perto e passei a mão pelo peito dele.

Soltando um gemido, ele olhou para mim. "Adoro as suas mãos passeando pelo meu corpo."

"Sorte sua, porque eu sinto vontade de passar a mão em você o tempo todo."

Ele acariciou o meu rosto, com a ternura estampada nos olhos, me observando com atenção, talvez em busca de um indício de que eu estava louca para transar naquele exato momento. E, para dizer a verdade, eu não estava. Eu sentia um tremendo desejo por ele, que se fazia presente o tempo todo, mas também queria desfrutar da sua companhia de outras formas, o que se tornava difícil em situações como aquela.

"Eu precisava disso", ele falou. "Ficar com você."

"Parece que tem tanta coisa acontecendo ao mesmo tempo, né? A gente não tem um momento de sossego. Quando pensa que resolveu uma coisa, aparece outra." Passei os dedos pela musculatura de seu abdome. A sintonia entre nós foi se tornando cada vez mais nítida, aquela sensação de estar ao lado de uma pessoa amada e desejada. "Mas acho que a gente está se saindo bem, não?"

Ele beijou a minha testa. "Eu diria que sim. Mal posso esperar pra sumir daqui com você amanhã. Fugir de tudo e todos por um tempo, ter você só pra mim."

Abri um sorriso de satisfação. "Eu também mal posso esperar."

Acordei quando percebi que Gideon estava levantando da cama.

Vi que a televisão ainda estava ligada, mas sem som. Eu tinha caído no sono abraçada com ele, aproveitando um tempinho para ficarmos juntos depois de tanto tempo de distanciamento forçado.

"Aonde você vai?", eu perguntei.

"Pra cama." Ele passou a mão no meu rosto. "Estou quase dormindo."

"Não vai."

"Não me pede pra ficar."

Eu suspirei, pois compreendia o motivo de seu medo. "Eu te amo."

Gideon se inclinou sobre mim e me beijou na boca. "Não se esqueça de pôr o passaporte na bolsa."

"Não vou esquecer. Tem certeza de que não preciso levar mais nada?"

"Tenho." Ele me beijou de novo, dessa vez um beijo mais demorado.

E depois foi embora.

Escolhi um vestidinho leve de jérsei para ir ao trabalho na sexta-feira, pois queria usar algo que fosse confortável o suficiente para encarar o expediente e depois uma longa viagem de avião à noite. Não sabia para onde Gideon iria me levar, mas pelo menos tinha a certeza de que a minha roupa não me causaria nenhum incômodo.

Quando cheguei, Megumi estava falando ao telefone, então limitamos nosso cumprimento a um aceno e fui diretamente para o meu cubículo. A sra. Field apareceu por lá assim que me ajeitei na cadeira.

A diretora executiva da Waters Field & Leaman esbanjava poder e elegância vestida com seu terninho cinza-claro.

"Bom dia, Eva", ela falou. "Diga para Mark passar na minha sala quando chegar."

Eu fiz que sim com a cabeça, admirando as três fileiras de pérolas negras do colar que ela usava. "Pode deixar."

Cinco minutos depois, quando fui dar o recado para Mark, ele sacudiu a cabeça. "Aposto que não conseguimos a conta da Vinícola Adrianna."

"Você acha?"

"Eu odeio esse tipo de SDP, que envolve tudo quanto é tipo de agências. Eles não levam em conta a qualidade e a experiência. Só estão atrás de gente disposta a mostrar serviço a qualquer custo."

Nós tínhamos parado tudo o que estávamos fazendo para responder àquela solicitação de proposta, que foi entregue a Mark por causa do grande trabalho que ele vinha fazendo na conta da Vodka Kingsman.

"Azar o deles", eu falei.

"Eu sei, mas mesmo assim... Queria poder ganhar todas as concorrências. Bom, me deseja sorte e torce pra eu estar errado."

Fiz um sinal de positivo com os dois polegares, e ele tomou o caminho da sala de Christine Field. O telefone da minha mesa tocou no momento em que estava me levantando para ir pegar um café.

"Escritório de Mark Garrity", eu atendi, "Eva Tramell falando."

"Eva, querida."

Soltei um suspiro ao ouvir a voz melosa da minha mãe. "Oi, mãe. Tudo bem?"

"Você pode vir me ver? Ou de repente sair para almoçar comigo?"

"Claro. Ainda hoje?"

"Se você puder." Ela respirou fundo, e por um momento me pareceu que estava chorando. "Eu preciso muito falar com você."

"Tudo bem." Senti um nó no estômago de preocupação. Eu detestava ouvir minha mãe tão chateada. "Quer que eu vá me encontrar com você em algum lugar?"

"Clancy e eu podemos passar aí. Você sai para almoçar ao meio-dia, certo?"

"Isso mesmo. A gente se encontra aqui na frente, então."

"Ótimo." Ela fez uma pausa. "Eu te amo."

"Eu sei, mãe. Eu também te amo."

Quando desliguei, ainda fiquei algum tempo olhando para o telefone.

Como seria a minha relação com a minha família dali em diante?

Mandei uma mensagem de texto para Gideon, avisando que nosso almoço precisaria ser adiado. Antes de qualquer coisa, eu tinha que acertar os ponteiros com a minha mãe.

Saí da mesa exatamente ao meio-dia e desci para o saguão. A cada hora que passava, eu ficava mais animada para a viagem do fim de semana com Gideon. Longe de Corinne, de Deanna e de Brett.

E, assim que passei pela catraca, eu o vi.

Jean-François Giroux estava parado junto ao balcão dos seguranças, com seu visual distinto e claramente europeu. Seus cabelos escuros e ondulados estavam mais longos do que nas fotos que eu tinha visto, seu rosto estava menos bronzeado e sua expressão, muito mais dura. Seus olhos verde-claros eram ainda mais impressionantes pessoalmente, apesar de estarem vermelhos de cansaço. Pela mala deixada no chão junto aos seus pés, concluí que tinha vindo direto do aeroporto.

"*Mon Dieu*. Não é possível que os elevadores deste prédio sejam tão lentos!", ele falou para um dos seguranças com seu sotaque francês. "Ninguém demora vinte minutos apenas para descer alguns andares."

"O sr. Cross está a caminho", respondeu o guarda, impassível, sem se levantar da cadeira.

Quando sentiu que estava sendo observado, Giroux se virou para mim, e estreitou os olhos ao me ver. Ele se afastou do balcão e veio na minha direção. O terno que usava era mais justo que o de Gideon, principalmente na cintura e nas pernas. A impressão que ele me passou foi a de uma pessoa rígida e rigorosa.

"Eva Tramell?", ele perguntou, me deixando surpresa por ter me reconhecido.

"Sr. Giroux", eu estendi a mão.

Ele a pegou, mas em seguida chegou mais perto e me beijou dos dois lados do rosto. Beijos meramente protocolares, mas que ainda assim me causaram certa perplexidade. Mesmo sabendo que se tratava de um francês, eu não estava acostumada a ser cumprimentada com tanta intimidade por um estranho.

Quando ele se afastou, eu o encarei com as sobrancelhas erguidas.

"Você teria um tempinho para falar comigo?", ele perguntou, sem soltar a minha mão.

"Infelizmente, hoje não." Libertei a minha mão de seu toque com um leve puxão. Apesar da sensação de anonimato transmitida por estar em um lugar público e cheio de gente entrando e saindo, eu tinha que tomar muito cuidado com quem conversava, pois sabia que Deanna andava me rondando o tempo todo. "Tenho um compromisso agora no almoço, e depois preciso voltar direto pro trabalho."

"Amanhã, então?"

"Vou viajar no fim de semana. Só vou estar livre na segunda."

"Vai viajar... Com Cross?"

Eu virei a cabeça para observá-lo melhor, tentando entender aonde estava querendo chegar. "Não que isso seja da sua conta, mas sim."

Decidi contar a verdade para que ele soubesse que Gideon tinha uma mulher em sua vida, e não era Corinne.

"Você não se incomoda", ele falou, com um tom de voz evidentemente mais frio, "que ele tenha usado a minha mulher apenas para provocar ciúme e ter você de volta?"

"Gideon é amigo de Corinne. E amigos costumam sair juntos."

"Estou vendo que você é loira, mas não acredito que seja inocente a esse ponto."

"Estou vendo que você está nervoso", eu rebati, "mas não acredito que seja cretino a ponto de achar que pode falar assim comigo."

Percebi a presença de Gideon antes mesmo que ele se aproximasse e me pegasse pelo braço.

"Trate de pedir desculpas, Giroux", ele interveio com uma tranquilidade ameaçadora. "E desculpas sinceras."

Giroux o encarou com tamanho ódio e desprezo que senti minhas pernas fraquejarem. "Me deixar aqui esperando foi muita deselegância, Cross, até mesmo para você."

"Se fosse um insulto deliberado, você saberia." Gideon estreitou a boca.

"Estou esperando suas desculpas, Giroux. Eu sempre fui educado e respeitoso com Corinne. Eva merece esse mesmo tratamento da sua parte."

Para um observador distraído, sua pose poderia parecer tranquila e relaxada, mas eu era capaz de sentir a fúria dentro dele. Em ambos, aliás — um exaltado e outro contido, mas a tensão era visível. O espaço ao nosso redor parecia cada vez mais confinado, o que era uma loucura, considerando o tamanho e o pé-direito do saguão.

Com medo de que eles pudessem começar a se agredir em público, peguei a mão de Gideon e a apertei de leve.

Giroux olhou para nossas mãos dadas, e depois para os meus olhos. "*Pardonnez-moi*", ele falou, baixando a cabeça de leve. "Nada disso é culpa sua."

"Pode ir pro seu compromisso", Gideon murmurou para mim, acariciando a minha mão com o polegar.

Eu não me movi. Não queria sair do lado dele. "Você devia ir atrás da sua mulher, isso sim", falei para Giroux.

"Ela é que devia vir atrás de mim", ele corrigiu.

Lembrei que, quando ela o deixou, ele não veio para Nova York buscá-la. Estava ocupado demais pondo a culpa pelo fim de seu casamento em Gideon.

"Eva", minha mãe me chamou, já dentro do edifício. Ela foi se aproximando com seus saltos Louboutin e seu vestido azul combinando com seus olhos. No saguão de mármore escuro, ela chamava ainda mais atenção.

"Melhor você ir, meu anjo", Gideon falou. "Só um minuto, Giroux."

Eu ainda hesitei por um instante antes de me afastar. "Tchau, *monsieur* Giroux."

"Srta. Tramell", ele falou, desviando os olhos de Gideon. "Até a próxima."

Só saí dali porque não tinha opção. Gideon foi andando comigo até a minha mãe, e eu o encarei com uma expressão de preocupação.

Seus olhos me tranquilizavam. Ele transmitia a mesma sensação de poder e controle que senti na primeira vez em que o vi. Gideon sabia muito bem como lidar com Giroux. Ele era capaz de lidar com qualquer coisa.

"Bom almoço pra vocês", Gideon falou, e deu um beijo no rosto da minha mãe antes de se virar para mim e me beijar na boca.

Fiquei observando enquanto ele se afastava, ainda incomodada com a intensidade do olhar de Giroux na direção dele.

Minha mãe me pegou pelo braço, o que fez com que minha atenção se voltasse para ela.

"Oi", eu falei, tentando disfarçar minha inquietação. Esperei que ela perguntasse se os dois se juntariam a nós para o almoço, já que não havia nada que a agradasse mais do que a companhia de homens bonitos, mas a minha mãe não disse nada.

"Você e Gideon estão tentando fazer as coisas funcionarem entre vocês?", ela perguntou em vez disso.

"Sim."

Dei mais uma olhada para ela antes de passar pela porta giratória. Ela me parecia mais frágil do que nunca — sua pele estava pálida, e seus olhos não tinham o brilho habitual. Esperei que ela também saísse, tentando adaptar meus sentidos ao ambiente iluminado, calorento e ruidoso da rua.

Abri um sorriso para Clancy quando ele abriu a porta do carro para nós duas. "Oi, Clancy."

Enquanto minha mãe se ajeitava graciosamente no banco de trás, ele sorriu de volta. Pelo menos eu achei que tinha sido um sorriso. A boca dele se contorceu um pouco.

"Tudo bem?", eu perguntei.

Ele fez que sim com a cabeça. "E você?"

"Vou indo."

"Você vai ficar bem", ele garantiu enquanto eu entrava no carro. E parecia estar muito mais confiante quanto a isso do que eu.

Os primeiros minutos de nosso almoço foram preenchidos por um silêncio constrangedor. Ela escolheu um bistrô de comida americana contemporânea, um lugar bonito e iluminado que tornava nosso desconforto ainda mais óbvio.

Esperei que dissesse alguma coisa, já que foi ela quem propôs aquela conversa. Eu tinha muito o que falar, mas antes precisava saber qual assunto ela considerava prioritário. Seria o fato de ter instalado um rastreador no meu Rolex? Ou de ter traído Stanton com meu pai?

"Que relógio bonito", ela falou, olhando para o meu pulso.

"Obrigada." Escondi o relógio com a mão. Era um objeto precioso para mim, e profundamente pessoal. "Foi Gideon que me deu."

Ela pareceu horrorizada. "Não vai me dizer que contou para ele do rastreador?"

"Eu conto tudo pra ele, mãe. Nós não temos segredos um com o outro."

"Talvez você não tenha. Mas e ele?"

"Nós estamos bem", eu disse com confiança. "E melhorando a cada dia."

"Ah." Ela balançou a cabeça, fazendo seus cabelos curtos balançarem de leve. "Isso... Isso é maravilhoso, Eva. Ele vai saber cuidar muito bem de você."

"Ele já faz isso, e da maneira que eu mais preciso, que aliás não tem nada a ver com dinheiro."

Minha mãe comprimiu os lábios. Ela não tinha o costume de franzir a testa, pois fazia de tudo para evitar rugas em sua pele impecável. "Não despreze o dinheiro desse jeito, Eva. Você nunca sabe quando vai precisar."

Aquele comentário me irritou. Ela punha o dinheiro acima de tudo na vida, sem se importar se estava magoando as pessoas — como o meu pai — por isso.

"Não é isso", eu argumentei. "Só não trato o dinheiro como a coisa mais importante da minha vida. E, antes que você venha com o papo de que pra mim é fácil dizer isso, se Gideon perdesse tudo o que tem, eu ainda assim ficaria com ele."

"Ele é inteligente demais pra perder tudo o que tem", ela respondeu, tensa. "E, se você tiver sorte, vai fazer de tudo pra evitar problemas financeiros durante a vida."

Eu suspirei, louca para mudar de assunto. "A gente nunca vai concordar a esse respeito, você sabe disso."

Ela começou a batucar com as unhas bem-feitas nos talheres. "Você anda tão irritada comigo..."

"Você sabe que o meu pai é apaixonado por você, não é? A ponto de não conseguir seguir em frente. Acho que ele nunca vai se casar novamente. Vai acabar morrendo sem ter uma mulher pra cuidar dele."

Ela engoliu em seco, e uma lágrima escapou de seus olhos.

"Não me venha com choradeira", eu a repreendi, me inclinando para a frente. "A vítima aqui não é você."

"Eu não tenho nem o direito de sofrer?", ela rebateu, com o tom de voz mais duro que já a ouvi usar. "Não tenho o direito de chorar pelo meu coração partido? Eu também amo o seu pai. Faria de tudo para que ele fosse feliz."

"Pelo jeito seu amor não é suficiente."

"Tudo o que eu fiz foi por amor. *Tudo.*" Ela soltou uma risada nervosa. "Minha nossa... Não sei nem como você ainda me suporta, se me considera dessa forma tão ruim."

"Você é minha mãe, e sempre fez de tudo por mim. Está sempre tentando me proteger, mesmo quando faz isso da pior maneira. Eu amo vocês dois da mesma maneira. O meu pai é uma ótima pessoa, e merece ser feliz."

Com a mão trêmula, ela deu um gole em sua água. "Se não fosse por você, eu preferia nunca ter conhecido o seu pai. Nós dois seríamos mais felizes se nunca tivéssemos nos encontrado. E não tem nada que eu possa fazer a respeito."

"Você podia ter ficado com ele. Não existe outra mulher capaz de fazê--lo feliz."

"Impossível", ela sussurrou.

"Por quê? Porque ele não é rico?"

"Exatamente." Ela levou a mão à garganta. "Porque ele não é rico."

Sua sinceridade brutal cortou meu coração. Notei uma desolação em seus olhos azuis que nunca tinha visto antes. Por que ela dava uma importância tão desmedida ao dinheiro? Será que algum dia eu seria capaz de entender isso? "Mas *você* é. Isso não basta?"

Com seus três divórcios, ela havia conquistado uma fortuna de milhões de dólares.

"Não."

Fiquei olhando para ela, incrédula.

Ela desviou os olhos, e com a luz do sol os diamantes de três quilates de seus brincos reluziram em um arco-íris de cores. "Você não entende."

"Então me explica, mãe. Por favor."

Ela voltou a me encarar. "Talvez um dia. Quando você não estiver tão chateada comigo."

Eu me recostei na cadeira, e senti uma pontada de dor de cabeça. "Tudo bem. Estou chateada porque não entendo, e você não quer me explicar porque estou chateada. A gente está se entendendo muito bem mesmo."

"Desculpa, querida." Seu rosto assumiu uma expressão de súplica. "O que aconteceu entre seu pai e eu..."

"Victor. Por que não diz o nome dele?"

Ela ficou inquieta. "Quanto mais você quer me castigar?", ela perguntou baixinho.

"Não estou querendo castigar você. Só não consigo entender."

Era uma loucura querer lavar a roupa suja em um lugar tão bonito, iluminado e cheio de gente. Antes tivéssemos ido para a casa dela, ao lar que ela dividia com Stanton. Mas pelo jeito sua estratégia era se valer do fato de estarmos em um lugar público para evitar um escândalo.

"Escuta só", eu falei, já me sentindo exausta. "Cary e eu vamos sair do apartamento, vamos alugar um lugar pra nós."

Minha mãe ficou paralisada. "Quê? Como assim? Não faça isso, Eva! Você não tem por que..."

"Tenho, sim. Nathan está morto. E Gideon e eu queremos passar mais tempo juntos."

"E precisa se mudar por causa disso?" Os olhos dela se encheram de lágrimas. "Eu sinto muito, Eva. O que mais posso dizer?"

"O problema não é você, mãe." Pus o cabelo atrás da orelha, nervosa, porque o choro dela sempre me deixava abalada. "Tudo bem, sendo bem sincera, não me sinto mais à vontade morando num lugar pago por Stanton depois do que vocês fizeram lá. Além disso, Gideon e eu queremos morar juntos. Vai ser melhor pra nós começar tudo do zero, num lugar novo."

"Morar juntos?" As lágrimas dela secaram. "Antes de casar? Não, Eva. Isso seria um erro terrível. E Cary? Foi você que o trouxe para morar em Nova York."

"Ele vai continuar morando comigo." Eu ainda não tinha falado com Gideon a respeito, mas sabia que ele ia concordar. Poderíamos passar mais tempo juntos, e seria mais fácil para todos dividir o aluguel em três. "Vamos morar os três juntos."

"Você não pode morar com um homem como Gideon Cross se não for casada com ele." Ela se inclinou para a frente. "Confie em mim. Espere para fazer isso com uma aliança no dedo."

"Eu não estou com pressa pra casar", falei, apesar de estar alisando meu anel com o polegar.

"Ai, meu Deus." Minha mãe sacudiu a cabeça. "Como assim? Você não é apaixonada por ele?"

"Não tem por que apressar as coisas. Eu sou nova demais."

"Você tem vinte e quatro anos. É a idade ideal." A convicção fez minha mãe endireitar o corpo. Isso não me incomodou, porque vi que seu ânimo se recobrou um pouco. "Eu não vou deixar você estragar tudo, Eva."

"Mãe..."

"Não." Os olhos dela brilhavam, revelando uma cabeça cheia de planos. "Acredite em mim, e tire um pouco o pé do acelerador. Pode deixar que eu cuido disso."

Merda. Isso não era nada bom, já que Gideon certamente ficaria ao lado dela na questão do casamento.

18

Ainda estava pensando na minha mãe quando saí do Crossfire, às cinco horas. O Bentley estava à espera no meio-fio e, quando viu que eu me dirigia para lá, Angus desceu do carro e sorriu para mim.

"Boa tarde, Eva."

"Oi." Eu retribuí o sorriso. "Como vai, Angus?"

"Muito bem." Ele contornou por trás do carro e abriu a porta para mim.

Eu observei o seu rosto. Quanto ele saberia a respeito de Nathan e Gideon? Tanto quanto Clancy? Ou ainda mais?

Eu me ajeitei no banco traseiro, peguei o celular e liguei para Cary. Caiu na caixa postal, então deixei uma mensagem: "Oi, só estou ligando pra lembrar que vou passar o fim de semana fora. Queria que você pensasse na ideia de morar comigo e com Gideon, e na volta conversamos. Em algum lugar novo, que caiba no bolso de todo mundo. Claro que, pra ele, isso não é problema", eu acrescentei, imaginando a expressão de Cary ao ouvir aquilo. "É isso. Se precisar falar comigo e não conseguir me ligar no celular, é só mandar um e-mail. Amo você."

Assim que desliguei, a porta se abriu e Gideon entrou. "Oi, garotão."

Ele me agarrou pela nuca e me beijou na boca, me saboreando com a língua, fazendo minhas preocupações se desfazerem. Quando ele me largou, eu estava sem fôlego.

"Oi, meu anjo", ele disse com a voz rouca.

"Uau."

Gideon sorriu. "Como foi o almoço com a sua mãe?"

Eu bufei.

"Tão ruim assim, é?" Ele segurou minha mão. "Me diz como foi."

"Não sei. Foi esquisito."

"Esquisito?" Gideon parecia surpreso. "Ou constrangedor?"

"As duas coisas." Olhei para fora pelo vidro escuro quando o carro parou por causa do trânsito. As calçadas estavam tomadas de pessoas caminhando com toda a pressa. Os carros, por outro lado, estavam todos parados. "Ela é obcecada por dinheiro. Isso não é novidade, mas sempre achei que ela fosse preocupada com a segurança financeira dela mais por precaução. Mas hoje ela me pareceu... triste. Resignada."

Ele acariciou minha mão com o polegar. “Vai ver ela está se sentindo culpada por causa da traição.”

“E deveria mesmo! Mas não acho que seja isso. Tem alguma coisa nessa história, mas não sei o que é.”

“Quer que eu investigue?”

Eu me virei para encará-lo. Não respondi imediatamente, precisei pensar um pouco. “Quero, sim. Mas não me sinto muito à vontade fazendo isso. Já pesquisei coisas sobre você, o dr. Lucas, Corinne... Fico tentando descobrir o segredo das pessoas por outros modos em vez de perguntar logo de uma vez.”

“Então pergunta pra ela”, ele falou, com uma simplicidade tipicamente masculina.

“Eu perguntei. Ela disse que me contava quando eu estivesse menos chateada.”

“Mulheres”, ele ironizou, com o divertimento estampado nos olhos.

“O que Giroux queria? Você sabia que ele estava vindo pra cá?”

Ele sacudiu a cabeça. “Ele quer alguém pra pôr a culpa por seus problemas conjugais. E pelo jeito eu me encaixo bem nesse papel.”

“Por que ele não para de pôr a culpa nos outros e tenta resolver a situação? Eles precisam de um terapeuta.”

“Ou de um advogado.”

Fiquei toda tensa. “É isso que você quer?”

“O que eu quero é você”, ele falou, me agarrando e me puxando para o seu colo.

“Tarado.”

“Você não faz ideia. Tenho planos diabólicos pra você neste fim de semana.”

Seu olhar malicioso desviou meus pensamentos para coisas bem mais agradáveis. Eu estava puxando sua cabeça para beijá-lo quando o Bentley fez uma curva e de repente tudo ficou escuro. Olhei ao redor e vi que estávamos em um estacionamento. O carro desceu mais dois andares, parou em uma vaga e logo se pôs de novo em movimento.

Junto com quatro outros Bentleys pretos idênticos.

“O que está acontecendo?”, eu quis saber enquanto nos dirigíamos à saída com dois Bentleys à frente e outros dois atrás.

“Uma brincadeira de esconde-esconde”, ele falou, acariciando o meu pescoço com o nariz.

Quando os carros foram para as ruas, cada um tomou uma direção.

“Estamos sendo seguidos?”, perguntei.

“É só por precaução.” Ele encravou os dentes de leve na minha pele, fazendo meus mamilos enrijecerem. Com uma das mãos nas minhas costas, ele roçou os meus seios de leve com o polegar.

Ele me deu um beijo profundo e delicioso quando entramos em outra garagem. Paramos em uma vaga e a porta do carro se abriu. Enquanto eu tentava entender o que acontecia, Gideon saiu pela porta aberta, me puxando pela mão até o carro imediatamente ao lado.

Em menos de um minuto estávamos na rua de novo, com o outro Bentley indo na direção oposta.

"Isso é loucura", eu falei. "Pensei que a nossa viagem fosse pra outro país."

"E vai ser. Confia em mim."

"Claro que eu confio em você."

Ele virou seus olhos carinhosos para o meu rosto. "Eu sei que sim."

Não fizemos mais nenhuma parada até o aeroporto. Entramos à direita por um caminho asfaltado depois de passar por um bloqueio de segurança, e fomos caminhando até a pequena escadaria que conduzia a um dos jatinhos particulares de Gideon. A cabine era luxuosa e elegantíssima, com um sofá à direita e uma mesa com poltronas à esquerda. O comissário de bordo era um mocinho bonito vestindo calça preta e um colete com seu nome, Eric, e o logotipo das Indústrias Cross bordados na altura do peito.

"Boa noite, sr. Cross. Srta. Tramell", Eric nos cumprimentou com um sorriso. "Querem beber alguma coisa enquanto nos preparamos para a decolagem?"

"Kingsman com suco de cranberry pra mim", pedi.

"O mesmo pra mim", completou Gideon, tirando o paletó e entregando para Eric, que esperou enquanto ele se desvencilhava também do colete e da gravata.

Eu fiquei só admirando a cena, soltando um assobio ao final. "Já estou adorando essa viagem."

"Meu anjo." Ele sacudiu a cabeça, com os olhos risonhos.

Um senhor de terno azul-marinho entrou no avião. Ele cumprimentou Gideon calorosamente, apertou minha mão quando fomos apresentados, pediu para ver meu passaporte e logo se foi, fechando a porta da cabine. Gideon e eu apertamos o cinto das poltronas junto à mesa com as nossas bebidas quando o avião começou a taxiar pela pista.

"Você vai me contar pra onde estamos indo?", perguntei, erguendo um brinde com o meu copo.

Ele bateu seu copo de cristal contra o meu. "Você não prefere esperar e ter uma surpresa?"

"Depende de quanto for demorar pra chegar. Eu não vou conseguir suportar a curiosidade se a viagem durar muito tempo."

"A ideia é que você fique ocupada demais pra pensar a respeito." Ele abriu um sorriso. "Afinal de contas, estamos num veículo em movimento."

"Ah." Olhei para trás e vi um corredor estreito com algumas portas na parte de trás do avião. Uma devia ser a do banheiro, a outra, de um escritório, e a última, de um quarto. Senti a expectativa crescer dentro de mim. "E quanto tempo vamos ter pra gastar desse jeito?"

"Várias horas", ele falou.

Meus dedos dos pés se curvaram. "Ai, garotão. Você nem imagina o que eu vou fazer com você."

Ele sacudiu a cabeça. "Neste fim de semana você é toda minha, esqueceu? Era esse o trato."

"Na nossa viagem? Isso não é justo."

"Foi isso o que você disse quando fechou o acordo."

"E continua sendo verdade."

Seu sorriso se abriu ainda mais, e ele deu um gole na bebida. "Assim que o comandante der a permissão pra gente levantar, quero que você vá até o quarto e tire a roupa. Depois deite na cama e me espere por lá."

Levantei uma das sobrancelhas. "Você adora mesmo essa ideia de me encontrar sem roupa, pronta pra ser comida..."

"Ah, sim. E lembro que você tem essa mesma fantasia, mas com os papéis invertidos."

"Humm." Dei um gole na bebida, sentindo a vodca gelar minha boca e aquecer meu estômago.

O avião concluiu o processo de decolagem e o comandante fez um breve anúncio liberando a circulação pela cabine.

Gideon me lançou um olhar como quem diz: *E Então? Está esperando o quê?*

Estreitei os olhos em sua direção, levantei e peguei o meu copo, tudo com movimentos bem lentos, para provocá-lo. E me deixar cada vez mais excitada. Eu adorava me sentir à mercê dele. Por mais que adorasse vê-lo perder a cabeça por mim, era impossível negar que seu autocontrole me deixava morrendo de tesão. E eu sabia que esse domínio era absoluto, e por isso confiava nele plenamente. Não havia nada que eu não permitiria que Gideon fizesse comigo.

E essa convicção logo seria colocada à prova, pois assim que entrei no quarto vi as amarras de seda e camurça sobre o edredom branco.

Virei a cabeça à procura de Gideon, mas ele não estava mais lá. Seu copo estava vazio sobre a mesa, com os cubos de gelo reluzindo como diamantes.

Meu coração disparou. Entrei no quarto e terminei o meu drinque. A ideia de ser imobilizada durante o sexo era insuportável para mim, a não ser que fosse por Gideon, pelas suas mãos ou pelo peso do seu corpo musculoso. Nunca tínhamos ido além disso. E eu não sabia se era capaz.

Deixei o copo sobre o criado-mudo, com as mãos levemente trêmulas, sem saber se era de medo ou de excitação.

Eu sabia que Gideon jamais me machucaria. Ele se esforçava para fazer de tudo para que eu nunca ficasse com medo. Mas e se eu o decepcionasse? E se não fosse capaz de proporcionar o que ele queria? Ele já havia falado em *bondage* antes, e eu sabia que era uma de suas fantasias me ver amarrada e totalmente aberta para ele, com meu corpo todo ao seu dispor. Eu entendia esse desejo, a necessidade de tomar posse de mim sem nenhuma barreira. E sentia vontade de me entregar a ele.

Eu me despi com movimentos lentos e cuidadosos, porque ainda estava com o pulso acelerado demais, com a respiração ofegante, cheia de ansiedade. Pendurei minhas roupas em um cabide do pequeno armário, depois subi na cama. Estava segurando as amarras na mão, me perguntando se aquilo daria certo, quando Gideon entrou no quarto.

"Você não está deitada", ele disse com a voz suave, fechando e trancando a porta atrás de si.

Eu ergui as amarras.

"Feitas sob medida, especialmente pra você." Ele foi se aproximando, abrindo os botões da camisa. "Em vermelho vivo, a sua cor favorita."

Gideon se despiu lentamente como eu, me proporcionando a oportunidade de admirar cada centímetro de seu corpo. Ele sabia que a flexão de sua musculatura rígida sob sua pele sedosa era um tremendo afrodisíaco para mim.

"Será que eu estou pronta pra isso?", eu perguntei baixinho.

Sem tirar os olhos de mim, ele tirou a calça. Apenas de cueca, ele parou na minha frente e respondeu: "Nunca vou fazer nada que você não queira, meu anjo. Isso eu prometo".

Respirando fundo, eu me deitei, deixando as amarras sobre a minha barriga. Gideon veio até mim com a luxúria estampada nos olhos. Ele se acomodou na cama ao meu lado e levou minha mão até a boca, beijando meu pulso. "A sua pulsação está acelerada."

Eu confirmei com a cabeça, sem saber o que dizer.

Ele apanhou as amarras, soltando a tira de seda que unia as duas braçadeiras de camurça. "Ficar imobilizada ajuda você a se entregar, mas não precisamos ser tão literais. É mais pra criar um clima."

Meu estômago se contraiu quando ele abriu o fecho de metal. Ele largou uma sobre a perna e ergueu a outra.

"Me dá o seu pulso, meu anjo."

Estendi a mão, sentindo minha respiração sair do controle quando ele envolveu o meu braço com a camurça. A sensação daquele material bruto apertando o meu pulso acelerado foi surpreendentemente excitante.

"Não está muito apertado, né?", ele perguntou.

"Não."

"Você precisa sentir uma pressão, mas não é pra machucar."

Eu engoli em seco. "Não está machucando."

"Ótimo." Ele envolveu meu outro pulso e depois se endireitou para admirar seu feito. "Que maravilha", ele murmurou. "Me lembra o vestido vermelho que você usou na primeira vez que transamos. Aquilo foi demais pra mim, sabia? Você acabou comigo. Minha vida nunca mais foi a mesma."

"Gideon." Deixei a apreensão de lado, derretida pelo calor do seu amor e seu desejo. Eu era preciosa demais para ele. Gideon jamais desrespeitaria os meus limites.

"Estique os braços e agarre o travesseiro", ele ordenou.

Eu obedeci, e a pressão que senti nos pulsos chamou minha atenção ainda mais para as amarras. Estava me sentindo entregue. Capturada.

"Está sentindo?", ele perguntou.

Nesse momento, meu amor por ele se revelou tão intenso que até doía. "Estou."

"Vou pedir pra você fechar os olhos", ele continuou enquanto se levantava e removia a última peça de roupa que ainda faltava. Gideon estava excitadíssimo, com o pau grosso todo duro e pesado, a cabeça lubrificada pelo líquido pré-ejaculatório. Fiquei com água na boca, louca de desejo. Ele estava cheio de tesão, faminto por mim, mas seu tom de voz e seus movimentos tranquilos não revelavam nada disso.

Seu autocontrole impecável me deixou toda molhada. Gideon era tudo o que poderia haver de melhor para mim, um homem que me desejava ferozmente — algo do qual eu precisava para me sentir segura —, mas que sabia se controlar para não ir longe demais.

"E quero que você mantenha os olhos fechados se puder", ele continuou, com um tom de voz grave e tranquilizador, "mas se não estiver aguentando pode abrir. Só me diz a palavra de segurança antes disso."

"Certo."

Ele passou a tira de seda de leve pela minha pele. O fecho de metal gelado de uma das pontas tocou um dos meus mamilos, fazendo-o enrijecer. "Quero deixar uma coisa bem clara, Eva. Essa palavra de segurança não é pra mim. É pra você. Se quiser, pode falar só 'não", ou 'para', mas, assim como usar essas amarras faz você se sentir entregue, dizer sua palavra de segurança vai fazer com que recupere o controle da situação. Estamos entendidos?"

Eu fiz que sim com a cabeça, me sentindo mais à vontade a cada minuto.

"Feche os olhos."

Fiz o que ele pediu. No mesmo instante, minha atenção se voltou para a pressão em torno dos meus pulsos. O ruído e a vibração produzidos pelas turbinas do avião se tornaram mais evidentes. Meus lábios se abriram. Minha respiração se acelerou.

A tira de seda passeou pelo meu colo e chegou até o outro seio. "Você é tão linda, meu anjo. Perfeita. Ver você assim é indescritível pra mim."

"Gideon", eu murmurei, desesperadamente apaixonada por ele. "Fala mais."

Seus dedos tocaram a minha garganta, e começaram a descer lentamente pelo meu corpo. "Meu coração está tão acelerado quanto o seu."

Eu estremecia e arqueava todo o meu corpo a cada toque de sua mão, por mais leve que fosse. "Que bom."

"Meu pau está tão duro que chega a doer."

"Estou toda molhadinha."

"Me mostra", ele disse com a voz áspera. "Abre as pernas." Ele passou os dedos pela abertura do meu sexo. "É mesmo. Você está quentinha e meladinha, meu anjo."

Meu sexo se contraiu avidamente. Meu corpo todo reagiu ao seu toque.

"Ah, Eva. Que bocetinha mais gulosa você tem. Quero passar o resto da minha vida matando a fome dela."

"Pode começar agora mesmo."

Ele riu baixinho. "Na verdade, vamos começar pela sua boca. Preciso que você me chupe primeiro, pra depois comer você até a hora de pousar."

"Ai, meu Deus", eu gemi. "Por favor, me diz que esse voo não é daqueles que duram dez horas."

"Quer apanhar, é?", ele provocou.

"Mas eu estou sendo uma boa menina!"

O colchão afundou quando ele subiu na cama. Senti que ele estava ajeitando o corpo até ficar de joelhos na altura do meu ombro. "Então continue sendo, Eva. Vire pra cá e abra a boca."

Toda ansiosa, eu obedeci. A cabeça macia do seu pau roçou meus lábios, e eu abri a boca um pouco mais, sentindo uma tremenda onda de prazer ao ouvir seu gemido. Ele agarrou meus cabelos com os dedos e a minha nuca com a palma da mão. Para me segurar da maneira como queria.

"Minha nossa", ele disse ofegante. "A sua boca também é tão gulosa."

Na posição em que eu estava, deitada de costas, segurando o travesseiro, só conseguia abocanhar a cabeça do pau dele. E foi isso o que fiz, passando a língua pela abertura na ponta, deliciada pela alegria de poder me concentrar somente em Gideon. Eu não o chupava apenas para agradá-lo, muito pelo contrário, era um grande prazer também para mim.

"Isso", ele me incentivou, remexendo os quadris para explorar a minha boca. "Chupa o meu pau assim mesmo, bem gostoso. Eu vou gozar muito."

Respirei bem fundo, sentindo meu corpo reagir instintivamente ao cheiro dele. Com todos os meus sentidos voltados para Gideon, eu me entreguei ao nosso prazer.

Sonhei que estava caindo, e acordei assustada.

Com o coração disparado, percebi que o avião tinha feito uma descida brusca. Turbulência. Mas não tinha acontecido nada comigo. Nem com Gideon, que havia pegado no sono ao meu lado. Eu abri um sorriso. Quase desmaiei quando gozei depois de uma foda tão intensa que a necessidade de ter um orgasmo me deixou às raias da loucura. Era normal que ele também estivesse exausto.

Uma rápida olhada no relógio me informou que estávamos viajando fazia quase três horas. Devíamos ter cochilado por uns vinte minutos, no máximo. Eu tinha quase certeza de que ele acabou comigo por quase duas horas. A sensação do pau dele entrando e saindo de mim, acariciando e massageando meus pontos mais sensíveis, ainda era tangível.

Desci cuidadosamente da cama, para não acordá-lo, e tentei fazer o mínimo de ruído possível ao entrar no banheiro do quarto.

Revestido de madeira escura com detalhes cromados, era um lavatório elegante e masculino. O vaso tinha apoios para os braços, o que o tornava, quase literalmente, um trono, e uma janela opaca permitia que a luz de fora entrasse. Havia também um box com um chuveiro de mão. Como eu ainda estava usando as amarras, me limitei a lavar as mãos, e encontrei um creme para as mãos em uma das gavetas.

O cheiro era sutil e delicioso. Enquanto espalhava o creme, tive uma ideia. Peguei o frasco todo e levei para o quarto comigo.

Quase perdi o fôlego com a visão que tive quando voltei.

Gideon estava esparramado na cama queen-size, seu corpo volumoso dando a falsa impressão de que fosse pequena, com um dos braços sobre a cabeça e outro no peito. Uma das pernas estava dobrada e jogada para o lado, e a outra esticada até a beirada do colchão. Seu pau estava caído pesadamente sobre o abdome, com a ponta chegando quase ao umbigo.

Nossa, como ele era viril. Espantosamente. Seu corpo todo era uma demonstração impecável de elegância e força física.

E ainda assim eu conseguia fazer com que ele ficasse de joelhos por mim. Era uma experiência incrível.

Ele acordou quando eu subi na cama, piscando os olhos para mim.

"Ei", ele disse. "Vem cá."

"Eu te amo", falei e me deixei cair sobre seus braços abertos, me aninhando junto à sua pele quente e macia.

"Eva." Ele me deu um beijo carinhoso e ardente. "Nós ainda não terminamos. Não chegamos nem perto disso."

Respirando fundo para criar coragem, pus o tubo de creme sobre a barriga dele. "Agora é a minha vez de entrar em você, garotão."

Ele olhou para mim, franziu a testa e depois ficou imóvel. Senti sua respiração se acelerar. "Não era esse o acordo", ele disse, cauteloso.

"Então acho que precisamos rever alguns pontos. Além disso, ainda é sexta-feira. O fim de semana ainda não começou."

"Eva..."

"Só de pensar eu já fico louca de tesão", murmurei, envolvendo sua coxa com as minhas pernas e me esfregando nele para que sentisse que eu estava molhadinha. O toque de seus pelos contra o meu sexo me fez gemer, assim como a sensação de estar sendo ousada e despudorada. "Se você pedir eu paro. Mas vamos experimentar."

Ouvi os dentes dele rangerem audivelmente.

Eu o beijei. E o abracei com força. Quando Gideon queria que eu fizesse algo diferente, ele falava comigo para me convencer. Mas, com ele, falar talvez não fosse a melhor solução. Às vezes era mais aconselhável tentar fazê-lo se deixar levar, sem pensar muito a respeito.

"Meu anjo..."

Montei sobre ele, deixando o creme de lado para distrair sua atenção. Se era para tentarmos algo novo, era melhor que não fosse nada muito planejado. Se não fosse natural, não faríamos. Nosso relacionamento era especial demais para ser estragado por qualquer motivo que fosse.

Passando as mãos pelo seu peito, eu o acalmei, fazendo-o sentir que eu o amava. Que o idolatrava. Não havia nada que eu não fizesse por Gideon, a não ser desistir dele.

Ele me abraçou, enfiando uma das mãos nos meus cabelos, e colocando a outra na base da minha coluna, me puxando para mais perto. Sua boca estava aberta, me saboreando com sua língua. Eu me deixei levar pelo seu beijo, inclinando a cabeça para senti-lo melhor.

Seu pau endureceu entre nós, pressionando minha barriga. Ele ergueu os quadris na minha direção, diminuindo a distância entre nós, gemendo com a boca colada à minha.

Fui passando a boca pelo seu rosto até o pescoço, lambendo o suor salgado da sua pele. Fazendo movimentos de sucção ritmados, cravei meus dentes na sua pele, deixando-o marcado. Com a mão na minha nuca, ele me puxou, emitindo ruídos de prazer pelos lábios entreabertos junto aos meus.

Eu me curvei para trás e contemplei a marca vermelha que fiz em sua pele. "Meu", suspirei.

"Seu", ele confirmou com a voz áspera, com os olhos semicerrados.

"Cada pedacinho de você." Eu gemi baixinho, e comecei a brincar com seus mamilos, lambendo a pontinha, depois contornando com a língua, fazendo-o sentir um toque mais leve antes de sugá-lo com força.

Gideon sibilou quando fiz um movimento poderoso de sucção, deixando suas mãos caírem e agarrarem o edredom.

"Por dentro e por fora", eu disse baixinho antes de me ocupar com o outro mamilo.

Enquanto ia descendo pelo seu corpo, senti sua tensão crescer cada vez mais. Quando passei a língua em seu umbigo, ele se contorceu violentamente.

"Shh", eu o acalmei, passando o rosto em seu pau latejante.

Ele tinha se lavado depois da nossa primeira transa, estava cheirosinho. Seu saco pesado estava pendurado entre suas pernas, com a pele lisinha graças a um trabalho meticuloso de preparação. Eu adorava o fato de ele ser tão macio quanto eu. Quando estava dentro de mim, a ligação se tornava completa em todos os sentidos — o contato da pele contra pele amplificava ainda mais as sensações.

Com as mãos na parte interior de suas coxas, eu o forcei a afastar mais as pernas, abrindo espaço para que eu me ajeitasse mais confortavelmente. Depois disso, lambi seu saco de ponta a ponta.

Gideon gemeu. O ruído animalesco que ele soltou me deixou um tanto apreensiva. Mesmo assim, eu não parei. Meu desejo por ele era grande demais.

Usando apenas a boca, fiz de tudo para agradá-lo, chupando de leve e fazendo carícias com a língua. Depois levantei seus testículos com os polegares, para ter acesso à pele sensível logo abaixo. Suas bolas se encolheram, a pele se contraiu toda. Minha língua foi passeando até um ponto um pouco mais escondido, em uma expedição exploratória em direção ao meu verdadeiro objetivo.

"Eva. Para." Ele estava ofegante. "Eu não quero. Não faz isso."

Minha cabeça estava a mil, e eu continuei tocando seu corpo, agarrando seu pau com a mão e começando a masturbá-lo. Ele ainda estava pensando demais, se preocupando com o que viria a seguir em vez de curtir o momento.

Mas eu sabia como fazê-lo se concentrar em outra coisa.

"Por que não fazemos isso juntos, garotão?" Eu me virei e montei sobre ele, mantendo a posição invertida.

Ele me agarrou pelos quadris antes mesmo que eu me posicionasse direito, puxando meu sexo até sua boca sedenta. Eu gritei de surpresa quando ele alcançou meu clitóris, sugando avidamente. Ainda estava me sentindo inchada e sensível por causa da primeira transa, e fui invadida por uma súbita onda de prazer. Ele mostrava um apetite violento e implacável, mas motivado pelo medo e pela frustração.

Abocanhando seu pau, comecei a fazer com ele o mesmo que ele estava fazendo comigo.

Depois de uma sucção mais intensa em seu membro ereto, ele gemeu com a boca colada ao meu clitóris, quase me fazendo gozar. Gideon estava me segurando com tanta força que até doía, encravando os dedos nos meus quadris.

Eu estava adorando. Aos poucos Gideon ia se soltando e, apesar de sentir que ele estava com medo, aquilo me excitou. Ele não confiava em si mesmo quando estava comigo, mas eu sim. Era uma confiança conquistada a custo de sangue e lágrimas, mais valiosa que qualquer outra coisa na minha vida.

Eu não parava de masturbá-lo, aparando com a língua todo o líquido pré-ejaculatório que ele ia soltando. Percebi que ele estava tremendo quando nos virou e nos posicionou lado a lado em vez de um em cima do outro.

Ele me chupava com força e com vontade, enfiando a língua no meu sexo e me levando à loucura com suas estocadas furiosas. Encostei de leve a ponta do dedo na abertura do seu ânus, sem tirar a boca do seu membro ereto. Ele estremeceu, e o gemido grave que soltou fez minha pele inteira se arrepiar.

Meus quadris se remexiam sem que eu me desse conta, esfregando meu sexo contra sua boca faminta. Eu gemia sem parar, sentindo meu ventre ser contraído por pequenos tremores de deleite. Ele estava me fodendo gostoso com a língua... me deixando maluca.

Ele começou, então, a fazer o mesmo que eu com a ponta do dedo, massageando a entrada do meu traseiro. Com a mão livre, eu procurei pelo creme que tinha levado para o quarto.

Gideon entregou o tubo para mim, dando o tão necessário sinal de seu consentimento.

Eu mal tinha aberto a tampinha quando senti seu dedo escorregar para dentro de mim. Arqueei as costas, tirei seu pau da boca e sussurrei seu nome, deixando meu corpo absorver o choque da penetração repentina. Ele havia lubrificado os próprios dedos antes de me passar o tubo.

Por um momento, eu me ocupei só de senti-lo por inteiro — ao meu lado, dentro de mim, com seu corpo junto ao meu. E seu toque não era nada suave. Seu dedo entrava e saía de mim intensamente, me fodendo, demonstrando uma certa dose de raiva. Eu o estava levando em uma direção na qual ele não gostaria de ir, e por isso Gideon estava me punindo com um prazer intenso, mas apressado.

Eu não fui assim tão implacável com ele. Abri a boca e voltei a chupar seu pau. Deixei o creme esquentar nos meus dedos antes de tocá-lo. E esperei que ele relaxasse, se abrisse para mim, antes de penetrá-lo com um único dedo.

O ruído que ele soltou era diferente de tudo que eu já tinha ouvido. Parecia o grito de um animal agonizante, sofrendo de uma dor que vinha da alma. Ele ficou paralisado, respirando profundamente junto ao meu sexo, com o dedo enterrado em mim, e o corpo todo trêmulo.

Eu parei de chupá-lo para falar: "Agora estou dentro de você, amor. Você está se saindo muito bem. Vou te dar muito prazer".

Ele perdeu o fôlego quando fui um pouco mais fundo, estimulando sua próstata com a ponta do dedo. "*Eva!*"

Seu pau inchou ainda mais, ficou todo vermelho, com as veias saltadas, e o líquido pré-ejaculatório escorreu por sua barriga. Estava duro como pedra, encurvado sobre o abdome, logo acima do umbigo. Vê-lo assim tão excitado me deixou louca de tesão.

"Você é meu." Remexi o dedo de levinho dentro dele, enquanto passava a língua por todo o seu membro ereto. "Eu te amo demais, Gideon. Estou adorando fazer isso com você... ver você desse jeito."

"Ah, nossa." Ele estremeceu violentamente. "Me fode, meu anjo. Agora", ele soltou por entre os dentes. "*Com força.*"

Eu abocanhei seu pau duro e fiz o que ele pediu, massageando-o por dentro e fazendo-o gemer e se contorcer sob um bombardeio de diferentes sensações. Ele me soltou e arqueou o corpo para trás, mas eu continuei a segurá-lo com a boca e com a mão, puxando-o para mais perto.

"Ah, meu Deus", ele gemeu, agarrando o edredom com as mãos até rasgá-lo, produzindo um som que reverberou pelo espaço confinado em que nos encontrávamos. "Para. Eva. Já chega. Puta que pariu!"

Enfiei o dedo com mais força e o suguei com vontade, e nesse momento ele gozou com tamanha intensidade que até engasguei com seu fluido quente. Gideon continuou esporrando sobre os meus lábios quando o tirei da boca, e depois sobre os meus seios e sua própria barriga, em um jorro tamanho que era difícil acreditar que ele tinha acabado de gozar pouco tempo antes. Eu podia sentir as contrações na ponta do meu dedo, as pulsações violentas que faziam com que mais e mais esperma saísse do seu pau.

Só tirei o dedo quando senti que seu corpo se acalmou, e me virei, toda trêmula, para abraçá-lo. Estávamos suados e melados, e adorei o fato de que isso não fazia a menor diferença.

Gideon afundou seu rosto úmido entre os meus seios e começou a chorar.

19

O local escolhido por Gideon era paradisíaco. O piloto nos conduziu até as Ilhas de Barlavento, voando baixo sobre as águas absurdamente azuis do mar do Caribe pousou em um aeroclube privado não muito longe de nosso destino final, o resort Crosswinds.

Ainda estávamos meio abalados quando o avião aterrissou. Afinal, Gideon havia tido o maior orgasmo da sua vida. Quando nossos passaportes foram carimbados, ainda estávamos com os cabelos molhados e nos mantínhamos de mãos dadas. Mal abríamos a boca para falar, tanto entre nós como com os demais. Acho que ainda estávamos nos sentindo muito expostos.

Entramos na limusine que estava à nossa espera, e Gideon se serviu de uma bebida. Seu rosto não revelava nenhum sentimento. Suas barreiras estavam todas erguidas, impenetráveis. Sacudi a cabeça quando ele ergueu o copo de cristal, perguntando, sem dizer nada, se eu também queria alguma coisa.

Ele se sentou ao meu lado e passou o braço por sobre os meus ombros.

Eu me debrucei sobre ele, pondo as pernas em cima do seu colo. "Está tudo bem?"

Ele me deu um beijo na testa. "Sim."

"Eu te amo."

"Eu sei." Ele virou a bebida e pôs o recipiente vazio no porta-copos.

Não dissemos mais nada no caminho do aeroclube até o resort. Já estava escuro quando chegamos, mas o saguão a céu aberto era bem iluminado. Decorado com plantas belíssimas e com acabamento em madeira escura e cerâmica, o balcão recebia os hóspedes com uma mistura de elegância e rusticidade.

O gerente do hotel estava à nossa espera na área circular de desembarque quando chegamos, com uma aparência impecável e um sorriso aberto. Ele estava claramente empolgado por receber Gideon ali, e pareceu ainda mais satisfeito ao descobrir que ele sabia seu nome — Claude.

Claude falava animadamente, e nós o seguíamos de mãos dadas, sem nos soltar nem por um segundo. Olhando para Gideon, ninguém diria que havíamos compartilhado um momento de tanta intimidade apenas uma hora antes. Meus cabelos depois de secos estavam desarrumados, enquanto os dele permaneciam impecáveis. Seu terno estava passado e alinhado, enquanto o meu vestido já mostrava o desgaste de um dia inteiro de uso. Minha maquiagem tinha saído completamente no banho, me deixando pálida e com olheiras.

Ainda assim, pela maneira como me conduziu ao interior da nossa suíte, pondo a mão na parte inferior das minhas costas, Gideon deixou bem claro seu temperamento possessivo. Ele fazia com que eu me sentisse segura e desejada, apesar de sua postura distante e profissional diante do gerente.

Era uma das coisas que eu mais adorava nele.

Só queria que ele não estivesse tão quieto. Aquilo estava me deixando preocupada, me fazendo questionar a decisão de ter insistido mesmo depois de ele ter pedido mais de uma vez para que eu parasse. Quem era eu para dizer do que ele precisava para superar seus traumas?

Enquanto o gerente continuava a falar com Gideon, fui andando pela enorme sala da suíte, com sua varanda imensa e seus sofás brancos espalhados pelo piso de bambu. O quarto principal era igualmente impressionante, com uma cama espaçosa coberta por um mosquiteiro e uma varanda que dava para uma piscina privativa que parecia se juntar à imensidão do mar logo à frente.

Uma brisa leve soprava da praia, beijando meu rosto e se espalhando pelos meus cabelos. A lua recém-surgida se refletia no oceano, e o som das risadas distantes e do reggae fez com que eu me sentisse isolada, e não de uma maneira agradável.

Nada parecia bom quando Gideon não estava bem.

"Gostou?', ele perguntou baixinho.

Eu me virei para olhá-lo e ouvi o som da porta se fechando à distância. "É maravilhoso."

Ele acenou com a cabeça. "Pedi para servirem o jantar aqui mesmo. Tilápia, arroz, frutas frescas e queijo."

"Que ótimo. Estou morrendo de fome."

"Tem roupas pra você no armário e nas gavetas. E biquínis também, mas a piscina e a praia são privativas, então você só precisa usar se quiser. Se estiver faltando alguma coisa, é só me dizer que eu providencio."

Fiquei olhando para ele, sentindo a distância entre nós. Seus olhos brilhavam à luz fraca dos abajures do quarto. Ele parecia irritado e distante, e eu senti um nó na garganta e lágrimas se acumulando nos meus olhos.

"Gideon..." Estendi a mão para ele. "Me diz se eu exagerei na dose. Se estraguei alguma coisa entre nós."

"Meu anjo." Ele suspirou e se aproximou para pegar a minha mão e me beijar de leve nos lábios. Mais de perto, pude ver que ele desviou os olhos, como se fosse doloroso olhar para mim. Senti meu estômago se revirar. "Crossfire."

Ele disse isso tão baixinho que quase me perguntei se não tinha sido minha imaginação. Depois me envolveu nos braços e me beijou.

"Garotão." Fiquei na ponta dos pés, o agarrei pela nuca e retribuí o beijo com todas as minhas forças.

Ele se desvencilhou de mim com uma certa pressa. "Vamos trocar de roupa antes que a comida chegue. Quero vestir alguma coisa mais leve."

Recuei com passos relutantes, mesmo concordando que ele devia estar com calor naquele terno, senti que havia alguma coisa errada. Essa sensação se tornou ainda mais forte quando Gideon foi para o outro quarto se trocar e eu me dei conta de que não dormiríamos juntos.

Tirei os sapatos dentro de um closet abastecido com muito mais roupas do que o necessário para um fim de semana. A maior parte das peças era branca. Gideon gostava de me ver de branco. Desconfiei que fosse porque ele me via como seu anjo.

Mas será que ainda me via dessa forma naquele momento? Ou como um demônio? Uma vadia egoísta que o fez relembrar situações que ele preferiria esquecer?

Escolhi um vestidinho de malha preto, que combinava com o meu estado de humor funesto. Parecia que algo havia morrido entre nós.

Gideon e eu tivemos muitos momentos difíceis antes deste, mas ele jamais havia ficado assim tão distante, tão desconfortável e inquieto.

Era o tipo da coisa que eu já tinha vivido com outros caras, pouco antes de me dizerem que não queriam mais nada comigo.

O jantar chegou e foi lindamente servido na mesa do terraço, com vista para a praia particular. Vi uma cabana branca na areia e me lembrei do sonho de Gideon: nós dois em uma espreguiçadeira perto do mar, fazendo amor.

Senti meu coração doer.

Dei dois goles no vinho branco frutado e comecei a comer, apesar de ter perdido o apetite. Gideon se sentou à minha frente vestindo uma calça larga de linho branco e nada mais, o que só piorou as coisas para mim. Ele era tão lindo e tão gostoso que era impossível não ficar de boca aberta, admirando. Mas sua cabeça estava a quilômetros dali. Ele era apenas uma presença silenciosa e marcante, que me fez desejá-lo com todas as forças do meu ser.

Nosso distanciamento emocional estava se tornando cada vez maior. Para mim, já havia se tornado intransponível.

Afastei meu prato quando terminei, e percebi que Gideon mal tinha tocado na comida. Ele havia dado umas poucas garfadas, mas me ajudou a acabar com a garrafa de vinho.

Respirando fundo, eu falei: "Desculpa. Eu não devia... Eu não..." Engoli em seco. "Desculpa, amor", eu sussurrei.

Saí da mesa ruidosamente, arrastando a cadeira sobre o piso de cerâmica, e me afastei dali às pressas.

"Eva! Espera."

Senti a areia morna sob os meus pés e saí correndo na direção do mar, tirando o vestido e entrando na água quente como a de uma banheira. A praia era rasa ao longo de vários metros, mas depois tinha uma queda súbita que me fez mergulhar, até a cabeça. Abracei os joelhos e comecei a afundar, agradecida por estar submersa e bem escondida quando comecei a chorar.

A sensação de estar flutuando na água aplacou o peso que eu sentia no coração. Meus cabelos boiavam ao meu redor, e eu sentia os peixes roçarem minha pele de leve enquanto fugiam diante da invasão de seu mundo pacífico e silencioso.

Meu corpo reagiu instintivamente ao ser puxado para fora d'água, tossindo e cuspindo água.

"Meu anjo." Gideon grunhiu e me beijou na boca com vontade enquanto saíamos do mar e voltávamos para a praia. Ele me levou até a cabana e me deitou na espreguiçadeira, me cobrindo com o peso do seu corpo antes que eu tivesse a chance de recuperar o fôlego.

Ainda estava meio tonta quando o ouvi dizer: "Casa comigo".

Mas não foi por isso que respondi: "Sim".

Gideon tinha entrado na água atrás de mim de calça e tudo. Senti o linho ensopado grudar nas minhas pernas descobertas enquanto ele me beijava como se estivesse morrendo de sede e eu fosse a única fonte capaz de saciá-lo. Ele segurava meus cabelos, me mantendo imóvel. Sua boca fazia movimentos frenéticos, tanto com os lábios inchados como com a língua ávida e possessiva.

Fiquei deitada sob ele sem me mover. Em choque. Foi quando entendi tudo.

Ele estava aflito porque queria me pedir em casamento, e não me abandonar.

"Amanhã", ele soltou por entre os dentes, esfregando seu rosto no meu. A barba já começava a deixar seu rosto áspero, e o atrito com a minha pele fez com que de repente eu me desse conta de onde estava e do que estava acontecendo.

"Eu..." Minha mente estava a mil por hora.

"É só dizer *sim*, Eva." Ele ergueu o corpo e me encarou fixamente. "É uma palavra bem simples... sim."

Eu engoli em seco. "A gente não pode casar amanhã."

"Claro que pode", ele disse, convicto, "não só pode como vai. Eu preciso disso, Eva. Dos votos, da certidão em papel passado... Vou enlouquecer se não tiver tudo isso com você."

Senti o mundo todo girar, como se estivesse em um daqueles brinquedos de parque de diversão que rodam a toda velocidade. "É cedo demais", eu protestei.

"Como você pode me dizer isso depois do que aconteceu no avião?", ele disparou. "Você *tomou posse* de mim, Eva. E agora eu preciso fazer o mesmo."

"Não estou conseguindo respirar", eu falei, quase sem fôlego, em meio a um inexplicável acesso de pânico.

Gideon rolou para o lado, me puxou para cima dele e me abraçou. Me tomou para si. "É isso que você quer", ele insistiu. "Você me ama."

"É verdade." Deixei a cabeça cair sobre o seu peito. "Mas você está apressando as..."

"Você acha que eu decidi fazer o pedido assim do nada? Pelo amor de Deus, Eva, você me conhece. Estou planejando isso faz semanas. Só penso nisso há um tempão."

"Gideon... nós não podemos casar escondidos."

"Não o cacete."

"E a nossa família? E os nossos amigos?"

"Podemos fazer uma cerimônia só pra eles. Isso também está nos meus planos." Ele afastou os cabelos molhados do meu rosto. "Quero fotos nossas nos jornais, nas revistas... em todos os lugares. Mas isso vai demorar meses, e eu não posso esperar tanto assim. Vamos fazer isso agora, só nós dois. Não precisamos contar pra ninguém se você não quiser. Podemos dizer que ficamos noivos. Vai ser o nosso segredo."

Eu o encarei, sem saber o que dizer. Sua pressa e sua impetuosidade transmitiam ao mesmo tempo um sentimento romântico e assustador.

"Eu pedi a permissão do seu pai", ele continuou, me deixando em choque mais uma vez. "Ele não fez nenhuma..."

"Quê? Quando?"

"Quando ele estava em Nova York. Surgiu a oportunidade, e eu falei com ele."

Por alguma razão, aquilo me deixou magoada. "Ele não me disse nada."

"Porque eu pedi pra ele não dizer. Falei que a ideia era que não fosse tão já. Eu ainda estava preocupado em saber se você ia me aceitar de volta. Tenho tudo gravado, então você pode ouvir a conversa se não acreditar em mim."

Eu pisquei os olhos, confusa. "Você gravou a conversa?", eu perguntei.

"Não queria deixar nada na mão do acaso", ele falou sem o menor constrangimento.

"Você disse que não seria tão já. Ou seja, mentiu pra ele."

Ele abriu um sorriso. "Não menti não. Já se passaram vários dias."

"Ai, meu Deus. Você é maluco."

"Provavelmente. Mas foi você que me deixou assim." Ele me beijou com força no rosto. "Não consigo viver sem você, Eva. Não consigo nem imaginar isso. Só de pensar, já fico à beira da loucura."

"Essa sua ideia é uma loucura."

"Por quê?" Ele franziu a testa. "Nós somos feitos um pro outro, então por que esperar?"

Os argumentos contrários brotaram instantaneamente na minha cabeça. Todas as razões que tínhamos para esperar, todas as armadilhas possíveis que pareciam tão óbvias. Mas não consegui dizer nada.

"Você não tem opção", ele disse com veemência, me abraçando e levantando da espreguiçadeira. "Nós vamos fazer isso, Eva. Aproveite bem os seus últimos momentos como uma mulher solteira."

"Gideon", eu suspirei, sacudindo a cabeça ao sentir o orgasmo tomar conta de mim.

Seu suor gotejava sobre o meu peito, e seus quadris remexiam incansavelmente para movimentar seu magnífico pênis dentro de mim, entrando e saindo, recuando e depois indo fundo de novo.

"Isso", ele falou com a voz áspera, "aperta o meu pau assim mesmo. Você é uma delícia, meu anjo. Vai me fazer gozar de novo."

Eu precisava me esforçar para respirar, sentindo o corpo pesado e cansado pela tentativa de acompanhar seu ritmo. Ele havia me acordado duas vezes, falando justamente o que eu queria ouvir, implantando no meu cérebro e no meu corpo a ideia de que eu pertencia a ele, de que ele podia fazer o que quisesse comigo.

Isso me deixava morrendo de tesão.

"Humm..." Ele gemeu, metendo mais fundo. "Você está toda meladinha com a minha porra. Adoro o jeito como você fica depois de dar pra mim a noite toda. Quero isso pro resto da vida, Eva. Nunca mais vou parar."

Agarrei seu quadril com a perna, mantendo-o dentro de mim. "Me beija."

Ele abriu um sorriso malicioso com a boca colada à minha.

"Quero o seu amor", eu exigi, cravando as unhas nos seus quadris.

"Isso você já tem, meu anjo", ele sussurrou, abrindo ainda mais o sorriso. "Isso você já tem."

Quando acordei, ele não estava mais lá.

Puxei os lençóis mais para cima, sentindo o cheiro de sexo e de Gideon sobre mim, e inalei profundamente a brisa salgada que entrava pela janela aberta.

Fiquei deitada por um tempo, pensando na noite anterior, nas semanas anteriores e nos meses anteriores, antes de conhecer Gideon. E um pouco mais além. Pensei em Brett e nos meus outros namorados. Em uma época em que eu tinha a certeza de que jamais encontraria um homem que me amasse como eu era, com os meus traumas e as minhas inseguranças.

O que mais eu poderia dizer além de sim quando por milagre enfim o encontrei?

Desci da cama e senti a empolgação de que encontraria Gideon e concordaria em me casar com ele sem contestações. Estava adorando a ideia de estar sozinha com ele, de fazer nossos votos longe dos olhares de quem duvidava do nosso relacionamento ou torcia para que desse errado. Depois de tudo que havíamos passado, fazia todo o sentido um recomeço baseado apenas no amor, na esperança e na felicidade.

Eu deveria ter desconfiado dos planos dele, de me trazer para um local tão exclusivo. Era óbvio que o casamento ideal para nós dois seria em uma praia, que tantas lembranças boas nos traziam, como a da nossa última viagem juntos, para a Carolina do Norte.

Quando vi o café da manhã sobre a mesinha de centro da sala da suíte, abri um sorriso. Havia também um robe branco de seda no encosto da cadeira.

Gideon nunca deixava passar nenhum detalhe.

Vesti o robe e estendi a mão para servir um pouco de café em uma xícara. Precisava de uma dose de cafeína antes de procurá-lo e dar minha resposta. Foi quando vi o acordo pré-nupcial sobre a bandeja do café.

Minha mão ficou paralisada antes de apanhar o bule. O documento estava posicionado sob uma rosa vermelha em um vaso branco, bem ao lado dos talheres e do guardanapo.

Não sei por que fiquei tão surpresa e... chateada. Obviamente, Gideon tinha planejado tudo nos mínimos detalhes — a começar pelo acordo pré-nupcial. Afinal de contas, no início, ele não havia tentado estabelecer um relacionamento comigo nos termos de uma transação comercial?

Toda a felicidade e empolgação desapareceram de dentro de mim em um instante. Desanimada, deixei a bandeja por lá mesmo e fui tomar um banho. Demorei bastante no chuveiro, fazendo tudo em câmera lenta. Para mim, era preferível dizer não do que permitir que um documento cartorial pusesse um preço no meu amor, que era precioso e inestimável.

Ainda assim, temi que fosse tarde demais, que o estrago já tivesse sido feito e fosse irremediável. Só o fato de eu saber que aquele documento existia já mudava tudo. Por outro lado, eu conseguia entender as razões dele. Afinal, ele era Gideon Cross, um dos vinte e cinco homens mais ricos do mundo. Seria inconcebível se ele não propusesse um acordo pré-nupcial. Eu não era ingênua a esse ponto. Devia saber que não existem príncipes encantados e nem castelos no céu.

Ao sair do banho, pus um vestidinho leve, prendi os cabelos em um rabo de cavalo e fui tomar café. Servi uma xícara para mim, acrescentei creme e adoçante e peguei o documento para ler lá fora, na varanda.

De lá, pude ver que na praia os preparativos para o casamento já tinham começado. Um arco coberto de flores havia sido posicionado perto da linha d'água, e fitas de cetim brancas tinham sido estendidas sobre a areia, formando um corredor até o altar.

Decidi sentar de costas para a praia, porque aquela visão era incômoda para mim.

Dei um gole de café, esperei os primeiros efeitos da cafeína e depois dei outro. Só fui tomar coragem de ler o documento depois de beber metade da xícara. As primeiras páginas detalhavam os bens de que dispúnhamos antes do casamento. A lista de Gideon era impressionante. *Como ele arruma tempo pra dormir?* A princípio achei que a quantidade de dinheiro atribuída a mim estava errada, mas depois lembrei que a minha fortuna já estava rendendo dividendos fazia tempo.

Stanton conseguiu dobrar os meus cinco milhões de dólares.

Nesse momento, percebi a estupidez que estava fazendo deixando aquele dinheiro no mercado financeiro em vez de investi-lo em algo que pudesse ser útil para pessoas que precisam. Senti que a minha obrigação era dar um bom destino a esses recursos, e não fingir que eles não existiam. Fiz uma anotação mental para pôr isso em prática assim que chegasse a Nova York.

Foi quando a leitura do acordo pré-nupcial começou a ficar interessante.

A primeira exigência de Gideon era que eu adotasse o nome Cross. Eu podia manter o sobrenome Tramell como nome do meio, mas sem nenhum hífen o ligando ao seu. *Eva Cross* — era uma condição inegociável. E combinava perfeitamente com ele. Meu namorado dominador não fazia a menor questão de esconder sua mentalidade de homem das cavernas.

O segundo artigo estipulava que eu ganharia dez milhões de dólares com o casamento, dobrando a minha fortuna pessoal com o simples ato de dizer *sim*. A cada ano, ele me daria mais dinheiro. Haveria bônus para cada criança nascida da nossa união, e gratificações por comparecer a sessões de terapia de casal. Eu teria que concordar também em esgotar todas as instâncias de aconselhamento e mediação antes de um eventual pedido de divórcio. Precisaria aceitar também morar na mesma casa que ele, fazer viagens de férias a cada dois meses, saídas à noite como casal...

Quanto mais eu lia, mais clara sua intenção ia ficando. Gideon não estava propondo aquele acordo para preservar seus bens materiais. Quanto a isso ele não fazia objeções, concordava plenamente que metade do que ganhasse depois do nosso casamento seria meu. A não ser que ele me traísse. Nesse caso, haveria uma severa sanção financeira.

Aquele acordo era uma garantia para o seu coração, uma forma de me prender irrevogavelmente a ele, não importa o que acontecesse. Gideon estava me oferecendo tudo o que tinha na vida.

Ele apareceu na varanda quando cheguei à última página, vestindo apenas uma calça jeans. Eu sabia que sua chegada num momento tão conveniente não era acidental. Gideon devia estar me vigiando de algum lugar, observando minha reação.

Limpei as lágrimas do meu rosto com uma casualidade muito bem ensaiada. "Bom dia, garotão."

"Bom dia, meu anjo." Ele se curvou e me beijou na bochecha antes de se sentar ao meu lado à mesa.

Um funcionário do hotel apareceu com o café da manhã e o serviu sobre a mesa antes de desaparecer silenciosamente.

Olhei para Gideon, constatando que a brisa tropical fazia bem para ele e seus cabelos sedosos. Sentado ali ao meu lado, todo viril e casual, ele não parecia ser o responsável por aquele documento cheio de cifrões.

Voltei para a primeira página, pus a mão sobre o documento e falei: "Não existe nada nesse documento que me obrigue a ficar casada com você".

Ele respirou fundo. "Então vamos reformular algumas coisas. Pode falar quais são suas exigências."

"Eu não quero seu dinheiro. O que eu quero é isto", fiz um gesto apontando para o seu corpo. "E principalmente isto." Pus a mão sobre o seu coração. "Você é a única coisa capaz de me segurar, Gideon."

"Isso eu não sei como fazer, Eva." Ele me pegou pela mão e a pôs sobre o peito. "Eu vou estragar tudo. E você vai querer fugir."

"Eu não faço mais isso. Você não percebeu?"

"Percebi que você saiu correndo pro mar ontem à noite e afundou como uma pedra!" Ele se inclinou para a frente e me encarou. "É besteira recusar o acordo só por uma questão de princípios. Se não existe nada aí que não seja inaceitável pra você, então assine. Por mim."

Eu me recostei na cadeira. "Nós dois ainda temos um longo caminho pela frente", falei baixinho. "Não é um documento que vai fazer que a gente acredite um no outro. Estamos falando de confiança, Gideon."

"Bom, nesse caso..." Ele hesitou. "Eu acho que mais cedo ou mais tarde posso acabar estragando tudo, e você não acredita que é tudo o que eu preciso. Mas um no outro a gente confia. Quanto ao resto, podemos resolver tudo juntos."

"Tudo bem." Quando vi seus olhos se iluminarem, senti que estava tomando a decisão certa, ainda que parte de mim ainda tivesse a certeza de se tratar de uma decisão precipitada. "Só tenho uma objeção."

"Pode falar."

"A questão do nome."

"Isso não é negociável", ele rebateu no ato, fazendo um gesto com a mão.

Eu levantei uma sobrancelha. "Não vem dar uma de troglodita pra cima de mim. Quero ter o nome do meu pai também. Ele queria isso e é algo que o incomodou durante toda a minha vida. E agora eu tenho a chance de reparar essa injustiça."

"Então seu nome vai ser Eva Lauren Reyes Cross?"

"Eva Lauren Tramell Reyes Cross."

"Isso é nome que não acaba mais, meu anjo", ele resmungou, "mas se deixa você feliz... Pra mim está ótimo."

"O que me faz feliz é você", eu falei, me inclinando para a frente e oferecendo meus lábios para ele.

Ele me beijou de leve. "Vamos oficializar tudo, então."

Eu me casei com Gideon Geoffrey Cross descalça em uma praia do Caribe, com um gerente de hotel e Angus McLeod como testemunhas. Nem sabia que Angus estava lá, mas fiquei feliz com a sua presença.

Foi uma cerimônia simples, rápida e linda. Meu vestido tomara que caia bem justo até a cintura tinha uma saia com pétalas de organza que ia até os pés, era sexy e romântico. Meus cabelos estavam presos em um coque elegante, com uma rosa espetada. O hotel nos ofereceu um buquê de jasmins brancos.

Gideon também estava descalço, usando calça grafite e uma camisa branca. Eu chorei quando ele fez seus votos com a voz firme e segura, enquanto em seus olhos era possível ver toda a sua emoção.

Ele me amava muito.

Foi uma cerimônia íntima e profundamente pessoal. Perfeita.

Sentia falta da minha mãe, do meu pai e de Cary. Também queria que Ireland estivesse lá, e Stanton, e Clancy. Quando Gideon se inclinou para consumar nosso casamento com um beijo, ele murmurou: "Nós podemos fazer isso de novo. Quantas vezes você quiser".

Eu o amava muito.

Angus se aproximou e beijou os dois lados do meu rosto. "Que bom ver vocês dois tão felizes."

"Obrigada, Angus. Você cuidou muito bem dele."

Ele sorriu, e seus olhos brilharam quando se voltaram para Gideon. Ele disse algo com seu carregado sotaque escocês que eu não fui capaz de entender. O que quer que fosse, fez os olhos de Gideon brilharem também. Como não imaginar que eles haviam estabelecido uma relação de pai e filho ao longo de todos aqueles anos? Eu sempre seria grata por todo o afeto e apoio que ele ofereceu a Gideon nos momentos em que ele mais precisava.

Cortamos o pequeno bolo e brindamos com champanhe na varanda da suíte. Assinamos o livro de registros do reverendo e a certidão de casamento. Gideon passou os dedos de leve sobre o documento.

"Era disso que você precisava?", eu provoquei. "De um pedaço de papel?"

"Eu precisava de você, sra. Cross." Ele me puxou para perto. "Só isso."

Angus apanhou o acordo pré-nupcial e a certidão de casamento e levou consigo quando saiu. Os documentos seriam devidamente registrados em cartório pelo gerente do hotel e devolvidos para Gideon guardar junto com seus demais papéis.

Quanto a Gideon e eu, nós acabamos na cabana, onde nos agarramos sem roupa, bebemos champanhe, entregamos nossos corpos um ao outro e nos beijamos sem pressa à medida que o sol se punha.

Isso também foi perfeito.

"E então, como é que a gente vai explicar tudo isso quando voltar?", eu perguntei enquanto jantávamos à luz de velas na sala da suíte. "Essa história de sumirmos do mundo e voltarmos casados?"

Gideon encolheu os ombros e lambeu a manteiga derretida do polegar. "Como você quiser."

Arranquei a carne de uma perna de caranguejo e considerei as opções. "Pro Cary eu preciso contar. E acho que o meu pai não vai se incomodar. Eu meio que já mencionei isso uma vez, e você pediu a permissão dele, então está tudo certo. E acho que pro Stanton não vai fazer muita diferença, né?"

"Não mesmo."
"Só estou preocupada com a minha mãe. As coisas entre nós não andam boas. Acho que ela vai adorar saber que nós casamos" — fiz uma pausa, como quem ainda não acredita que aquilo fosse mesmo verdade — "mas não quero que ela pense que não foi incluída na cerimônia porque eu estava com raiva dela."
"Então é só dizer pra todo mundo que só ficamos noivos."
Mergulhei a carne de caranguejo na manteiga derretida, ainda tentando me acostumar à ideia de que veria Gideon sem camisa e relaxado muitas vezes dali em diante. "Ela vai surtar se achar que vamos morar juntos antes do casamento."
"Bom, então é melhor resolver isso o quanto antes", ele respondeu secamente. "Você é a minha mulher, Eva. Se todo mundo sabe disso ou não, não faz diferença, porque *eu* sei. Quero encontrar você na minha casa todos os dias quando chegar, tomar café da manhã com você ao acordar, ajudar você a fechar o zíper do seu vestido de manhã e a abri-lo à noite."
Observando enquanto ele partia uma perna de caranguejo com a mão, eu perguntei: "Você vai querer usar aliança?".
"Claro que vou."
Isso me fez sorrir. Ele parou o que estava fazendo e ficou me olhando.
"Que foi?", eu perguntei, notando seu silêncio. "A minha cara está suja de manteiga?"
Ele se recostou e deu um suspiro. "Você é linda. Eu adoro ficar te olhando."
Senti meu rosto ficar vermelho. "Você também não é de se jogar fora."
"Já está começando a passar", ele murmurou.
O sorriso desapareceu do meu rosto. "O quê? O que está começando a passar?"
"Aquela preocupação... Estou me sentindo mais seguro, você não?" Ele deu um gole no vinho. "Mais tranquilo. É uma sensação boa. Eu estou gostando. E muito."
Gideon beijou minha mão. O anel que ele tinha me dado reluziu sob a luz das velas. Tinha um diamante bem grande e bem lapidado, uma aliança de casamento à moda antiga. Eu adorava aquela sofisticação atemporal, ainda mais porque era a aliança com que seu pai tinha se casado com sua mãe.
Apesar de Gideon guardar uma mágoa profunda dos pais, o tempo que passaram como uma família foi seu último momento de felicidade na vida antes de me conhecer.
E ele ainda era capaz de jurar que não sabia ser romântico.
Ele me surpreendeu admirando a aliança. "Você gostou."

"Gostei muito." Eu o encarei. "É uma peça única. Queria que a nossa casa fosse assim também."

"Ah, é?" Ele apertou minha mão e voltou a comer.

"Eu entendo a necessidade de dormirmos separados, mas não quero portas e paredes entre nós."

"Eu também não, mas a segurança precisa vir em primeiro lugar."

"Que tal uma suíte com dois quartos ligados por um banheiro sem portas, só com as passagens e os batentes? Assim tecnicamente a gente ia dividir o mesmo espaço."

Ele pensou por um instante antes de concordar com a cabeça. "Anota tudo isso e depois a gente contrata um arquiteto pra fazer o projeto. Vamos continuar lá no Upper West Side enquanto a cobertura é reformada. Cary pode ficar com o apartamento anexo e mudar o que quiser por lá enquanto isso."

Esfreguei o pé em sua panturrilha como uma forma de agradecimento. O vento trazia consigo o som de uma música distante, lembrando que não estávamos sozinhos em uma ilha deserta.

Angus estaria em algum lugar se divertindo? Ou estava de sobreaviso na porta da nossa suíte?

"Cadê o Angus?", perguntei.

"Está por aí."

"Raúl também veio?"

"Não. Está em Nova York investigando como a pulseira de Nathan foi parar no lugar onde foi parar."

"Ah." De repente perdi o apetite. Peguei um guardanapo para limpar os dedos. "Algum motivo pra preocupação?"

Era uma pergunta retórica, pois se tratava de um assunto que jamais deixaria de me preocupar. O mistério sobre quem havia conseguido despistar a polícia ainda assombrava a minha mente o tempo todo.

"Alguém resolveu me presentear com um *habeas corpus* vitalício", ele falou bem sério, lambendo o lábio inferior. "Sei que isso vai ter seu preço e, como até agora ninguém me procurou, vou atrás dessa resposta eu mesmo."

"Mas nada garante que vai encontrar."

"Ah, pode apostar que sim", ele murmurou, ameaçador. "E aí vamos descobrir tudo."

Por baixo da mesa, eu enlacei a perna dele com as minhas.

Mais tarde, dançamos na praia à luz do luar. O tempo quente e úmido tornava tudo mais sensual, e nós soubemos como nos aproveitar disso. Gideon dormiu na minha cama naquela noite, apesar de estar bastante inseguro quanto a correr esse risco. Eu não queria nem pensar em passar a minha noite de núpcias dormindo sozinha, e tinha certeza de que o medicamento que ele tomava, combinado a uma noite quase em claro no dia anterior, faria com que ele tivesse um sono tranquilo. E foi isso que aconteceu.

No domingo, ele me deu algumas opções: ir visitar uma cachoeira linda, sair para velejar no catamarã do hotel ou descer um rio de bote. Eu sorri, falei que tudo isso poderia ficar para a próxima vez e o forcei a fazer o que eu queria, só para variar.

Ficamos de bobeira o dia todo, tomando banho sem roupa na piscina e cochilando quando sentíssemos vontade. Já era mais de meia-noite quando fomos embora, e eu fiquei triste por ter de partir. Aquele fim de semana tinha sido curto demais.

"Ainda teremos muitos fins de semana pela frente", ele murmurou no trajeto para o aeroclube, como se estivesse lendo os meus pensamentos.

"Eu sou egoísta. Quero você só pra mim."

Quando embarcamos no jatinho, as roupas disponíveis no resort estavam todas lá. Eu abri um sorriso, pois não havia usado uma boa parte delas naqueles dois dias.

Fui até o banheiro para escovar os dentes antes da decolagem de volta para casa. Foi quando vi a etiqueta de couro acoplada ao meu estojo de cosméticos, com o meu nome gravado: *Eva Cross*.

Gideon entrou no banheiro atrás de mim e me deu um beijo no ombro. "Vamos dormir, meu anjo. Temos um dia inteiro de trabalho pela frente."

Apontando para a etiqueta, eu falei: "Pelo jeito você tinha certeza absoluta de que eu ia dizer sim".

"Na verdade o plano era manter você como refém até concordar em casar comigo."

Eu não duvidei daquelas palavras. "Quanta honra."

"Você é uma mulher casada." Ele me deu um tapa na bunda. "Agora anda logo, sra. Cross."

Terminei o que estava fazendo e fui deitar com ele na cama. Ele me abraçou por trás e me puxou mais para perto.

"Bons sonhos, amor", eu sussurrei, enlaçando seus braços com os meus.

Ele abriu um sorriso com a boca colada ao meu pescoço. "Os meus sonhos já viraram realidade."

20

Foi estranho chegar ao trabalho na segunda-feira e notar que ninguém sabia que a minha vida tinha mudado para sempre. Quem diria que umas poucas palavras e um anel de metal com uma pedra preciosa poderiam alterar tanto a percepção de uma pessoa sobre si mesma?

Eu não era mais aquela Eva recém-chegada a Nova York, buscando o sucesso na cidade grande ao lado do melhor amigo. Era a esposa de um magnata. Tinha todo um novo mundo de responsabilidades e expectativas a encarar. Só de pensar em tudo aquilo já me sentia intimidada.

Megumi se levantou quando liberou para mim o acesso à sede da Waters Field & Leaman. Estava vestida de forma discreta, o que não era muito comum, com um vestido preto sem manga, uma saia de corte assimétrico e sapatos roxos de salto alto. "Uau! Você está com um bronzeado lindo! Que inveja."

"Obrigada. Como foi o fim de semana?"

"Nada de mais. Michael parou de me ligar." Ela franziu o nariz. "Estou sentindo falta do assédio. Estava fazendo com que eu me sentisse desejada."

Eu sacudi a cabeça. "Você é maluca."

"Eu sei. Agora me diz pra onde você foi. E se foi com o roqueiro famosão ou com Cross."

"Da minha boca você não vai ouvir nada." Eu estava morrendo de vontade de contar tudo, só não disse nada porque queria que Cary fosse o primeiro a saber.

"Não acredito!" Ela estreitou os olhos. "Jura que não vai me contar?"

"Claro que vou." Eu pisquei um dos olhos para ela. "Só que não agora."

"Eu sei onde você trabalha, sabia?", ela disse atrás de mim enquanto eu me dirigia ao meu cubículo.

Quando cheguei à minha mesa, fui digitar uma mensagem de texto para Cary no celular e descobri que ele tinha me mandado algumas durante o fim de semana, que estavam chegando atrasadas. No sábado, quando liguei para o meu pai, elas não estavam lá.

Quer almoçar comigo?, eu escrevi.

Como a resposta não foi imediata, pus o celular no silencioso e deixei sobre a mesa.

"Pra onde você foi no fim de semana?", Mark me perguntou quando chegou. "Está com um belo bronzeado."

"Obrigada. Fiz uma viagenzinha pro Caribe."

"Sério? Eu andei pesquisando umas ilhas por lá pra passar a lua de mel. Você recomendaria esse lugar onde ficou?"

Eu dei risada, mostrando uma felicidade que não sentia fazia um bom tempo. Ou talvez nunca tivesse sentido. "Com certeza."

"Depois me passa os detalhes. Vou acrescentar esse lugar à lista de possibilidades."

"Você ficou com a função de escolher o local da lua de mel?" Eu me levantei para irmos pegar um café e começar nosso dia.

"Pois é." Mark abriu um meio-sorriso. "Vou deixar a parte da cerimônia a cargo do Steven, já que ele vem sonhando com isso há tanto tempo. Mas a lua de mel é comigo."

Mark parecia estar muito feliz, e eu sabia exatamente como ele se sentia. Seu bom humor fez com que meu dia começasse ainda melhor.

A calmaria terminou quando Cary me ligou no telefone do trabalho, pouco depois das dez.

"Escritório de Mark Garrity", eu atendi. "Eva Tramell..."

"... está precisando de uma boa surra", interrompeu Cary. "Não me lembro de ter ficado tão puto com você alguma vez na vida."

Franzi a testa e senti meu estômago se contrair. "Cary, o que foi?"

"Eu não converso sobre assuntos realmente importantes por telefone, ao contrário de certas pessoas. Vou passar aí na hora do almoço. E, só pra você saber, tive que cancelar uma entrevista de trabalho pra isso, porque é assim que os amigos de verdade fazem as coisas", ele disse, irritado. "Eles abrem mão do que for preciso pra conversar pessoalmente quando têm alguma coisa séria pra falar. Não deixam mensagens de voz engraçadinhas no celular e pensam que está tudo bem!"

Ele desligou. Fiquei sem reação, e um pouco assustada.

Tudo na minha vida de repente ficou em segundo plano. Cary era meu pilar de sustentação. Se não conseguisse me acertar com ele, todo o restante corria o risco de ir por água abaixo. E eu sabia que com ele acontecia o mesmo. Sempre que perdíamos o contato, ele começava a fazer merda.

Peguei o celular na bolsa e liguei de volta para ele.

"Que foi?", ele falou, curto e grosso. Mas o fato de ter atendido era um bom sinal.

"Se eu fiz alguma besteira", me apressei em dizer, "já peço desculpas e prometo que vou fazer de tudo pra corrigir o que fiz. Certo?"

Ele bufou. "Você está me irritando, Eva."

"Bom, eu sou muito boa nisso, caso ainda não tenha percebido, mas detesto fazer isso com você." Eu suspirei. "Se a gente não conversar eu vou ficar maluca, Cary. Preciso que esteja tudo bem entre nós o tempo todo, você sabe disso."

"Não é o que anda parecendo ultimamente", ele resmungou. "Estou sendo jogado pra escanteio, e isso magoa."

"Eu estou sempre pensando em você. Se não consigo demonstrar isso, não é de propósito."

Ele não disse nada.

"Eu te amo, Cary. Pode acreditar, por mais que eu pise na bola."

Ele soltou o ar com força. "Volte a trabalhar e não esquente mais com isso. Na hora do almoço a gente conversa."

"Me desculpa. Por favor."

"Até mais."

Desliguei e tentei me concentrar de novo, mas não foi nada fácil. Cary não estava só bravo, estava magoado por minha culpa. E eu era uma das poucas pessoas em sua vida em quem ele acreditava que sempre podia contar.

Às onze e meia, recebi uma pequena pilha de envelopes com a correspondência interna do prédio. Fiquei animadíssima ao ver que entre eles havia um bilhete de Gideon.

> MINHA ESPOSINHA LINDA E GOSTOSA,
> PENSO EM VOCÊ O TEMPO TODO.
> SEMPRE SEU,
> CROSS

Fiz uma dancinha de felicidade com os pés debaixo da mesa. Meu dia conturbado tinha acabado de ficar mais alegre.

Escrevi uma resposta na hora.

> *Moreno Perigoso,*
> *estou enlouquecida de amor por você.*
> *Da sua escrava,*
> *Sra. Cross*

Enfiei o bilhete em um envelope e deixei na minha caixa de correio.

Estava escrevendo uma resposta para o ilustrador responsável por uma campanha de cartões de presente quando o telefone da minha mesa tocou de novo. Respondi com minha saudação habitual, e ouvi do outro lado da linha uma voz com um já familiar sotaque francês.

"Eva, aqui é Jean-François Giroux."

Eu me recostei na cadeira e respondi: "*Bonjour*, Monsieur Giroux".

"A que horas podemos nos falar hoje?"

O que ele poderia querer comigo? Pelo jeito, se eu quisesse descobrir, teria que ir em frente e conversar com ele. "Pode ser às cinco? Em uma adega na frente do Crossfire?"

"Por mim, tudo bem."

Passei os detalhes sobre o lugar e desligamos, e minha curiosidade a respeito das intenções dele só cresceu depois disso. Fiquei me remexendo na cadeira, pensando. Gideon e eu estávamos tentando seguir em frente com a nossa vida, mas as pessoas e os problemas do passado não nos davam trégua. O anúncio do nosso casamento, ou noivado, seria capaz de mudar isso?

Era tudo o que eu mais queria. Mas nada na minha vida parecia ser assim tão fácil.

Olhei para o relógio, voltei minha atenção mais uma vez para o trabalho e terminei de escrever meu e-mail.

Desci para o saguão meio-dia e cinco, mas Cary ainda não tinha chegado. Enquanto esperava por ele, comecei a ficar nervosa. Repassei mentalmente nossa conversa, e mais uma vez ele pareceu ter razão. Eu estava convencida de que ele aceitaria a ideia de morar comigo e com Gideon porque a alternativa a isso me parecia insuportável — ter que escolher entre o meu namorado e o meu melhor amigo.

E essa escolha àquela altura nem era mais possível. Eu estava casada. E felicíssima.

Ainda assim, achei uma boa ideia tirar a aliança do dedo e guardar na bolsa. Cary estava sentindo que tínhamos nos distanciado, e descobrir que eu havia casado escondida não ajudaria em nada na nossa reaproximação.

Senti um nó no estômago. Tínhamos cada vez mais segredos entre nós. E isso para mim era uma coisa insuportável.

Fui arrancada dos meus pensamentos pela voz do meu melhor amigo. Ele estava vindo na minha direção usando bermudas cargo e uma camiseta de gola em v. Sem tirar os óculos escuros, e com as mãos enfiadas nos bolsos, ele parecia frio e distante. As pessoas ao redor paravam para olhar quando ele passava, mas sua atenção estava toda voltada para mim.

Meus pés começaram a se mover. Antes que me desse conta, já estava correndo na direção dele, e o abracei com tanta força que o fiz soltar o ar com força, emitindo um gemido. Apertei firmemente meu rosto contra o seu peito.

"Que saudade", falei do fundo do coração, apesar de não saber exatamente por quê.

Ele resmungou alguma coisa baixinho e retribuiu o abraço. "Você consegue ser bem irritante às vezes, gata."

Recuei um pouco para poder encará-lo. "Desculpa."

Ele me pegou pela mão, e saímos do Crossfire. Fomos ao mesmo lugar onde tínhamos ido na última vez em que almoçamos juntos, para comer tacos. O restaurante servia também uma margarita sem álcool deliciosa, a bebida perfeita para um dia quente de verão.

Depois de dez minutos esperando na fila, pedi apenas dois tacos, já que eu não tinha ido à academia nos últimos dias. Cary pediu seis. Sentamos a uma mesa assim que seus ocupantes levantaram, e Cary devorou um taco inteiro antes mesmo que eu desembrulhasse o meu primeiro.

"Sinto muito pela mensagem de voz", eu falei.

"Não é esse o problema." Ele passou o guardanapo por seus lábios capazes de derreter até a mulher mais recatada quando sorriam. "É a situação como um todo, Eva. Você me deixa uma mensagem dizendo que está pensando em morar com Cross *só depois* de dizer pra sua mãe que a decisão já está tomada, e *pouco antes* de sumir da face da Terra por um fim de semana inteiro. Pelo jeito eu não significo porra nenhuma pra você mesmo."

"Isso não é justo!"

"E, se você vai morar com o seu namorado, pra que precisa de um colega de apartamento?", ele perguntou, claramente irritado. "E por que você acha que eu ia querer ficar segurando vela pros pombinhos?"

"Cary..."

"Eu não estou precisando de caridade, Eva." Ele estreitou os olhos verde-esmeralda. "Lugares pra eu dormir não faltam, e pessoas pra rachar um aluguel também não. Você não está me fazendo nenhum favor."

Senti um tremendo aperto no peito. Eu não estava pronta para me separar de Cary. No futuro, era natural que cada um seguisse seu caminho e só nos víssemos em ocasiões especiais, mas ainda era cedo demais para isso. Só de pensar nessa possibilidade, minha cabeça entrava em parafuso.

"Quem disse que estou fazendo isso por sua causa?", eu rebati. "Já parou pra pensar que eu não consigo viver sem você?"

Ele soltou um riso de deboche e deu uma mordida em seu taco. Mastigando avidamente, engoliu a comida junto com um grande gole na bebida. "E eu sou o quê, uma espécie de lembrança viva da sua reabilitação? Uma ficha comemorativa da associação dos narcóticos anônimos?"

"Eu já vou indo." Eu me inclinei para a frente para levantar. "Você está bravo, eu entendo. Já pedi desculpas, já disse que amo você e quero você sempre na minha vida, mas não vou ficar aqui sendo massacrada por isso."

Eu levantei da mesa. "A gente se vê mais tarde."

"Você e o Cross vão casar?"

Olhei bem para Cary. "Ele pediu, e eu aceitei."

Ele balançou a cabeça, como se aquilo não fosse surpresa, e deu outra mordida em um taco. Peguei minha bolsa, que estava pendurada no encosto da cadeira.

"Está com medo de morar sozinha com ele?", Cary perguntou enquanto mastigava.

Obviamente, não era o que ele pensava. "Não. Ele vai ter seu próprio quarto."

"E vocês estão dormindo separados desde que voltaram a transar, semanas atrás?"

Eu o encarei. Então ele sabia que Gideon era o "amante" com quem eu andava dormindo? Ou estava só sondando o terreno? Para mim, não fazia diferença. Já estava cansada de mentir para ele. "Na maior parte das vezes, sim."

Ele pôs o taco sobre a mesa. "Finalmente você decidiu ser sincera comigo. Eu já estava desconfiando que você nem sabia mais dizer a verdade."

"Vai se foder."

Sorrindo, ele fez um gesto para a cadeira vazia. "Senta aí, gata. Nossa conversa ainda não terminou."

"Você está sendo muito mau comigo."

Seu sorriso se desfez, e sua expressão endureceu. "Ficar ouvindo mentiras durante várias semanas acabou com o meu bom humor. Senta aí."

Eu sentei e o encarei. "Pronto. Satisfeito?"

"Come os seus tacos. Ainda tenho um monte de coisas pra descarregar."

Soltando um suspiro de frustração, pendurei a bolsa de volta na cadeira e o encarei com as sobrancelhas erguidas.

"Se você acha", ele começou, "que por estar sóbrio e ter um emprego fixo eu virei um otário, pode tirar o cavalinho da chuva. Eu sabia que você estava trepando com o Cross desde o dia em que vocês voltaram."

Dei uma mordida no taco e lancei um olhar desconfiado para ele.

"Eva, querida, você acha que se existisse outro homem em Nova York capaz de transar noites e noites inteiras como o Cross eu não saberia?"

Eu engasguei, e quase fui obrigada a cuspir o que tinha na boca.

"Ninguém tem a sorte de encontrar dois sujeitos como esse na sequência", ele falou. "Nem mesmo você. O normal seria estar num período de seca, ou então dando uma ou outra trepada sem graça antes de a coisa esquentar de novo daquele jeito."

Joguei a embalagem do meu canudo em Cary, mas ele se esquivou facilmente, dando risada.

Logo depois, Cary voltou a ficar sério. "Você acha que eu ia dizer alguma coisa porque você o aceitou de volta depois de levar um pé na bunda?"

"Não é só isso, Cary. As coisas estão... complicadas demais. Estamos sofrendo muita pressão. Ainda mais com aquela jornalista perseguindo Gideon..."

"Perseguindo como?"

"Vigiando todos os passos dele. Eu não queria..." *Expor você. Deixá-lo vulnerável. Abrir uma brecha para que fosse acusado como cúmplice.* "Eu precisava esperar essa confusão toda passar", eu concluí, sem dizer nem metade do que gostaria.

Ele pensou um pouquinho antes de voltar a falar. "E agora você vai casar com ele."

"Vou." Dei um gole na bebida para desmanchar o nó na garganta. "Mas você é o único além de nós dois que sabe disso."

"Finalmente um segredo que você pode compartilhar comigo." Ele abriu um sorrisinho. "E mesmo assim quer que eu continue morando com você."

Eu me inclinei para a frente de novo, e segurei sua mão. "Eu sei que você pode fazer algo diferente, ir para outro lugar. Mas prefiro que não faça isso. Quero você do meu lado, mesmo eu sendo casada ou solteira."

Ele apertou minha mão com tanta força que senti meus ossos serem comprimidos uns contra os outros. "Eva..."

"Antes que você diga alguma coisa", eu me apressei em interrompê-lo. A conversa estava ficando bem séria. Não queria que ele respondesse antes de saber o que eu estava oferecendo. "A cobertura de Gideon tem um apartamento anexo de um quarto que ele não usa."

"Um apartamento de um quarto. Na Quinta Avenida."

"Pois é. Legal, não? E todo seu. Com entrada privativa, e vista pro Central Park. Mas ainda assim bem perto de mim. O melhor dos dois mundos." Eu continuei, na esperança de convencê-lo de vez. "Podemos ficar no Upper West Side por enquanto, durante a reforma da cobertura. Gideon falou que você pode mudar o que quiser no seu apartamento enquanto isso."

"Meu apartamento." Ele me olhou nos olhos, o que me deixou ainda mais nervosa. Um homem e uma mulher passaram por nós para desviar de uma cadeira ocupada que estava bloqueando a passagem, mas eu ignorei sua presença e continuei falando.

"Não estou propondo nenhuma caridade", eu garanti a ele. "Andei pensando, e acho que preciso começar a fazer alguma coisa útil com o meu dinheiro. Criar uma fundação ou coisa do tipo pra promover as causas em que a gente acredita. Vou precisar da sua ajuda. E estou disposta a pagar por ela. E não só pelo seu trabalho, mas pela sua imagem também. Quero que você seja o porta-voz da fundação."

Cary apertou ainda mais a minha mão.

Fiquei tensa. "O que foi, Cary?"

Os ombros dele desabaram. "Tatiana está grávida."

"Quê?" Eu fiquei pálida. O pequeno restaurante estava lotado, e os gritos dos pedidos atrás do balcão e o som dos talheres e das bandejas se chocando tornavam difícil a tarefa de ouvir bem qualquer conversa, mas aquelas três palavras me atingiram como se Cary tivesse berrado comigo. "Você está brincando?"

"Quem me dera." Ele soltou minha mão e tirou a franja da frente dos olhos. "Não que eu não queira ter um filho. Essa é a parte legal da coisa. Mas... porra. Não agora, né? E nem com ela."

"Como foi que ela engravidou?" Cary levava a proteção muito a sério, pois sabia que seu estilo de vida envolvia altos riscos.

"Bom, eu enfiei o pau nela e continuei metendo até..."

"Ah, cala a boca", eu interrompi. "Você sempre soube se prevenir."

"Ah, sim, mas nenhuma proteção é cem por cento garantida", ele disse, bem sério, "e a Tati não toma pílula porque diz que seu apetite fica descontrolado."

"Meu Deus." Senti meus olhos arderem. "Tem certeza de que o filho é seu?"

Ele deu um sorrisinho amarelo. "Não, mas isso não significa que não seja. Ela está de seis semanas, então é possível."

"E ela vai ter o bebê?", fui obrigada a perguntar.

"Não sei. Ela ainda não decidiu."

"Cary..." Não pude evitar que uma lágrima escorresse pelo meu rosto. Meu coração estava apertado por ele. "O que você vai fazer?"

"O que eu posso fazer?" Ele se recostou na cadeira. "A decisão é dela."

Essa noção de impotência devia estar acabando com ele. Sua mãe, depois de ter um filho indesejado, o próprio Cary, começou a usar o aborto como método contraceptivo. Eu sabia que aquela era uma questão delicada para ele. "E se ela decidir levar a gravidez até o fim? Você vai precisar fazer um teste de paternidade, não?"

"Meu Deus, Eva." Ele me encarou com os olhos vermelhos. "Nem pensei nisso ainda. E o que eu vou falar pro Trey? Bem agora que a gente está se acertando? Ele vai me dar um pé na bunda. Já era."

Respirei fundo e me ajeitei na cadeira. Eu não poderia permitir que as coisas entre Cary e Trey fossem por água abaixo. Agora que havia me resolvido de vez com Gideon, eu tinha tempo para me dedicar a outras questões importantes que vinham sendo negligenciadas. "Vamos cuidar de uma coisa por vez, à medida que for acontecendo. No fim vai dar tudo certo."

"Eu preciso de você."

"E eu de você. Vamos encarar tudo isso juntos." Abri um sorriso. "Vamos passar mais tempo um com o outro. Começando por San Diego, no fim de semana", eu acrescentei, e lembrei que ainda não tinha conversado com Gideon sobre isso.

"Que bom." Cary se endireitou no assento. "Eu bem que estou precisando bater uma bola com o dr. Travis."

"Pois é." Eu não sabia jogar basquete, mas também não dispensaria uma boa conversa com o meu antigo terapeuta.

O que ele diria se soubesse o quanto nossa vida mudou depois que viemos para Nova York? Na última vez em que nos falamos, compartilhamos nossos sonhos e expectativas. Cary sonhava em ser o astro de um anúncio no intervalo comercial do Super Bowl, e eu queria ser a mente por trás desse anúncio. Agora ele estava diante da possibilidade de ser pai, e eu estava casada com o homem mais complicado que conheci na vida.

"O dr. Travis vai pirar", murmurou Cary, como se fosse capaz de ler meus pensamentos.

Por alguma razão, isso nos fez cair na risada até que as lágrimas começassem a rolar pelo rosto.

Quando voltei para minha mesa, encontrei mais uma pilha de correspondências internas. Mordendo o lábio inferior, procurei primeiro pelo que mais me interessava.

> NÃO CONSIGO PENSAR EM NADA MELHOR
> DO QUE TER VOCÊ COMO ESCRAVA, SRA. CROSS.
> E VOCÊ TAMBÉM VAI ADORAR.
> SEMPRE SEU,
> CROSS

Algumas das nuvens negras que se instalaram na minha mente na hora do almoço se dissiparam instantaneamente.

Em comparação com a revelação bombástica de Cary na hora do almoço, o encontro com Giroux no fim do expediente foi um evento banal.

Ele já estava na adega quando cheguei. Vestindo calça cáqui bem passada e uma camisa branca com as mangas dobradas e o colarinho aberto, ele estava muito bonito. Casual. Mas isso não parecia torná-lo mais relaxado. Aquele homem era tenso como um fio desencapado, como se estivesse sempre à beira de um ataque de nervos.

"Eva", ele me cumprimentou com aquele excesso de intimidade que eu tinha estranhado tanto da outra vez, me beijando dos dois lados do rosto. "*Enchanté*."

"Espero que a cor dos meus cabelos não cause nenhum incômodo pra você hoje."

"Ah." Ele abriu um sorrisinho amarelo. "Eu mereci essa."

Eu me juntei a ele à mesa ao lado da janela, onde fomos servidos logo em seguida.

O estabelecimento parecia ser bem antigo, com revestimento de metal nas paredes, piso de madeira nobre envelhecida e um balcão ricamente trabalhado que indicava que o local já havia sido um pub em algum momento de sua história, mas depois modernizado com a adição de objetos cromados e uma prateleira de vinho que mais parecia uma escultura abstrata.

Giroux me observou atentamente enquanto o garçom servia o vinho. Não fazia ideia do que ele queria, mas estava claramente à procura de alguma resposta.

Enquanto dava um gole no meu maravilhoso shiraz, ele se recostou na cadeira e começou a agitar o vinho em sua taça. "Então você conheceu a minha mulher."

"Conheci, sim. Ela é muito bonita."

"É mesmo." Ele voltou os olhos para o vinho. "O que mais você acha dela?"

"Que diferença isso faz?"

Ele voltou a me encarar. "Você a vê como um rival? Ou uma ameaça?"

"Nenhuma das duas coisas." Dei mais um gole no vinho e vi o Bentley estacionar bem diante da janela. Angus estava ao volante, ignorando o sinal que proibia que os carros parassem por ali.

"Você confia tanto assim em Cross?"

Minhas atenções se voltaram de novo para Giroux. "Sim. Mas isso não significa que não acharia bom se você voltasse pra França com a sua mulher o quanto antes."

Ele abriu um sorriso de desânimo. "Você é apaixonada mesmo por Cross, não?"

"Sou, sim."

"Por quê?"

Isso me fez rir. "Se você acha que é através de mim que vai descobrir o que Corinne vê nele, pode esquecer. Ele e eu somos... diferentes um com o outro em relação ao tratamento que dispensamos às outras pessoas."

"Eu reparei nisso. No caso dele." Giroux deu um gole no vinho, saboreando-o um pouco antes de engolir.

"Com todo o respeito, mas ainda não sei o que estou fazendo aqui. O que você quer de mim?"

"Você costuma ser sempre assim, tão direta?"

"Sim." Eu encolhi os ombros. "Fico impaciente quando não sei o que as pessoas querem comigo."

"Então eu também vou ser bem direto." Ele estendeu o braço e pegou minha mão esquerda. "Essa marca de sol no seu dedo mostra que você estava usando um anel. Um anel grande. Uma aliança, talvez?"

Olhei para a minha mão e constatei que ele tinha razão. Havia uma marca na minha pele onde o sol não havia batido. Ao contrário da minha mãe, que era bem clarinha, eu me bronzeava com facilidade.

"Vejo que você é bastante observador. Mas agradeceria se mantivesse suas especulações para si mesmo."

Ele abriu um sorriso sincero pela primeira vez desde que o conheci. "Talvez seja uma boa ideia mesmo levar minha mulher de volta pra casa."

"Acho que, se você quiser, ela volta." Eu me endireitei na cadeira, já me preparando para levantar. "Sabe o que a sua mulher me disse uma vez? Que você é indiferente. Em vez de esperar que ela tome a iniciativa de voltar, você mesmo deveria tentar uma reaproximação."

Ele levantou junto comigo, ficando de pé à minha frente. "Ela veio pra cá atrás de Cross. Duvido que uma mulher com tanta iniciativa queira ter um homem se jogando aos seus pés."

"Isso eu já não sei." Tirei uma nota de vinte da bolsa e deixei sobre a mesa, apesar da careta que ele fez ao ver isso. "Ela disse sim quando foi pedida em casamento, não? Se funcionou uma vez, pode funcionar de novo. Adeus, Jean-François."

Quando ele abriu a boca para falar, eu já estava a meio caminho da porta.

Angus estava à minha espera no Bentley quando saí da adega.

"Quer ir para casa, sra. Cross?", ele perguntou quando me ajeitei no banco de trás.

A forma como ele se referiu a mim me fez sorrir. E, depois do que tinha conversado com Giroux, aquilo me deu uma ideia. "Na verdade, queria dar uma passadinha num lugar antes, se você não se importa."

"Nem um pouco."

Passei para ele o endereço, me recostei no assento e deixei minha ansiedade rolar solta.

Eram mais de seis e meia quando enfim dei meu dia por encerrado, mas quando perguntei para Angus onde estava Gideon, soube que ele ainda estava no trabalho.

"Você me leva até lá?", pedi.

"Claro."

Voltar ao Crossfire depois do expediente foi meio esquisito. Ainda tinha gente circulando pelo saguão, mas a atmosfera era outra. Quando cheguei ao último andar, encontrei as portas de vidro da sede das Indústrias Cross escancaradas, e a equipe de limpeza esvaziando lixeiras, limpando as janelas e aspirando o carpete.

Fui diretamente até o escritório de Gideon, reparando no número de mesas vazias, inclusive a de Scott, seu assistente. Gideon estava de pé atrás da sua, com o headphone na orelha e o paletó pendurado em um cabide no canto da sala. Ele estava com as mãos na cintura enquanto conversava, movendo os lábios apressadamente com a concentração estampada no rosto.

A parede atrás dele era coberta de monitores sintonizados em canais de notícias de todo o mundo. À direita havia um bar com decantadores de cristal colorido em prateleiras de vidro que acrescentavam um pouco de cor à decoração em preto, branco e cinza. Os três ambientes distintos do escritório eram espaços confortáveis para reuniões com menos formalidade. Já a mesa preta de Gideon era um verdadeiro milagre da tecnologia, que servia de controle para todos os aparelhos eletrônicos contidos no local.

Cercado de seus caros brinquedinhos eletrônicos, meu marido não parecia nada menos que irresistível. Suas roupas bem cortadas colaboravam para exibir a perfeição de seu corpo, e vê-lo em seu posto de comando, exercendo o poder que havia construído seu império, me levava à loucura. As janelas que iam do chão ao teto e que cobriam as duas paredes laterais proporcionavam uma vista maravilhosa da cidade, mas que de forma alguma ofuscava a beleza dele.

Enfiei a mão na bolsa, abri o pequeno compartimento com zíper em que tinha guardado a aliança e a pus de volta no dedo. Só então me aproximei das paredes e da porta dupla que o separavam do restante do pessoal do escritório.

Gideon se virou para mim e seu olhar se acendeu quando me viu. Ele apertou um botão em sua mesa, e as portas se abriram automaticamente. Um instante depois, o vidro ficou opaco, o que garantia que ninguém nos veria do lado de fora.

Eu entrei.

"Concordo", ele disse para a pessoa do outro lado da linha. "Faça isso e depois me dê um retorno."

Ele tirou o headfone e jogou sobre a mesa, sem tirar os olhos de mim. "Que surpresa agradável, meu anjo. Como foi sua conversa com Giroux?"

Eu encolhi os ombros. "Como você sabia que eu estava com ele?"

Ele abriu um meio-sorriso e me lançou um olhar como quem diz: *Sério mesmo? Você ainda tem dúvida?*

"Ainda vai demorar pra sair?", eu quis saber.

"Tenho uma teleconferência com o pessoal da filial japonesa daqui a meia hora, e depois disso já posso ir. Podemos sair pra jantar em algum lugar."

"Vamos comprar alguma coisa pra viagem e comer com Cary. Ele vai ser pai."

Gideon ergueu as sobrancelhas. "Como é?"

"Bom, existe a possibilidade de ele vir a ser pai." Eu suspirei. "Ele está preocupadíssimo, e quero estar lá pra oferecer o meu apoio. Além disso, ele precisa começar a se acostumar com a sua presença de novo."

Com um simples olhar, Gideon mostrou que concordava. "Você também está preocupada. Vem cá." Ele saiu de trás da mesa e abriu os braços. "Vem me dar um abraço."

Deixei minha bolsa cair no chão, tirei os sapatos com os pés e fui até ele. Ele me abraçou e me beijou na testa com seus lábios firmes e quentes.

"A gente dá um jeito nisso", ele murmurou. "Não se preocupa."

"Eu te amo, Gideon."

Ele me apertou com ainda mais força.

Eu me inclinei para trás e examinei seu lindo rosto. Com a pele bronzeada pelo sol, seus olhos pareciam ainda mais azuis. "Tenho uma coisa pra você."

"Hã?"

Dei um passo atrás, apanhei sua mão esquerda e enfiei em seu dedo a aliança que havia acabado de comprar, torcendo-a um pouco para que passasse pela última articulação. Ele permaneceu imóvel o tempo todo. Quando soltei sua mão para ver como tinha ficado, ele não fez o menor movimento, como se estivesse paralisado.

Inclinei a cabeça e admirei a aliança em sua mão, me certificando de que era exatamente aquele o efeito desejado. Mas, ele não disse nada no momento seguinte, eu o encarei e notei que observava a própria mão como se nunca a tivesse visto antes.

Meu coração se apertou dentro do peito. "Você não gostou."

Ele respirou fundo e virou a mão para conferir o outro lado do anel, que era idêntico. Era uma aliança de platina parecida com a joia que ele usava na mão direita, com ranhuras que compunham um visual moderno e masculino. A diferença era que a aliança era adornada com rubis, o que a tornava uma peça bastante chamativa. Seu tom avermelhado se destacava um bocado contra sua pele bronzeada e seu terno escuro, um sinal inquestionável de seu compromisso comigo.

"É demais", falei baixinho.

"Tudo que fazemos juntos é sempre demais", ele disse com a voz rouca antes de se entregar a mim, segurando meu rosto e me beijando com vontade.

Tentei agarrar seus pulsos, mas ele foi mais rápido, me levantando pela cintura e me carregando até o mesmo sofá onde tinha me prensado sob o peso de seu corpo pela primeira vez semanas antes.

"Você não tem tempo pra isso agora", eu falei, ofegante.

Ele me sentou na beirada do sofá. "Vai ser rapidinho."

Gideon estava falando sério. Enfiou a mão por baixo da minha saia, pôs minha calcinha de lado, afastou as minhas pernas e baixou a cabeça.

No meio de seu escritório, onde eu tanto admirava seu poder e sua capacidade de comando, Gideon Cross se ajoelhou à minha frente e me chupou com maestria e reverência. Passando a língua pelo meu clitóris com movimentos rápidos, ele provocou em mim uma intensa vontade de gozar. Mas foi a visão dele de terno, em um ambiente onde era a figura dominante, se esforçando tanto para me agradar, que me levou ao clímax, gemendo seu nome.

Ainda estava estremecendo de prazer quando ele me penetrou com a língua, fazendo meus tecidos sensíveis vibrarem com as estocadas de sua língua perversamente habilidosa. Quando ele abriu a braguilha e revelou sua ereção, senti uma necessidade desesperadora de tê-lo dentro de mim, e arquei o corpo todo em sua direção sem o menor pudor.

Gideon segurou seu pau duro e esfregou a cabecinha na abertura do meu sexo, se lambuzando com o meu orgasmo. O fato de ambos ainda estarmos vestidos, com apenas as partes mais necessárias descobertas, me deixou com ainda mais tesão.

"Quero você bem submissa", ele disse, bem sério. "Fica de costas e abre as pernas o máximo que puder. Quero meter bem fundo."

Soltei um gemido antes de obedecê-lo. Para me ajustar melhor à sua altura, me posicionei na lateral do sofá, me debrucei sobre o braço do móvel e levantei a saia.

Gideon não perdeu tempo. Com um movimento rápido dos quadris, ele me penetrou, me alargando toda. "*Eva*."

Quase sem fôlego, me agarrei com força ao tecido estofado. Seu pau grande e grosso entrou muito, muito fundo. Com a barriga comprimida contra o braço curvado do sofá, eu era capaz de jurar que era capaz de senti-lo me cutucar toda por dentro.

Ele se inclinou sobre mim e cravou os dentes na lateral do meu pescoço. Aquele gesto primitivo de possessividade fez meu sexo inchar ao seu redor, envolvendo-o com força.

Gideon gemeu e me beijou, me arranhando com a barba que já começava a despontar no seu queixo. "Você é tão gostosa", ele falou com a voz rouca. "Eu adoro comer você."

"Gideon."

"Me dá as suas mãos."

Apesar de não saber o que ele queria, estendi os braços junto ao corpo, e ele envolveu meus pulsos com os dedos, posicionando minhas mãos cuidadosamente sobre a base da minha coluna.

Depois disso, começou a meter com força, atacando o meu sexo com estocadas incessantes, usando meus braços para me puxar para trás e dar de encontro com os movimentos de seus quadris. Seu saco pesado batia ritmicamente contra o meu clitóris, o que me conduziria inevitavelmente a um novo orgasmo. Ele gemia a cada metida, ecoando os meus gritos de prazer.

Sua perseguição ao orgasmo foi algo excitante de presenciar enquanto sentia meu corpo totalmente sob seu controle. A única coisa que eu podia fazer era responder a todo o seu tesão e ajudá-lo a gozar, assim como ele tinha feito comigo. O atrito de suas estocadas era delicioso, uma massagem contínua que quase me levou à loucura.

Eu queria poder ver seu rosto, seus olhos perdendo o foco quando o prazer tomasse conta de seu corpo, seu rosto se contorcendo de êxtase. O fato de poder mexer com ele tão profundamente era uma alegria para mim, saber que o sexo comigo era algo que estraçalhava todas as suas barreiras.

Ele estremeceu e soltou um palavrão. Seu pau inchou e suas bolas se contraíram. "Eva... Nossa. Eu te amo."

Senti o sêmen jorrar dentro de mim, quente e espesso. Mordi o lábio para segurar um grito. Eu estava morrendo de tesão, quase gozando mais uma vez.

Ele soltou meus punhos e começou a acariciar meu clitóris inchado com o dedo. Gozei com seu pau ainda dentro de mim, ordenhando seu pau conforme meu sexo o apertava. Com seus lábios colados ao meu rosto e seu hálito quente e úmido na minha pele, senti os gemidos graves que escapavam do seu peito enquanto ele gozava lenta e longamente.

Após o orgasmo, estávamos ambos ofegantes, com nossos corpos colados um ao outro.

Engolindo com dificuldade, comentei quase sem fôlego: “Pelo jeito você gostou da aliança”.

O som de sua risada áspera me encheu de alegria.

Cinco minutos depois, eu estava largada sobre o sofá, incapaz de me mover. Gideon, por sua vez, estava sentado impecavelmente à mesa, irradiando toda a energia e a vitalidade de um macho sexualmente satisfeito.

Participou da teleconferência sem demonstrar nenhum cansaço, falando a maior parte do tempo em inglês, mas abrindo e fechando suas participações com palavras japonesas em seu tom de voz grave e tranquilo. Seu olhar se voltava para mim de quando em quando, e nessas ocasiões ele abria um sorriso de triunfo masculino.

Era um sorriso merecido, considerando o nível de endorfinas pós-orgásticas que circulava pelo meu corpo, me deixando inebriada.

Gideon encerrou a ligação, levantou e tirou de novo o paletó. O brilho em seus olhos explicava tudo.

Reunindo energias para erguer as sobrancelhas, eu perguntei: “Nós não vamos embora?”

“Claro que vamos. Mas não agora.”

“Acho melhor você pegar mais leve com essas vitaminas, garotão.”

Ele sorriu ao abrir os botões do colete. “Passei tempo demais pensando em diferentes maneiras de comer você nesse sofá. Ainda não chegamos nem à metade.”

Uma faísca se acendeu em seus olhos deslumbrantes, provavelmente em virtude das imagens mentais que passavam pela sua cabeça.

Quando saímos do Crossfire, perto das nove horas, todas essas imagens já tinham sido devidamente compartilhadas comigo.

21

Gideon e eu estávamos sentados no chão da sala, já com roupas mais leves, quando Cary chegou, pouco depois das dez. Tatiana estava com ele. Eu me inclinei na direção de Gideon para pegar o queijo ralado e sussurrei: "É a mãe do bebê".

Ele fez uma careta. "Essa aí é encrenca certa. Coitado."

Foi exatamente isso que pensei quando aquela loira alta foi até nós e torceu o nariz grosseiramente para nossa pizza. Depois, ao olhar para Gideon, se abriu toda em um sorriso.

Eu respirei fundo e resolvi ignorar sua atitude.

"Oi, Cary", Gideon cumprimentou meu melhor amigo antes de passar o braço pelo meu ombro e afundar o rosto no meu pescoço.

"Oi", disse Cary. "O que vocês estão vendo?"

"*Marcados para morrer*", respondi. "Um filmaço. Querem ver com a gente?"

"Claro." Cary pegou Tatiana pela mão e a conduziu até o sofá.

Ela não fez questão nenhuma de esconder que não tinha gostado da ideia.

Eles se acomodaram no sofá de uma maneira obviamente familiar para os dois. Gideon empurrou a caixa de pizza na direção deles. "Fiquem à vontade, se estiverem com fome."

Cary pegou um pedaço, e Tatiana reclamou por ter que mudar de posição. Fiquei desapontada ao ver que ela não sentia o menor prazer em ficar comigo. Se ela fosse mesmo ter um filho com Cary, nós precisaríamos conviver mais, e para mim era muito chato que não pudéssemos ter um relacionamento mais amigável.

No fim, eles não ficaram muito tempo na sala. Ela repetia o tempo todo que as tomadas de câmera na mão do filme lhe davam enjoo, e Cary foi com ela para o quarto. Pouco depois, acho que a ouvi dando risada, o que deixava bem claro que sua maior preocupação era não querer dividir Cary com ninguém. Eu era capaz de entender essa insegurança. Era uma sensação recorrente na minha vida também.

"Relaxa", murmurou Gideon, me puxando para junto do seu peito. "No fim todo mundo acaba se entendendo. É só dar tempo ao tempo."

Segurei sua mão esquerda, que estava sobre meu ombro, e comecei a brincar com a aliança dele com os dedos.

Ele me deu um beijo na testa e voltamos nossa atenção de novo para o filme.

Gideon dormiu no apartamento ao lado, mas veio bem cedo até o meu para me ajudar a fechar o zíper do vestido e me fazer um café. Coloquei meus brincos de pérola e quando saí para o corredor, dei de cara com Tatiana, que vinha voltando da cozinha com duas garrafinhas de água nas mãos.

Ela estava completamente nua.

Fiquei furiosa, mas consegui controlar meu tom de voz. A gravidez ainda não estava aparecendo, mas saber que ela estava esperando um bebê era o suficiente para não querer comprar uma briga naquele momento. "Me desculpa, mas seria bom você usar alguma roupa quando for andar pelo meu apartamento."

"O apartamento não é só seu", ela respondeu, jogou seus cabelos para o lado e fez menção de passar por mim.

Eu estendi o braço até a parede, obstruindo sua passagem. "Não brinca comigo, Tatiana."

"Ou então?"

"Você vai se dar mal."

Ela ficou me encarando por um bom tempo. "Ele vai preferir ficar comigo."

"Se isso acontecer, vai ser contrariando a própria vontade, e você vai sofrer as consequências do mesmo jeito." Eu tirei o braço da frente dela. "Pense bem nisso."

A porta do quarto de Cary se abriu atrás de mim. "Que porra é essa, Tati?"

Virei a cabeça e vi meu melhor amigo parado na porta do quarto apenas de cueca. "Acho que ela está querendo um robe de presente, Cary."

Ele cerrou os dentes, fez um gesto para que eu relevasse aquela atitude e escancarou a porta para que Tatiana entrasse.

Tomei o caminho da cozinha, rangendo os dentes de raiva. Fiquei ainda mais aborrecida quando vi que Gideon estava por lá, bebendo tranquilamente seu café, encostado no balcão. Vestia um terno preto e uma gravata em um tom de cinza-claro que o deixavam lindo.

"Gostou do showzinho?", eu perguntei, toda tensa. Não queria que ele visse outra mulher sem roupa. Principalmente porque não se tratava de uma mulher qualquer — era uma modelo alta e longilínea do jeito que ele gostava.

Ele encolheu os ombros. "Não vi nada de mais."

"Você gosta de mulheres altas e magras." Peguei o café que ele deixou pronto para mim no balcão.

Gideon segurou a minha mão. Os rubis de sua aliança reluziram sob as luzes da cozinha. "Da última vez que eu vi, minha esposa era pequenininha e cheia de curvas. Totalmente irresistível."

Eu fechei os olhos, tentando conter o acesso de ciúmes. "Sabe por que escolhi essa aliança pra você?"

"Porque o vermelho é a nossa cor", ele disse baixinho. "O vestido vermelho na limusine. Os sapatos de salto vermelhos da festa no jardim. A rosa vermelha no seu cabelo quando a gente casou."

Fiquei mais tranquila ao sentir de novo toda a nossa intimidade. Virei para ele e o abracei.

"Humm", ele gemeu, me puxando mais para perto. "Você é uma delícia, meu anjo."

Sacudi a cabeça, sentindo minha raiva se transformar em frustração.

Ele passou o nariz pelo meu rosto. "Eu te amo."

"Gideon." Joguei a cabeça para trás e ofereci minha boca para ele me beijar e acabar com o meu mau humor.

Ao sentir seus lábios contra os meus, os dedos dos meus pés se curvaram, como sempre. Estava até um pouco tonta quando ele se afastou e falou: "Tenho consulta com o dr. Petersen hoje à noite. Quando terminar eu ligo pra combinar o que vamos fazer no jantar".

"Certo."

Ele sorriu ao ver a alegria estampada no meu rosto quando respondi. "Quer que eu marque uma consulta pra nós dois na quinta?"

"Na quinta que vem por favor", eu respondi, já mais contida. "Não queria mais faltar na terapia, mas minha mãe quer que Cary e eu a acompanhemos em um evento beneficente na quinta. Ela até já me comprou um vestido e tudo. Tenho medo que ela encare como uma afronta pessoal se eu não for."

"Eu posso ir com você."

"Sério?" Gideon de smoking era um tremendo afrodisíaco para mim. Obviamente, ele ficava bem de qualquer jeito, mas de smoking... Meu Deus, era uma loucura.

"Sério. Acho que já está na hora de sermos vistos em público de novo. E anunciar nosso noivado."

Passei a língua pelos lábios. "Vou poder abusar de você na limusine?"

Seus olhos se acenderam para mim. "Do jeito que você quiser, meu anjo."

Quando cheguei ao trabalho, Megumi não estava na mesa dela, então não consegui saber suas novidades. Por outro lado, isso me dava uma desculpa para ligar para Martin e perguntar se as coisas entre ele e Lacey tinham avançado depois da nossa noite de excessos na Primal.

Peguei o celular para escrever um lembrete para fazer a ligação e vi que minha mãe havia me deixado uma mensagem de voz na noite anterior. Ela ligou para perguntar se eu queria fazer o cabelo e a maquiagem com ela na minha casa antes de irmos para o evento.

Quando cheguei à minha mesa, mandei uma mensagem de texto dizendo que tinha gostado da ideia, mas que precisaria ser uma coisa rápida, pois só poderia sair do trabalho às cinco.

Estava me preparando para começar a trabalhar quando Will apareceu.

"Já tem planos pro almoço?", ele perguntou, todo gatinho com sua camisa xadrez e sua gravata azul-marinho.

"Não pra outro festival de carboidratos, senão minha bunda vai explodir."

"Não." Ele sorriu. "A parte mais violenta da dieta da Natalie já passou, então as coisas já estão mais tranquilas. Estava pensando em sopa e salada mesmo."

Eu retribuí o sorriso. "Isso eu topo, sim. Vamos convidar Megumi também?"

"Ela não vem hoje."

"Ah, é? Ela está doente?"

"Não sei. Só descobri que ela não vem porque me mandaram ligar pra uma agência de temporários e pedir uma substituta."

Eu me recostei na cadeira, franzindo a testa. "Vou ligar pra ela no meu intervalo pra ver se está tudo bem."

"Diz que eu mandei um oi." Ele batucou com os dedos na divisória do meu cubículo e voltou ao trabalho.

O restante do dia passou voando. Deixei uma mensagem de voz para Megumi na hora do intervalo, depois tentei falar com ela de novo enquanto ia de carro com Clancy até o Brooklyn, para a minha aula de krav maga. "Pede pra Lacy me ligar se estiver se sentindo mal", eu falei. "Só quero saber se está tudo bem."

Desliguei o telefone, me recostei no assento e apreciei a vista da Brooklyn Bridge. Passar no meio daqueles arcos de pedra gigantescos no meio do East River sempre me dava a impressão de estar prestes a entrar em um outro mundo. Logo abaixo, as balsas navegavam pela água, e uma embarcação solitária rumava para o movimentadíssimo porto nova-iorquino.

Logo deixamos a ponte, e eu voltei minha atenção para o telefone.

Decidi ligar para Martin.

"Eva", ele me saudou cordialmente, pois já tinha o meu número em sua lista de contatos. "Que bom que você ligou."

"Tudo bem com você?"

"Tudo, e com você?"

"Vou indo. A gente devia se encontrar um dia desses." Abri um sorriso ao ver uma policial controlando habilidosamente o tráfego em um cruzamento de grande movimento do Brooklyn. Com um apito na boca, ela conduzia tudo com gestos fluidos e carregados de autoridade. "A gente pode beber alguma coisa depois do trabalho, ou então sair pra um jantar a quatro."

"Seria legal. Então você está saindo com alguém?"

"Gideon e eu estamos nos entendendo de novo."

"Gideon Cross? Bom, se existe alguém capaz de fazê-lo sossegar, esse alguém é você."

Eu dei risada, e senti falta da minha aliança naquele momento. Eu não a usava o tempo todo, como Gideon. Ele não fazia questão nenhuma de esconder que estava comprometido comigo, mas eu ainda tinha que conversar com muita gente. "Valeu pelo voto de confiança. Mas e você? Está saindo com alguém?"

"Eu e Lacey estamos nos conhecendo melhor. Eu gosto dela. Ela é muito divertida."

"Que ótimo. Fico feliz em saber. Olha só, se você falar com ela hoje, pode perguntar sobre a Megumi pra mim? Ela não foi trabalhar hoje, e eu queria saber se está tudo bem."

"Claro." A ligação foi invadida por um ruído intenso, um sinal claro de que ele tinha saído para a rua. "Lacey está viajando, mas ficou de me ligar hoje à noite."

"Valeu. Eu agradeço. Você está na rua, então não vou mais atrapalhar. Vamos combinar alguma coisa pra semana que vem. A gente se fala."

"Legal. Fiquei feliz por você ter ligado."

Abri um sorriso. "Eu também."

Depois de desligar, aproveitei o embalo e mandei uma mensagem para Shawna e outra para Brett, com um oi e umas carinhas sorridentes.

Quando desviei os olhos do celular, vi que Clancy estava me olhando pelo retrovisor.

"E a minha mãe, como vai?"

"Ela vai ficar bem", ele respondeu, como sempre indo direto ao assunto.

Balancei a cabeça, olhei pela janela e vi um ponto de ônibus com um anúncio com uma foto de Cary. "Lidar com a família às vezes não é fácil, você sabe."

"Pois é."

"Você tem irmãos, Clancy?"

"Um irmão e uma irmã."

Como eles seriam? Durões e implacáveis como Clancy? Ou ele era a ovelha negra da família? "E tudo bem se eu perguntar se vocês têm uma relação próxima?"

"Ah, sim, estamos sempre em contato. Minha irmã vive em outro estado, mas nos falamos por telefone toda semana. Meu irmão mora em Nova York, então nos encontramos sempre."

"Que legal." Tentei imaginar Clancy em um momento mais relaxado, bebendo umas cervejas com um cara parecido com ele, mas não rolou. "Ele também trabalha no ramo da segurança privada?"

"Ainda não." Sua boca se curvou em um quase sorriso. "Ele é do FBI."

"E a sua irmã também é da polícia?"

"Ela faz parte do corpo dos fuzileiros navais."

"Uau. Que demais."

"É mesmo."

Olhei bem para ele e seu corte de cabelo militar. "Você também era das forças armadas, né?"

"Era, sim." Isso foi tudo o que ele se mostrou disposto a dizer.

Quando abri a boca para perguntar mais, vi que já estávamos quase em frente ao antigo galpão onde Parker tinha montado sua academia.

Peguei minha sacola com as roupas do treino e saí antes que Clancy fizesse menção de abrir a porta para mim. "Vejo você daqui a uma hora!"

"Acaba com eles, Eva", ele falou, enquanto me observava entrar.

Mal havia fechado a porta atrás de mim quando dei de cara com uma mulher que eu desejava nunca mais ver na vida. Nunca mesmo. Ela estava de pé a um canto, bem ao lado do tatame, com os braços cruzados. Estava usando calça de ginástica preta com listras azuis nas laterais que combinavam com a camiseta de mangas compridas. Seus cabelos castanhos ondulados estavam presos em um rabo de cavalo.

Ela se virou, e me mediu dos pés à cabeça com seus olhos azuis.

Sem ter como fugir do inevitável, respirei fundo e fui até ela. "Detetive Graves."

"Eva." Ela fez um leve aceno de cabeça. "Belo bronzeado."

"Obrigada."

"Foi viajar com Cross no fim de semana?"

Não era uma pergunta casual. Fiquei com o pé atrás. "Decidi tirar uma folguinha."

Ela entortou a boca para o lado. "Está sendo cautelosa. Que bom. O que o seu pai acha de Gideon Cross?"

"Acho que o meu pai confia no meu julgamento."

Graves balançou a cabeça de leve. "Eu me preocuparia um pouco mais com essa história da pulseira de Nathan, se fosse você. Mas, enfim, eu sou meio neurótica com esse tipo de coisa."

Senti minha espinha gelar. Claro que aquilo me preocupava, mas com quem eu poderia conversar a respeito? Com ninguém além de Gideon, e sabia muito bem que ele faria de tudo para resolver esse mistério.

"Preciso de uma parceira de treino", a detetive disse de repente. "Vamos lá."

"Hã, como assim?" Eu pisquei os olhos, confusa. "A gente pode...? Tudo bem se...?"

"Você não está mais sendo investigada, Eva." Ela entrou no tatame e começou a se alongar. "Vamos logo. Eu não tenho a noite toda."

Graves acabou comigo. Ela era muito mais forte do que seu corpo magro e esguio aparentava. Além disso, era uma lutadora compenetrada, precisa e impiedosa. Aprendi bastante durante o tempo em que treinamos, principalmente a nunca baixar a guarda. Ela era rapidíssima, e sabia reverter qualquer tipo de vantagem do adversário a seu favor.

Quando cheguei ao meu apartamento, moída de cansaço, fui diretamente para a banheira. Mergulhada em essência de baunilha à luz de velas, fiquei torcendo para que Gideon chegasse antes que eu encerrasse meu banho.

Ele acabou chegando só quando eu já estava me enrolando na toalha, e seus cabelos molhados mostravam que já tinha se lavado depois de sua sessão com seu personal trainer.

"Oi, garotão."

"Olá, minha esposa." Ele veio até mim, abriu minha toalha e baixou a cabeça até a altura do meu peito.

Perdi o fôlego quando senti que ele estava sugando um dos meus mamilos com movimentos contínuos, até que enrijecesse.

Ele se endireitou e contemplou o que havia feito. "Nossa, como você é gostosa."

Fiquei na ponta dos pés e dei um beijo em seu queixo. "Como foram as coisas agora à noite?"

Ele me olhou com um sorriso malicioso no rosto. "O dr. Petersen deu os parabéns pra gente, e depois ficou falando sobre a importância da terapia de casais."

"Ele acha que a gente casou cedo demais."

Gideon deu risada. "Por ele a gente não devia nem transar, Eva."

Franzi o nariz, me cobri de novo com a toalha e comecei a pentear os cabelos molhados.

"Pode deixar", ele falou, pegando o pente e me sentando na borda da banheira.

Enquanto Gideon penteava meus cabelos, eu contei que tinha me encontrado com a detetive Graves na aula de krav maga.

"Meus advogados me disseram que o caso foi arquivado", ele contou.

"E o que você acha disso?"

"Você está a salvo. É isso o que importa."

Ele disse isso em um tom impassível, um sinal de que dava mais importância a esse assunto do que gostaria de aparentar. Eu sabia que em algum lugar, lá no fundo, dentro dele, o assassinato de Nathan lhe atormentava. *Eu* me preocupava com o que Gideon tinha feito por mim porque éramos partes de uma mesma alma.

Era por isso que Gideon queria tanto se casar comigo. Eu era seu porto seguro. A única pessoa que conhecia seu terrível segredo, e que continuava apaixonada por ele do mesmo jeito. E ele precisava de amor mais do que qualquer outra pessoa que conheci na vida.

Senti algo vibrando junto ao meu peito, e falei em um tom de provocação: "Trouxe um brinquedinho novo pra mim, garotão?".

"Eu devia ter desligado essa porcaria", ele resmungou, pegando o celular. Depois olhou para a tela e atendeu de maneira curta e grossa. "Cross."

Ouvi uma voz feminina um tanto aflita do outro lado da linha, mas não dava para entender o que ela dizia.

"Quando?" Depois de ouvir a resposta, ele perguntou: "Onde? Sei. Estou indo".

Ele desligou e passou a mão pelos cabelos.

Eu fiquei de pé. "O que foi?"

"Corinne está no hospital. A minha mãe disse que o caso é grave."

"Eu me visto rapidinho. O que aconteceu?"

Gideon me encarou. Senti minha pele toda se arrepiar. Nunca o tinha visto assim tão... angustiado.

"Comprimidos", ele falou com a voz embargada. "Ela tomou um monte de comprimidos."

Fomos até o estacionamento pegar o DB9. Enquanto o garagista manobrava o carro, Gideon ligou para Raúl pedindo que nos encontrasse no hospital para ficar com o Aston Martin quando chegássemos.

Quando estava dirigindo, Gideon mantinha uma concentração inabalável. Cada volta do volante e cada pisada no acelerador eram movimentos de absoluta precisão. Naquele espaço confinado do carro, era impossível não notar que ele tinha se fechado para mim. Que, emocionalmente, não estava disponível naquele momento. Quando estendi a mão para acariciar sua perna, ele sequer esboçou uma reação. Eu não fazia ideia de como estava se sentindo.

Raúl estava à nossa espera quando chegamos ao pronto-socorro. Ele abriu a porta para mim e depois assumiu o volante quando Gideon desceu. O carro já estava voltando às ruas quando as portas automáticas do hospital se abriram diante de nós.

Segurei a mão de Gideon, mas não sabia se ele tinha se dado conta disso. Sua atenção logo se voltou totalmente para sua mãe, que levantou quando entramos na sala de espera privativa a que fomos conduzidos. Elizabeth Vidal mal olhou na minha cara. Foi diretamente na direção do filho e o abraçou.

Ele não retribuiu o abraço. Mas também não a afastou. Em vez disso, apertou a minha mão com mais força.

A sra. Vidal ignorou minha presença. Simplesmente virou as costas e fez um gesto na direção de um casal sentado ali perto. Eram obviamente os pais de Corinne. Estavam conversando com Elizabeth quando Gideon e eu chegamos, o que me pareceu um pouco estranho, já que Jean-François Giroux estava sozinho a um canto, ao lado da janela, parecendo tão deslocado quanto Elizabeth queria que eu me sentisse.

Gideon soltou a minha mão quando foi puxado pela mãe para junto da família de Corinne. Completamente sem graça, deixada sozinha diante da porta, não tive opção a não ser ir falar com Jean-François.

Eu o cumprimentei em voz baixa. "Sinto muito."

Ele me encarou com olhos sem vida. Parecia ter envelhecido uma década desde nossa conversa na adega, no dia anterior. "O que você está fazendo aqui?"

"A sra. Vidal ligou pro Gideon."

"Ah, sim, claro." Ele olhou para onde os demais estavam sentados. "Pelo jeito o marido dela era ele, não eu."

Eu segui seu olhar. Gideon estava agachado diante dos pais de Corinne, segurando a mão da mãe dela. Um sentimento de pavor tomou conta de mim, me fazendo gelar.

"Ela prefere morrer a viver sem ele", Jean-François comentou, sem nenhuma inflexão na voz.

Olhei de novo para ele. Nesse momento, eu entendi tudo. "Você contou pra ela, né? Sobre o nosso noivado."

"E veja só como ela reagiu à notícia."

Deus do céu. Cambaleante, dei um passo atrás para me apoiar à parede. Ela devia saber muito bem o efeito que uma tentativa de suicídio causaria em Gideon. Não era possível que fosse assim tão cega. Ou então sua intenção o tempo todo era despertar nele um sentimento de culpa. Imaginar que alguém pudesse chegar a esse nível de manipulação me deixou enojada, mas não havia como negar que a estratégia tinha dado resultado. Gideon estava lá de novo ao lado dela. Pelo menos por ora.

Uma médica entrou na sala, uma mulher de aparência gentil com cabelos loiros um poucos grisalhos e olhos azul-claros. "Sr. Giroux?"

"*Oui.*" Jean-François deu um passo à frente.

"Sou a dra. Steinberg. Estou cuidando do tratamento da sua esposa. Podemos conversar em particular um momentinho?"

O pai de Corinne se levantou. "Nós somos a família dela."

A dra. Steinberg abriu um sorriso educado. "Eu entendo. Mas é com o marido dela que eu preciso falar. Só posso adiantar que Corinne vai ficar bem depois de alguns dias de repouso."

Ela e Giroux saíram da sala. Não conseguíamos ouvir o que estavam dizendo, mas era possível vê-los através da divisória de vidro. Giroux era bem mais alto que a médica, mas o que ela dizia parecia estar acabando com ele. A tensão na sala de espera chegou a um nível quase insuportável. Gideon se pôs de pé ao lado da mãe, com a atenção voltada para a cena de suspense que se desenrolava diante de nós.

A dra. Steinberg deu um passo à frente e pôs uma das mãos sobre o braço de Jean-François, ainda enquanto falava. Depois de um instante, ela se calou e se afastou. Ele permaneceu imóvel, olhando para o chão, com os ombros caídos como se carregasse um grande peso sobre eles.

Fiz menção de ir até ele, mas Gideon foi mais rápido. Assim que ele pôs os pés para fora da sala de espera, Giroux o atacou.

O impacto dos corpos dos dois se chocando foi violento. A sala inteira tremeu quando Gideon foi arremessado contra a grossa divisória de vidro.

Alguém deu um grito de susto, e chamou pelos seguranças.

Gideon conseguiu afastar Giroux e deter um de seus golpes. Logo depois, teve que se agachar para não ser atingido no rosto. Jean-François estava berrando alguma coisa, com o rosto contorcido de raiva e de dor.

O pai de Corinne saiu às pressas da sala, e no mesmo momento os seguranças apareceram com suas armas de choque. Gideon empurrou Jean-François mais uma vez, fazendo questão de apenas se defender, sem atacá-lo. Seu rosto parecia impassível, e seus olhos estavam quase tão sem vida quanto os de Giroux.

Giroux continuava gritando com Gideon. Com a porta aberta pelo pai de

Corinne, ouvi uma parte do que ele estava dizendo. Não era preciso que ninguém traduzisse para mim a palavra *enfant*. Fiquei paralisada, e não conseguia ouvir mais nada além do zumbido nos meus ouvidos.

Todos saíram correndo da sala quando Gideon e Giroux foram contidos e levados até um elevador de serviço pelos seguranças. Atordoada, pisquei os olhos quando vi Angus diante de mim na porta, certa de que estava imaginando sua presença ali.

"Sra. Cross", ele disse baixinho, se aproximando de mim com o quepe nas mãos.

Não conseguia nem imaginar como devia ser minha expressão naquele momento. Ainda estava sob o efeito do choque da palavra *bebê*, e todas as implicações que ela trazia. Afinal de contas, Corinne estava em Nova York fazia semanas... mas o marido dela não.

"Vim até aqui para levar você pra casa."

Eu franzi a testa. "E Gideon?"

"Ele me mandou uma mensagem pedindo para vir buscar você."

Meu estado de perplexidade evoluiu para uma dor aguda. "Mas ele precisa de mim."

Angus respirou fundo, e em seus olhos eu pude ver algo parecido com uma expressão de pena. "Venha comigo, Eva. Já está tarde."

"Ele não me quer aqui", eu disse, desolada, tentando entender o que estava acontecendo.

"Ele prefere que você fique no conforto da sua casa."

Eu cravei os pés no chão. "Era isso que a mensagem dele dizia?"

"É nisso que ele está pensando."

"Você só está sendo gentil, isso sim." Comecei a andar, operando no piloto automático.

Passei pelo funcionário do hospital que estava arrumando a bagunça feita por ali quando Giroux esbarrou em um carrinho de comida. Ele evitou fazer contato visual comigo, o que parecia uma confirmação das minhas piores suspeitas.

Eu tinha acabado de ser jogada para escanteio.

22

Gideon não voltou para casa naquela noite. Quando passei em seu apartamento antes de ir para o trabalho, vi que todas as camas estavam arrumadas.

Onde quer que tenha passado a noite, perto de mim não foi. Depois da revelação da gravidez de Corinne, fiquei perplexa por ter sido deixada sozinha sem nenhuma explicação. Era como se uma bomba tivesse explodido bem na minha frente e eu tivesse sido largada em meio aos escombros, sozinha e confusa.

Angus estava à minha espera no Bentley quando saí à rua. Minha irritação cresceu ainda mais. Toda vez que se afastava de mim, Gideon mandava Angus como seu substituto.

"Eu devia ter casado com *você*, Angus", murmurei enquanto me ajeitava no banco de trás. "Você está sempre disponível pra mim."

"Mas só porque Gideon manda", ele falou antes de fechar a porta.

Isso é que é lealdade, eu pensei, amarga.

Quando cheguei ao trabalho, descobri que Megumi tinha faltado outra vez, e fui invadida por doses de preocupação e alívio. Ela costumava ser muito assídua — e chegava bem cedo —, o que significava que aquelas ausências eram sinal de que havia algo errado com ela. Por outro lado, eu poderia passar pela recepção sem que ninguém reparasse no meu estado de espírito, e sem ter que responder a perguntas às quais não queria responder. Não podia responder, na verdade. Eu não fazia ideia de onde estava o meu marido, e nem de como estava se sentindo.

Quanto a mim, eu estava magoada e furiosa. A única coisa que *não sentia* era medo. Gideon estava certo quanto ao fato de o casamento proporcionar uma sensação de segurança. Nós tínhamos um compromisso que não podia ser desfeito assim tão facilmente. Ele não poderia simplesmente desaparecer ou me ignorar para sempre. O que quer que acontecesse, em algum momento precisaríamos pôr tudo em pratos limpos. A única questão era: Quando?

Decidi me concentrar no trabalho e deixar as horas passarem. Às cinco da tarde, quando saí, ainda não tinha recebido notícias de Gideon, e também não tinha procurado falar com ele. Afinal, era *ele* quem precisava construir a ponte para vencer a distância que havia criado entre nós.

Fui para a aula de krav maga, e fiz uma sessão de treino corpo a corpo com Parker durante uma hora.

"Hoje você está com tudo", ele comentou quando o joguei ao chão pela sexta ou sétima vez.

Estava imaginando que ele era Gideon, mas não disse nada.

Quando cheguei em casa, encontrei Cary e Trey na sala de estar. Estavam comendo sanduíches e vendo um programa de humor na TV.

"A gente já comeu bastante", Trey falou, oferecendo metade de seu sanduíche para mim. "E tem cerveja na geladeira."

Trey era lindo, tinha uma personalidade formidável e estava apaixonado pelo meu melhor amigo. Olhei para Cary e notei imediatamente que ele estava se sentindo perdido e magoado, mas escondia tudo isso atrás de seu sorriso reluzente e encantador. Ele bateu na almofada do sofá ao seu lado. "Vem sentar aqui, gata."

"Claro", eu concordei, em parte por não querer ficar sozinha no meu quarto, enlouquecendo. "Só vou tomar um banho primeiro."

Depois de me sentir limpinha e confortável vestindo uma calça de moletom bem velha, fui sentar com os dois no sofá. Fiquei irritada ao me deparar com uma tela de erro que dizia "não encontrado" ao tentar rastrear o celular de Gideon, seguindo as instruções que ele havia me dado.

Acabei dormindo na sala mesmo, pois preferia o sofá a uma cama em que iria fatalmente sentir o cheiro do meu marido desaparecido.

Acordei com o cheiro dele do mesmo jeito, sentindo seus braços em torno de mim quando ele me levantou do sofá. Exausta, apoiei a cabeça contra o peito de Gideon e ouvi o som de seu coração batendo com força. Ele me carregou até o quarto.

"Onde você estava?", eu murmurei.

"Na Califórnia."

Tive um sobressalto. "Quê?"

Ele sacudiu a cabeça. "De manhã a gente conversa."

"Gideon..."

"De manhã, Eva", ele disse, bem sério, me pôs na cama e me deu um beijo na testa.

Agarrei seu pulso quando ele ficou de pé novamente. "Nem pense em me deixar aqui sozinha."

"Eu não durmo há quase duas merdas de dias." O tom de irritação em sua voz me fez ficar alarmada.

Eu me apoiei sobre os cotovelos e tentei ver seu rosto na semipenumbra, mas não dava para enxergar muita coisa, e eu ainda estava sonolenta. Notei apenas que ele vestia jeans e uma camiseta de manga comprida. "Então vem dormir aqui comigo."

Ele bufou, externando seu cansaço. "Espera aí. Vou pegar meu remédio."

Percebi que ele estava demorando demais, e lembrei que havia um frasco de seus comprimidos no meu banheiro também. Aquilo era só um pretexto para ele ir embora. Eu me livrei das cobertas, saí cambaleando pelo quarto, fui até a sala de estar e peguei minhas chaves. Quando entrei no apartamento de Gideon, quase tropecei na mala que ele tinha deixado perto da porta.

Ele devia ter passado ali apenas para deixar suas coisas antes de ir me ver. E mesmo assim não quis dormir na minha cama. Então por que foi até lá? Para me ver dormindo? Para saber se estava tudo bem?

Puta que pariu. Algum dia eu seria capaz de entender aquele homem?

Procurei pelo apartamento e o encontrei dormindo de bruços na cama da suíte principal, ainda vestido. Suas botas estavam uma de cada lado da cama, como se ele as tivesse tirado às pressas, e o celular e a carteira estavam sobre o criado-mudo.

A tentação do celular foi irresistível.

Apanhei o aparelho, digitei a senha — *anjo* — e comecei a fuçar sem um pingo de pudor. Nem me preocupei em esconder o que estava fazendo. Se ele podia se recusar a me fornecer informações, então eu também podia ir atrás de respostas.

A última coisa que eu esperava encontrar era aquela quantidade de fotos minhas em seu álbum de fotos. Havia dezenas delas: algumas tiradas por *paparazzi*, outras por ele mesmo com o celular, quando eu estava distraída. Imagens reveladoras, que permitiam que eu me visse através de seus olhos.

Nesse momento, minha preocupação se foi. Ele me amava, me adorava. Homem nenhum tiraria as fotos que ele tirou de mim se não estivesse apaixonado. Descabelada, sem maquiagem, fazendo coisas não tão especiais como lendo alguma coisa ou parada diante da geladeira aberta pensando no que gostaria de comer. Fotos em que eu estava dormindo, comendo, pensando na vida... Coisas banais e corriqueiras.

O registro de chamadas do celular mostrava que a maior parte das conversas tinha sido com Angus, Raúl ou Scott. Havia também mensagens de voz de Corinne, mas eu resolvi me poupar desse sofrimento, já que ele não atendia às ligações dela fazia tempo. Vi também telefonemas de negócios, um ou outro para Arnoldo e vários para seus advogados.

Além de três conversas com Deanna Johnson.

Estreitei os olhos ao ver aquilo. Eram ligações demoradas, de até quinze minutos.

Dei uma olhada nas mensagens de texto e encontrei a que ele mandou para Angus quando estávamos no hospital.

Preciso dela fora daqui.

Sentei na poltrona no canto do quarto e fiquei olhando para aquela mensagem. *Preciso*, e não *quero*. Por alguma razão, essa escolha vocabular alterou minha perspectiva do que havia acontecido. Ainda não era capaz de entender plenamente, mas não estava me sentindo mais tão... excluída.

Havia também uma troca de mensagens com Ireland, o que me deixou feliz. Não li nenhuma delas, mas vi que a última tinha sido recebida na segunda-feira.

Devolvi o celular ao lugar onde estava e observei o sono profundo do homem que eu amava. Deitado todo esparramado e ainda vestido, era um dos poucos momentos em que ele aparentava a idade que tinha. Gideon carregava uma responsabilidade imensa sobre os ombros, aparentemente sem esforço... como se fosse algo natural, o que tornava bem fácil esquecer que ele estava sujeito ao cansaço e ao estresse tanto quanto qualquer um.

Era o meu papel como sua esposa ajudá-lo a lidar com tudo aquilo. Por outro lado, era impossível fazer isso se ele insistisse em se afastar de mim o tempo todo. Por querer me poupar de maiores preocupações, ele estava ficando sobrecarregado.

Precisaríamos conversar sobre isso assim que ele acordasse.

Acordei com uma dor incômoda no pescoço e com a sensação de que havia algo errado. Eu fui me movendo com cuidado para não esbarrar em nada, levantei da poltrona e percebi que o dia estava raiando, que uma luz alaranjada era visível nas janelas, e uma rápida olhada no relógio ao lado da cama confirmou que já estava amanhecendo.

Gideon grunhiu e ficou todo tenso, o que me deixou alarmada. Era um ruído terrível, o barulho de uma criatura ferida no corpo e na alma. Fiquei gelada ao ouvi-lo gemer de novo. Meu corpo inteiro reagia violentamente ao seu sofrimento.

Fui correndo até a cama, me ajoelhei ao seu lado e sacudi seu ombro. “Gideon. Acorda.”

Ele fugiu de mim, encolhendo o corpo e agarrando o travesseiro. Seu corpo se contorceu, e ouvi que ele estava chorando.

Deitei ao seu lado e o abracei, passando o braço pela sua cintura. “Calma, amor”, sussurrei. “Eu estou aqui com você.”

E o embalei em seu choro até que ele dormisse, molhando sua camiseta com minhas lágrimas.

*

“Acorda, meu anjo”, murmurou Gideon, me beijando no rosto. “Preciso de você.”

Eu me alonguei, ainda dolorida por causa das duas sessões pesadas de treino e do tempo que passei dormindo na poltrona antes de me juntar a ele na cama.

Minha camiseta estava levantada, expondo meus seios à sua boca ávida e faminta. Com uma das mãos ele baixou minha calça de moletom, e depois a calcinha, encontrando meu sexo e despertando meu desejo.

“Gideon...” Dava para sentir todo o seu desespero a cada toque, um desejo que ia muito além das necessidades da carne.

Ele me calou com um beijo. Meus quadris se arquearam ao sentir seus dedos dentro de mim, me fodendo devagarinho. Ansiosa para atender aos seus desejos, eu tirei a calça, remexendo as pernas sem parar até me livrar delas.

Abri o botão de seus jeans, e abaixei sua calça e sua cueca.

“Me coloca dentro de você”, ele sussurrou com os lábios colados aos meus.

Agarrei seu membro ereto entre os dedos, posicionei junto à minha abertura e ergui os quadris para recebê-lo parcialmente.

Afundando o rosto no meu pescoço, ele me penetrou, entrando fundo dentro de mim, gemendo de prazer enquanto eu diminuía a distância entre nós. “Nossa, Eva. Como eu preciso de você.”

Eu o agarrei com os braços e as pernas, segurando-o com força.

Tudo mais que havia no mundo perdeu importância naquele momento. Gideon renovou todas as promessas que havia feito na areia da praia no Caribe, enquanto eu tentava consolá-lo e fazer com que tivesse forças para encarar mais um dia.

Estava me maquiando quando Gideon apareceu no banheiro e colocou uma caneca fumegante de café na pia de mármore ao meu lado. Estava usando apenas a calça do pijama, por isso concluí que não iria trabalhar naquele dia, ou então só iria mais tarde.

Olhando para ele pelo espelho, procurei algum vestígio de lembrança de seus sonhos. Eu nunca o havia visto assim tão perturbado, como se tivesse levado uma punhalada no coração.

“Eva,” ele disse baixinho, “precisamos conversar.”

“Concordo plenamente.”

Ele segurou a caneca com as duas mãos. Ficou olhando para o café por um bom tempo antes de perguntar: "Você filmou, ou deixou que filmassem, alguma transa sua com Brett Kline?".

"Quê?" Eu virei para ele, apertando com força o pincel de maquiagem. "Não. De jeito nenhum. Por que está me perguntando isso?"

Ele me encarou. "Quando voltei do hospital naquela noite, Deanna veio falar comigo no saguão. Depois do que aconteceu com Corinne, eu percebi que uma dispensa grosseira não seria a abordagem mais correta."

"Isso eu já tinha falado pra você."

"Pois é. E você estava certa. Então a gente foi até um bar pra beber uma taça de vinho, e eu pedi desculpas."

"Você saiu com ela pra beber um vinho", eu repeti.

"Não, eu saí com ela pra pedir desculpas. O vinho foi só um pretexto pra ir até o maldito bar", ele respondeu, irritado. "Achei melhor fazer isso em público do que aqui no apartamento, o que seria muito mais prático e conveniente."

Ele tinha razão, e gostei de saber que ele havia tomado providências para amenizar minha reação negativa. Ainda assim, fiquei com raiva por Deanna ter conseguido um "encontro" com ele.

Gideon deve ter percebido como eu me sentia, porque entortou a boca para o lado. "Você é tão possessiva, meu anjo. Sorte sua que eu gosto disso."

"Fica quieto. E o que Deanna tem a ver com o tal vídeo? Foi ela que contou isso pra você? Porque é mentira."

"Não é, não. Depois que eu pedi desculpas, ela resolveu abrir o jogo comigo. Me contou sobre o vídeo, e falou que estava prestes a ser leiloado."

"Essa mulher é uma mentirosa, acredite em mim", argumentei.

"Você conhece um cara chamado Sam Yimara?"

Fiquei paralisada, sentindo um nó no estômago. "Conheço, ele se dizia o cinegrafista oficial da banda."

"Isso mesmo." Gideon deu um gole em seu café, e me encarou com uma expressão bem séria por cima da caneca. "Ao que parece ele instalou umas câmeras escondidas nos bastidores pra conseguir imagens exclusivas da banda, e diz que recriou o clipe de 'Golden' com imagens reais e explícitas."

"Ai, meu Deus." Eu cobri a boca, sentindo ânsia de vômito.

Imaginar um bando de estranhos vendo imagens minhas transando com Brett era um pesadelo, e a ideia de que Gideon também tivesse visto tornava tudo mil vezes pior. Eu havia testemunhado sua reação ao clipe no dia do lançamento, e tinha sido terrível. Nossa relação jamais seria a mesma caso ele visse esse vídeo. Eu pelo menos sabia que, se o visse com outra mulher, não seria capaz de apagar nunca mais essa imagem da minha cabeça. E, com o tempo, ela me corroeria por dentro como ácido.

"Por isso você foi pra Califórnia", eu murmurei, horrorizada.

"Deanna me contou tudo o que sabia, e eu consegui uma ordem judicial impedindo que Yimara vendesse ou licenciasse esse vídeo."

Sua linguagem corporal não dava nenhuma indicação de como ele estava se sentindo. Gideon permanecia comedido e controlado. Já eu estava claramente em pânico. "Você não tem como impedir que essas imagens acabem vazando", murmurei.

"Temos uma medida liminar temporária."

"Assim que esse vídeo for parar em algum site, vai se espalhar como uma praga."

Ele sacudiu a cabeça, fazendo a ponta de seus cabelos roçarem os ombros. "Coloquei uma equipe de TI que vai monitorar vinte e quatro horas por dia o aparecimento desse vídeo na internet, e além disso Yimara não vai ganhar nada se compartilhar o arquivo de graça. Ele só vai jogar merda no ventilador depois de esgotar todas as possibilidades, inclusive a de vender o vídeo pra mim."

"Deanna vai cuidar de espalhar essa história. O trabalho dela é revelar segredos, não guardar."

"Eu ofereci pra ela uma exclusividade de quarenta e oito horas na divulgação das fotos do nosso casamento pra ela manter o bico calado."

"E ela topou?", eu perguntei, incrédula. "Aquela mulher é obcecada por você. Não vai ficar feliz em saber que você está fora do mercado. E definitivamente."

"Chega uma hora em que as pessoas se conformam que não tem mais jeito", ele falou, um tanto irônico. "Acho que consegui me acertar com ela. Pode confiar em mim, ela ficou bem feliz quando percebeu que podia faturar alto com as fotos exclusivas do casamento."

Fui até o vaso, baixei a tampa e sentei. Todas aquelas notícias me deixaram tonta. "Estou muito mal com tudo isso, Gideon."

Ele pôs sua caneca de café ao lado da minha e se agachou na minha frente. "Olha pra mim."

Fiz como ele pediu, mas não foi nada fácil.

"Eu *nunca* vou deixar ninguém magoar você", ele falou. "Entendeu bem? Eu vou cuidar disso."

"Desculpa", eu suspirei. "Sinto muito por obrigar você a lidar com esse tipo de coisa. Como se você já não tivesse tanta coisa com que se preocupar..."

Gideon segurou as minhas mãos. "A sua privacidade foi violada, Eva.

Não precisa se desculpar. E sobre resolver isso pra você... é um direito meu. Uma honra. Pra mim, você vem sempre em primeiro lugar."

"Não foi o que pareceu lá no hospital", eu rebati, querendo desabafar meu ressentimento antes que ele crescesse ainda mais. Além disso, precisava entender por que ele sempre se fechava para mim quando sentia que devia me proteger. "Justamente quando eu mais queria ficar do seu lado, você mandou Angus me buscar. E depois ainda *atravessou o país* sem me dar nem um telefonema... sem me dizer nada."

Ele cerrou os dentes. "E também nem dormi. Usei todo o tempo de que dispunha pra conseguir a liminar, e precisei pedir um monte de favores pra isso. Você precisa confiar em mim, Eva. Mesmo sem entender o que eu estou fazendo, saiba que estou sempre pensando em fazer o que for melhor pra você. Pra nós."

Eu desviei os olhos, pois não gostei de ouvir aquilo. "Corinne está grávida."

Ele bufou. "Sim, ela estava. De quatro meses."

Uma palavra capturou minha atenção. "Estava?"

"Ela perdeu o bebê enquanto recebia o tratamento pra overdose de medicamentos. Acho que ela não sabia que estava grávida. Pelo menos é nisso que eu prefiro acreditar."

Sem tirar os olhos dele, procurei disfarçar o alívio que aquela informação me proporcionou. "Quatro meses? Então o bebê era do Giroux."

"Espero que sim", ele disse. "Ele pelo menos achava que era, e está me culpando pelo aborto."

"Meu Deus."

Gideon baixou a cabeça e a apoiou sobre as minhas pernas. "Eu acho *mesmo* que ela não sabia. Ela não arriscaria a vida do bebê por um motivo tão estúpido."

"Você não tem culpa nenhuma nisso, Gideon", eu falei, bem séria.

Ele me abraçou pela cintura. "Meu Deus. Será que eu sou amaldiçoado?"

Meu ódio por Corinne chegou ao ápice naquele momento. Ela sabia que o pai de Gideon tinha se matado. Caso se preocupasse minimamente com ele, saberia que sua tentativa de suicídio o deixaria arrasado.

"Você não é responsável por nada que ela fez." Passei os dedos por seus cabelos para consolá-lo. "Está me ouvindo? A única responsável por tudo isso é Corinne. Ela é que vai ter que conviver com as consequências desses atos, e não você e eu."

"Eva." Ele me abraçou, e eu senti seu hálito quente sob o tecido fino do meu robe de seda.

Quinze minutos depois, Gideon saiu do banheiro para atender a uma ligação de Raúl, me deixando ali parada diante do espelho, olhando para a pia.

"Você vai se atrasar", ele disse baixinho, me abraçando por trás quando voltou.

"Estou pensando em ligar pra dizer que não vou." Eu não costumava fazer isso, mas estava exausta, me sentindo sem energia, não conseguiria dedicar ao meu trabalho a atenção que ele merecia.

"Você até pode fazer isso, mas vai pegar mal quando saírem as fotos do evento de hoje à noite."

Eu o encarei pelo espelho. "Mas a gente não vai!"

"Claro que vai."

"Gideon, se esse vídeo meu com Brett vazar, vai ser melhor pra você se a sua imagem não estiver vinculada à minha."

Ele ficou tenso, e me puxou para que eu o encarasse. "Como é?"

"Você me ouviu muito bem. O nome Cross já foi difamado o suficiente, você não acha?"

"Meu anjo, nunca senti tanta vontade de dar uns tapas na sua bunda quanto agora. Pra sua sorte, eu não gosto de castigar ninguém enquanto estou irritado."

Sua bronca um tanto provocativa não me impediu de continuar determinada a protegê-lo do meu passado, do qual eu tanto me envergonhava. Ele estava disposto a me preservar do escândalo, atraindo toda a atenção para si, se fosse preciso.

Eu não imaginava ser possível amá-lo mais do que já amava, mas Gideon continuava a provar que era, sim.

Ele pegou meu rosto entre as mãos. "O que quer que aconteça, vamos encarar tudo isso juntos. E usando o meu nome."

"Gideon..."

"Você não imagina o orgulho que é pra mim você usar o meu nome." Ele beijou de leve a minha testa. "O quanto isso significa pra mim."

"Ai, Gideon." Fiquei na ponta dos pés para senti-lo melhor. "Eu te amo demais."

Cheguei ao trabalho com meia hora de atraso, e encontrei uma temporária sentada à mesa de Megumi. Abri um sorriso e a cumprimentei, mas estava preocupada. Passei na sala de Mark e pedi desculpas sinceras por ter me atrasado. Depois liguei para o celular de Megumi da minha mesa, mas ela não atendeu. Fui até o cubículo de Will.

"Queria perguntar uma coisa pra você", eu falei quando cheguei até ele.

"Se eu souber responder", ele se prontificou, virando a cadeira giratória para me olhar através dos seus óculos estilosos.

"Pra quem Megumi liga pra avisar que está doente?"

"Pelo que eu sei é pra Daphne. Por quê?"

"Estou preocupada. Deixei um monte de recados e ela não me ligou de volta. Estou com medo de que ela esteja com raiva de mim ou coisa do tipo." Minhas pernas começaram a ficar inquietas. "Eu queria poder ajudar."

"Bom, se servir de consolo, Daphne falou que ela parecia estar muito mal."

"Que merda. Mas valeu mesmo assim."

Quando voltei ao meu cubículo, Mark fez um gesto para que eu fosse até seu escritório.

"Hoje vão instalar aquele anúncio de seis andares das echarpes Tungsten."

"Ah, é?"

Ele sorriu. "Quer ir dar uma olhada?"

"Sério?" Por mais fragilizada que eu estivesse me sentindo, passar o dia ao ar livre no calor do verão era muito mais atraente do que ficar confinada à minha mesa. "Seria demais!"

Ele pegou o paletó, que estava pendurado nas costas da cadeira. "Vamos."

Quando cheguei em casa, pouco depois das cinco, encontrei minha sala dominada por uma equipe de esteticistas de jaleco branco. Cary e Trey estavam deitados no sofá com uma meleca verde no rosto e toalhas sob a cabeça para proteger o estofado branco. Minha mãe tagarelava sem parar enquanto cuidavam de seu cabelo que começava a ganhar um penteado com cachos sensuais.

Tomei um banho rápido antes de me juntar a eles. Em uma hora, minha aparência foi da exaustão ao glamour, o que me permitiu também um tempo para deixar rolar todos os pensamentos reprimidos durante o dia — sobre o vídeo, Corinne, Giroux, Deanna e Brett.

Alguém precisaria contar tudo para Brett. E esse alguém seria eu.

Quando a maquiadora veio até mim com o pincel para o batom, eu me apressei em dizer: "Vermelho, por favor".

Ela inclinou a cabeça para me examinar melhor. "É mesmo, você tem razão."

Estava prendendo o fôlego enquanto a cabeleireira passava uma última demão de spray nos meus cabelos quando senti o meu celular vibrar no bolso do robe. Vi que a ligação era de Gideon e atendi. "Oi, garotão."

"O que você vai usar?", ele perguntou, sem nem me cumprimentar.

“Um vestido prateado.”

“Sério?” Sua voz ganhou um tom afetuoso que fez os dedos dos meus pés se curvarem. “Mal posso esperar pra ver você com esse vestido. E sem ele também.”

“Não vai demorar muito”, eu avisei. “Você tem dez minutos pra trazer essa sua bundinha linda até aqui.”

“Sim, senhora.”

Eu estreitei os olhos. “Se você demorar, o passeio de limusine vai precisar ser mais curto.”

“Humm... Chego aí em cinco minutos, então.”

Quando ele desligou, ainda fiquei segurando o telefone por um tempo, sorrindo.

“Quem era?”, perguntou minha mãe, vindo até mim.

“Gideon.”

Os olhos dela se acenderam. “Ele vai hoje também?”

“Vai.”

“Ah, Eva.” Ela me abraçou. “Que felicidade.”

Com os braços em torno dela, achei que era o momento ideal para começar a espalhar a notícia do nosso noivado. Eu sabia que Gideon não demoraria muito a dizer ao mundo inteiro que estávamos comprometidos.

“Ele pediu permissão pro meu pai pra casar comigo.”

“Ah, é?” Ela se afastou e abriu um sorriso. “Ele falou com o Richard, também. Foi uma atitude muito bacana, você não acha? Eu até já comecei a planejar tudo. Acho que o ideal seria em junho, no Pierre, é claro. Nós podemos...”

“Tem que ser até dezembro, no máximo.”

Minha mãe arregalou os olhos. “Não seja ridícula. Não dá para planejar um casamento em tão pouco tempo. É impossível.”

Eu encolhi os ombros. “Então diz pro Gideon que você está pensando em junho do ano que vem. E vamos ver o que ele fala.”

“Bom, antes de qualquer coisa ele precisa fazer o pedido!”

“Verdade.” Dei um beijo no rosto dela. “Eu vou me trocar.”

23

Eu estava no meu quarto, ajeitando o vestido tomara que caia sobre o sutiã sem alças, quando Gideon entrou. Literalmente parei de respirar, absorvendo seu reflexo no espelho. Em pé atrás de mim com um smoking feito sob medida e uma gravata cinza combinando com a minha roupa, ele estava deslumbrante, mais lindo do que nunca.

"Uau", eu murmurei, ofegante. "Tem alguém aqui que *com certeza* vai se dar bem hoje à noite."

Ele abriu um sorriso. "Isso quer dizer que não preciso nem ajudar você a fechar o vestido?"

"Quer dizer que não precisamos nem sair de casa hoje."

"Esquece, meu anjo. Eu não vou perder a chance de exibir a minha esposinha."

"Ninguém nem sabe que somos casados."

"*Eu* sei." Ele veio até mim e segurou o zíper do meu vestido. "Mas em breve — em breve mesmo — o mundo inteiro vai saber."

Eu me inclinei na direção dele, admirando nosso reflexo. Nós saíamos muito bem nas fotos.

O que me fez lembrar de outras imagens...

"Me promete", eu pedi, "que nunca vai ver esse vídeo."

Ele não respondeu, e eu virei para encará-lo. Quando vi o olhar desconcertado em seu rosto, comecei a ficar apavorada. "Gideon. Não vai me dizer que já viu!"

Ele cerrou os dentes. "Um minuto ou dois. Nada muito explícito. Só pra ver se as imagens eram autênticas."

"Ai, meu Deus. Me promete que nunca vai ver." Meu tom de voz foi ficando mais alto e mais agudo à medida que o pânico tomava conta. "Me promete!"

Ele me enlaçou pela cintura com os braços e me apertou com tanta força que eu mal conseguia respirar. Eu fiquei olhando para ele, com os olhos arregalados, surpresa com aquela demonstração de agressividade.

"Calma", ele disse baixinho.

Senti um calor se irradiando pelo meu corpo a partir do lugar onde ele me tocava. Meu coração começou a bater mais forte, mas em um ritmo mais constante. Fiquei olhando para nossas mãos, em especial para a aliança dele. Vermelha. Como as amarras que ele comprou para mim. Naquele momento também eu estava me sentindo capturada e submetida. E essa sensação me acalmou, apesar de eu não entender por quê.

Mas Gideon obviamente entendia.

Foi por isso que não hesitei em me casar com ele de uma hora para outra. Ele estava me conduzindo em uma jornada rumo ao desconhecido, na qual eu concordei em embarcar com os olhos vendados. O que estava em questão não era nosso destino como casal. Éramos obcecados um pelo outro, dependentes, como se fosse um vício. A pergunta a ser respondida era quem *eu* me tornaria depois de viver tudo aquilo.

A transformação de Gideon havia sido quase violenta, ocorreu em um momento de clarividência no qual ele compreendeu que não queria — e nem conseguia — viver sem mim. Minha mudança vinha sendo mais gradual, tão dolorosamente lenta que eu acreditava que nem tinha mudado em nada.

Eu estava errada.

Com um nó na garganta, fazendo força para engolir, eu falei em um tom de voz mais tranquilo. "Escuta só, Gideon. O que quer que você veja nesse vídeo, não é nada em comparação com o que fazemos juntos. As únicas lembranças que eu quero que você guarde na cabeça são as dos *nossos* momentos. Eu e você... é só isso que importa. Então, por favor... me promete."

Ele fechou os olhos e depois balançou a cabeça. "Tudo bem. Eu prometo."

Soltei um suspiro de alívio. "Obrigada."

Ele levou minha mão até os lábios e a beijou. "Você é minha, Eva."

Graças a um acordo mútuo e silencioso, nós nos comportamos na limusine a caminho da nossa primeira aparição pública depois de casados. Eu estava nervosa, e sabia que um ou dois orgasmos ajudariam a aliviar a tensão, mas também sentia que, se a minha aparência estivesse algo menos que impecável, isso só pioraria as coisas. As pessoas iam prestar atenção em mim. E não apenas por causa do meu vestido curto e chamativo, mas também porque meu acompanhante era um acessório impossível de não notar.

As atenções estariam voltadas para nós, e aparentemente era isso que Gideon queria. Ele me ajudou a descer da limusine na Quinta Avenida com a Central Park South e fez questão de me dar um beijo no rosto. "Esse vestido vai ficar lindo no chão do meu quarto."

Eu dei risada daquela fala de conquistador barato, pois sabia que era uma ironia deliberada, e bem nesse momento as luzes ofuscantes dos flashes começaram a piscar. Quando ele se virou para se postar ao meu lado, a expressão de afetuosidade sumiu de seu rosto, suas feições assumiram um ar de seriedade que não deixava entrever absolutamente nada. Ele pôs a mão sobre a base da minha coluna e me conduziu pelo tapete vermelho até a entrada do Cipriani's.

Uma vez lá dentro, ele encontrou um lugar que o agradou e por lá ficamos por uma hora, cercados por seus parceiros de negócios e conhecidos. Gideon queria que ficássemos sempre juntos, algo que pude comprovar logo em seguida, quando ele me acompanhou até a pista de dança.

"Me apresenta", ele pediu, e tive que seguir seu olhar para ver que estava se referindo a Christine Field e Walter Leaman, da Waters Field & Leaman, que estavam rindo e conversando com um grupo de convidados. Christine estava toda elegante e comportada em seu vestido preto de paetês que a cobria do pescoço até os punhos e tornozelos, a não ser por uma abertura nas costas, e Walter, um homem corpulento, ostentava toda a sua riqueza e confiança com um smoking bem cortado e uma gravata-borboleta.

"Eles sabem quem você é", eu argumentei.

"Mas sabem da minha relação com *você*?"

Franzi de leve o nariz, sabendo que meu mundo iria mudar drasticamente quando deixasse de ser uma moça solteira e me revelasse como Eva Cross. "Vamos lá, garotão."

Nos dirigimos até eles, desviando das mesas redondas com toalhas de linho branco decoradas com candelabros e arranjos florais que espalhavam seu aroma delicioso pelo salão.

Meus chefes repararam primeiro na presença de Gideon, obviamente. Acho que só me reconheceram quando ele deu um passo atrás para que eu fizesse as honras.

"Boa noite", eu falei, apertando as mãos de Christine e Walter. "Vocês já conhecem Gideon Cross, o meu..."

Minha cabeça entrou em parafuso, e eu parei de falar.

"Noivo", complementou Gideon, estendendo a mão para ambos.

Recebemos os parabéns. Os sorrisos ficaram mais largos, os olhos se arregalaram.

"Isso não significa que estamos perdendo você, certo?", perguntou Christine, com seus brincos de diamante cintilando à luz suave do salão.

"Não. Vou continuar exatamente onde estou."

Gideon deu um beliscão na minha bunda quando eu disse isso.

Em algum momento teríamos que conversar sobre isso de novo, mas eu achava que conseguiria enrolá-lo pelo menos até o nosso segundo casamento.

Conversamos um pouco sobre a campanha da Vodka Kingsman, uma boa forma de enfatizar que os bons serviços prestados pela Waters Field & Leaman podiam render bons frutos para as Indústrias Cross. Gideon conhecia muito bem esse jogo, e exerceu seu papel com maestria. Foi educado e charmoso, mas sempre deixando bem claro que não era do tipo que se deixava impressionar facilmente.

Depois disso, ficamos sem assunto. Foi Gideon quem pediu licença e nos tirou dali.

"Vamos dançar", ele murmurou na minha orelha. "Quero abraçar você."

Fomos até a pista de dança, onde Cary monopolizava as atenções junto com uma ruiva lindíssima. Era possível ver uma grande extensão de sua perna clarinha e bem torneada pela abertura de seu vestido verde-esmeralda. Ele a conduziu em um rodopio, e depois a deitou nos braços com movimentos graciosamente suaves.

Trey não estava lá porque tinha aula naquela noite, e eu lamentei muito por isso. E também lamentei muito por ter achado bom que Cary não tivesse convidado Tatiana. Era o tipo de coisa que fazia com que eu me sentisse recalcada e invejosa, e eu detestava mulheres recalcadas e invejosas.

"Olha pra mim."

Virei a cabeça ao comando de Gideon e dei de cara com seus olhos grudados em mim. "Oi, garotão."

De mãos dadas e segurando um ao outro pelas costas, rodopiamos casualmente pela pista.

"Crossfire", ele murmurou, me encarando fixamente.

Eu acariciei seu rosto com as pontas dos dedos. "Estamos aprendendo com nossos erros."

"Você leu os meus pensamentos."

"Isso é tão bom."

Ele sorriu com seus olhos azuis em chamas e seus cabelos tão lindos que a minha vontade era agarrá-los ali mesmo. Gideon me puxou para mais perto. "Não tão bom quanto sentir você assim."

Ainda dançamos mais duas músicas. Depois o som parou e o líder da banda fez o anúncio de que o jantar logo seria servido. À nossa mesa estavam sentados, além de nós, minha mãe e Richard, Cary, um cirurgião plástico acompanhado da esposa e um cara que contou ter acabado de gravar um piloto de um novo programa de TV e que estava à espera de uma resposta da emissora para gravar uma temporada completa.

A comida era de inspiração asiática, e eu comi de tudo, já que estava uma delícia e as porções eram pequenas. Gideon pôs a mão na minha coxa por baixo da mesa, me acariciando com o polegar com movimentos circulares que me deixaram toda inquieta.

Ele chegou mais perto. "Não se mexe."

"Para", eu murmurei em resposta.

"Continua se mexendo e eu enfio os dedos em você."

"Você não faria isso."

Ele deu um risinho de deboche. "Então paga pra ver."

Como sabia do que ele era capaz, resolvi ficar sentada quietinha, apesar de aquilo estar acabando comigo.

"Com licença", Cary disse de maneira abrupta e saiu da mesa.

Mantive um olho grudado nele e outro em uma mesa ali perto. Quando a ruiva de verde se levantou e foi atrás dele, pouco tempo depois, não chegou a ser uma surpresa, mas com certeza foi uma decepção. Eu entendia que a situação com Tatiana devia ser estressante, e sabia que Cary encarava o sexo como cura para tudo, mas também tinha noção de que isso era algo prejudicial à sua autoestima, e que causava mais problemas do que resolvia.

Ainda bem que faltavam só dois dias para a nossa visita ao dr. Travis.

Eu me inclinei na direção de Gideon e sussurrei: "Cary e eu vamos pra San Diego no fim de semana".

Ele se virou para mim. "E você vem me dizer isso *agora?*"

"No meio de toda essa confusão com o meu ex, a sua ex, os meus pais, Cary e todo o resto, acabei esquecendo! Achei melhor falar logo, antes que eu esquecesse de novo."

"Meu anjo...", ele sacudiu a cabeça.

"Espere um pouco." Eu fiquei de pé. Precisava contar que a turnê de Brett ia passar por San Diego naquela mesma semana, mas tinha que falar com Cary primeiro.

Ele também levantou, e me olhou com uma expressão de perplexidade.

"Eu já volto", eu disse a ele, antes de acrescentar: "Tenho uma foda pra empatar".

"Eva..."

Percebi o tom de desaprovação em sua voz, mas resolvi ignorá-lo e saí correndo atrás de Cary. Assim que passei pela entrada do salão, dei de cara com um rosto bem familiar.

"Magdalene", eu disse, surpresa, e parei. "Não sabia que você vinha."

"Gage estava enrolado com um projeto, por isso chegamos atrasados. Perdemos o jantar, mas pelo menos consegui comer um desses mousses de chocolate que serviram de sobremesa."

"Uma delícia", eu confirmei.

"Pois é." Magdalene sorriu.

Pensei comigo que ela estava linda. Mais simpática e mais amável, porém deslumbrante como sempre com seu vestido de renda vermelha de ombro único e seus cabelos escuros emoldurando seu rosto delicado e seus lábios vermelhos. Manter distância de Christopher Vidal tinha feito muito bem para ela. E o namorado novo certamente ajudou. Eu lembrei que ela havia mencionado um cara chamado Gage quando foi me ver no trabalho umas semanas antes.

"Eu vi você com Gideon", ela comentou. "E reparei na aliança."

"Você devia ter ido cumprimentar a gente."

"Eu estava comendo a minha sobremesa."

Eu dei risada. "Verdade, primeiro as coisas importantes."

Magdalene tocou o meu braço de leve. "Estou feliz por você, Eva. E por Gideon."

"Obrigada. Passa lá na nossa mesa e diz isso pra ele pessoalmente."

"Pode deixar. Até mais tarde."

Quando ela se afastou, eu a observei por algum tempo, ainda desconfiada, mas já começando a admitir que Magdalene podia não ser tão ruim assim.

O único problema de ter me encontrado com ela foi que perdi Cary de vista. Quando retomei a perseguição, ele já tinha se enfiado em algum lugar.

Tomei o caminho de volta para a mesa, já pensando na comida de rabo que daria em Cary. Foi quando Elizabeth Vidal atravessou o meu caminho.

"Com licença", eu falei quando quase nos esbarramos.

Ela me agarrou pelo cotovelo e me puxou para um canto. Depois pegou a minha mão e olhou para o lindo diamante que eu levava no dedo. "Essa aliança é minha."

Eu me livrei de seu aperto com um puxão. "Ela era sua. Agora é minha. Ganhei do seu filho quando ele me pediu em casamento."

Ela me mediu com seus olhos azuis, idênticos aos de Gideon. E de Ireland também. Era uma mulher linda, elegante e glamorosa. Chamava tanta atenção quanto a minha mãe, mas demonstrava a mesma frieza de Gideon.

"Eu não vou deixar você tirá-lo de mim", ela soltou por entre os dentes branquíssimos.

"Você entendeu tudo errado." Eu cruzei os braços. "Eu quero aproximar vocês dois, pra podermos pôr tudo em pratos limpos."

"Você está envenenando a cabeça dele com mentiras."

"Ai, meu Deus. Está falando sério? Então na próxima vez em que ele contar o que aconteceu — e pode acreditar que ele vai — trate de acreditar nele. E de pedir desculpas, e de amenizar um pouco o sofrimento dele, pra variar. Porque eu quero que ele esteja curado e saudável."

Elizabeth me encarou, claramente furiosa. Ela não parecia concordar com o que eu disse de maneira nenhuma.

"Estamos conversadas?", perguntei, irritada com sua cegueira deliberada.

"Nem de longe", ela sibilou, se aproximando de mim. "Eu sei de tudo sobre você e o tal vocalista. E estou de olho."

Eu sacudi a cabeça. Será que Christopher tinha contado para ela? E o que teria dito? Depois de descobrir o que ele fazia com Magdalene, eu era capaz de acreditar em qualquer coisa. "Inacreditável. Você acredita em mentiras e ignora a verdade."

Comecei a me afastar, mas parei de novo. "O mais interessante é que, quando eu confrontei você da outra vez, você não foi tirar tudo a limpo com Gideon. 'Ei, filho, a sua namorada maluca me contou uma história maluca.' Não entendo por que você não foi falar com ele. Não sente vontade de se explicar?"

"Vá se foder."

"Pois é, eu bem que imaginei."

Virei as costas antes que ela abrisse a boca de novo e arruinasse de vez a minha noite.

Infelizmente, quando me aproximei da minha mesa, encontrei Deanna Johnson no meu lugar, conversando com Gideon.

"Só pode ser brincadeira", eu murmurei, estreitando os olhos na direção dela, que fazia questão de tocar no braço dele enquanto falava. Cary ainda não tinha voltado, e minha mãe e Stanton estavam dançando. Deanna se aproximou sorrateiramente, como uma cobra.

Apesar do que Gideon pensava, para mim o interesse dela por ele parecia maior do que nunca. E, ainda que o único sinal de receptividade da parte dele fosse o fato de estar ouvindo o que ela estava falando, isso já bastava para me deixar irritada.

"Ela deve ser boa de cama. Ele vive trepando com ela."

Toda tensa, eu me virei na direção da voz feminina que falava comigo. Era a ruiva de Cary, toda vermelha e radiante, o retrato perfeito de uma mulher que tinha acabado de ter um orgasmo. Ainda assim, ela parecia mais velha do que a impressão que me passou à distância.

"Fique de olho nele", ela falou, se referindo a Gideon. "Ele é do tipo que usa as mulheres. Eu já vi isso acontecer. Mais de uma vez."

"Eu sei me virar sozinha."

"Isso é o que todas elas dizem." Ela abriu um sorriso de compaixão que me irritou profundamente. "Sei de pelo menos duas mulheres que entraram em depressão profunda por causa dele. E certamente não vão ser as últimas."

"Você não deveria dar ouvidos a esse tipo de fofoca", eu rebati.

Ela se afastou com aquele sorrisinho sereno e irritante no rosto, ajeitando os cabelos enquanto contornava as demais mesas até chegar à dela.

Foi só quando ela chegou ao meio do salão que me lembrei de onde a conhecia.

"Merda."

Fui correndo até Gideon. Ele se levantou quando cheguei à mesa.

"Preciso falar com você *agora*", me apressei em dizer antes de olhar para a mulher que ocupava o meu lugar na mesa. "Como sempre, é um prazer ver você, Deanna."

Ela ignorou a alfinetada. "Oi, Eva. Eu já estava indo..."

Mas eu já tinha dado as costas para ela. Peguei Gideon pela mão e o puxei. "Vamos lá."

"Certo, só um minuto." Ele disse alguma coisa para Deanna, que eu não ouvi, porque o estava puxando para longe. "Pelo amor de Deus, Eva. Por que essa pressa?"

Fui até perto da parede e olhei ao redor, procurando a ruiva de verde. O normal seria que ele tivesse notado a presença de sua antiga amante — a não ser que ela estivesse deliberadamente tentando evitá-lo. Por outro lado, seus cabelos estavam bem diferentes, e eu não havia visto seu marido por perto, o que teria tornado mais fácil a tarefa de reconhecê-la. "Você sabia que Anne Lucas está aqui?"

Ele apertou minha mão com força. "Não. Por quê?"

"Vestido verde-esmeralda, cabelos ruivos bem compridos. Você não viu essa mulher no salão?"

"Não."

"Ela estava dançando com Cary."

"Não prestei atenção."

Eu o encarei, começando a ficar irritada. "Meu Deus, Gideon. Acho difícil você não ter reparado nela."

"Me desculpa se eu só tenho olhos pra minha mulher", ele disse, irônico.

Foi a minha vez de apertar sua mão. "Desculpa. Eu só queria confirmar se era ela mesmo."

"Por quê? Ela foi falar com você?"

"Foi, sim. Falou um monte de merda e depois saiu andando. Acho que Cary estava com ela. Sabe como é, dando uma rapidinha."

Gideon ficou bem sério. Ele vasculhou o salão com os olhos, varrendo-o cuidadosamente de um canto a outro. "Não estou vendo Anne. Nem ninguém como você descreveu."

"Anne não é terapeuta?"

"Psiquiatra."

Fui invadida por um estranho pressentimento. "Podemos ir embora?"

Ele me olhou. "O que ela falou pra você?"

"Nada que eu nunca tenha ouvido antes."

"Bom saber", ele murmurou. "Sim, vamos embora."

Voltamos até minha mesa para pegar minha bolsa e nos despedir dos demais.

"Posso ir com vocês?", perguntou Cary depois de dar um abraço na minha mãe.

Gideon fez que sim com a cabeça. "Vamos lá."

Angus fechou a porta da limusine.

Cary, Gideon e eu nos esparramamos nos assentos traseiros, e poucos minutos depois já estávamos bem longe do Cipriani's.

Meu melhor amigo me lançou um olhar. "Nem começa."

Ele detestava ouvir sermões por causa de seu comportamento, e eu até conseguia entender por quê. Afinal, eu não era sua mãe. Mas isso não significava que não o amasse e não desejasse sempre o melhor para ele. E eu sabia até onde suas tendências autodestrutivas podiam chegar caso ninguém interferisse.

Mas essa não era a minha principal preocupação naquele momento.

"Qual era o nome dela?", eu perguntei, torcendo para conseguir identificar aquela ruiva de uma vez por todas.

"Que diferença isso faz?"

"Pelo amor de Deus." Apertei com força a minha bolsa entre as mãos. "Você sabe ou não sabe?"

"Eu não perguntei", ele rebateu. "Desencana."

"Calma aí, Cary", Gideon o repreendeu sem se alterar. "Tudo bem que você está com problemas, mas não precisa descontar na Eva. Ela só está preocupada com você."

Cary cerrou os dentes, virou a cara e ficou olhando pela janela.

Eu me recostei no assento, e Gideon me puxou para junto de seu ombro, acariciando meu braço nu.

Ninguém disse mais nenhuma palavra até chegarmos em casa.

Quando chegamos no meu apartamento, Gideon foi até a cozinha pegar uma garrafa d'água e atendeu ao telefone, me olhando do outro lado do balcão, a vários metros de distância.

Cary tomou o caminho do quarto, mas depois deu meia-volta e veio me abraçar. *Com força*.

Com o rosto apoiado no meu ombro, ele sussurrou: "Desculpa, gata".

Eu retribuí o abraço. "Você merece uma vida melhor que essa que anda vivendo."

"Eu não transei com ela", ele disse baixinho, se afastando para me encarar. "Eu ia. Pensei que queria. Mas na hora lembrei que vou ser pai de uma criança, Eva. Não quero que ele — ou ela — cresça pensando sobre mim a mesma coisa que eu pensava sobre a minha mãe. Preciso dar um jeito na minha vida."

Eu o abracei de novo. "Estou orgulhosa de você."

"Bom..." Ele se afastou, com um olhar malicioso. "Eu toquei uma pra ela, já que a gente tinha ido até ali, mas o meu pau não saiu da cueca."

"Não precisa entrar em detalhes, Cary", eu falei. "Não mesmo."

"A gente ainda vai pra San Diego amanhã?" Seu olhar esperançoso deu um nó no meu coração.

"Claro. Estou ansiosa."

Ele abriu um sorriso de alívio. "Que ótimo. Consegui um voo pras oito e meia."

Gideon chegou até nós bem naquele momento, e pelo olhar em seu rosto deu para perceber que meu fim de semana fora da cidade ainda não era um assunto encerrado entre nós. Mas, quando Cary foi para o quarto, eu me apressei em dar um beijo bem gostoso em Gideon, uma tentativa de adiar a conversa. Como eu esperava, ele aceitou a oferta, devorando a minha boca com lambidas profundas.

Soltei um gemido quando ele me agarrou. Pelo resto da noite, eu não ia me preocupar com mais nada que acontecesse no mundo. Afinal, não era tanto tempo assim. No dia seguinte, eu já estaria a postos para enfrentar o que viesse.

Eu o agarrei pela gravata. "Hoje à noite você é meu."

"Eu sou seu todas as noites", ele disse com sua voz rouca e afetuosa que despertava meus desejos mais quentes.

"Então vamos começar agora mesmo." Fui andando de costas, puxando-o até o meu quarto. "E não parar mais."

Ele não parou. Não até amanhecer.

Nota da autora

Sim, queridas leitoras e queridos leitores, vocês têm razão. Não é possível que este seja o final.

A jornada de Gideon e Eva ainda não chegou ao fim. Estou ansiosa para saber para onde eles nos levarão a seguir.

Tudo de bom,
Sylvia

Agradecimentos

Minha gratidão à editora Hilary Sares, por todo o seu trabalho em *Para sempre sua* e nos dois livros anteriores da série Crossfire. Sem ela, haveria muitos trechos desnecessários, um excesso de palavras empoladas, algumas quebras de padrão e outros problemas de escrita que poderiam tirar o foco do leitor da beleza da história de amor entre Gideon e Eva. Muito obrigada, Hilary!

Um enorme agradecimento à minha agente, Kimberly Whalen, e à minha editora, Cindy Hwang, por me ajudarem a retomar a magia de Gideon e Eva enquanto escrevia esta história. Quando precisei de ajuda, elas vieram em meu socorro. Obrigada, Kim e Cindy!

Agradeço também ao meu assessor de imprensa, Gregg Sullivan, por manter minha agenda sempre devidamente organizada.

E ao meu agente na CAA, Jon Cassir, por sua dedicação ao trabalho e sua paciência com minhas perguntas.

Sou muito grata também aos meus editores ao redor do mundo, que têm acolhido com todo apoio e entusiasmo a série Crossfire.

E nem tenho palavras para agradecer a paciência e o apoio de todos os meus leitores. É uma alegria para mim poder compartilhar a jornada de Gideon e Eva com vocês.

A HISTÓRIA DE GIDEON E EVA CONTINUA
NO PRÓXIMO VOLUME DA
SÉRIE CROSSFIRE

Conheça também a série Renegade Angels.
Leia um trecho do primeiro livro,
Um toque de vermelho.

A personificação de um sonho erótico estava circulando pelo Aeroporto Internacional de Phoenix.

Lindsay Gibson o viu no portão de embarque, ao dar uma olhada rápida ao redor. Aturdida por sua sensualidade crua e escancarada, ela se deteve e soltou um suspiro baixinho de admiração. Talvez sua sorte enfim estivesse mudando. Ela bem que precisava de alguma coisa para alegrar seu dia. A decolagem em Raleigh havia atrasado quase uma hora, e ela perdeu a conexão. Pelo número de passageiros se preparando para embarcar, uns minutinhos a mais e ela não teria conseguido uma passagem para o voo seguinte.

Depois de examinar a multidão ao redor, Lindsay voltou sua atenção para o homem mais indecente que já havia visto na vida.

Ele zanzava de um lado para outro num canto mais afastado da área de espera, com uma passada precisa e controlada, demarcada pelas longas pernas vestidas num jeans claro. Os cabelos grossos e escuros ligeiramente compridos, emoldurando seu rosto másculo. Uma camiseta creme com gola em V escondia seus ombros fortes, um sinal de que as partes que as roupas ocultavam faziam jus às que deixavam expostas.

Lindsay afastou da testa uma mecha dos cabelos molhados para apreciar melhor os detalhes. *Sex appeal* da cabeça aos pés, era o que aquele cara tinha. Do tipo que é impossível de fingir ou imitar — do tipo que transformava a beleza física num simples bônus.

Ele se movia por entre a multidão sem nem levantar os olhos, e mesmo assim foi capaz de se desviar de um homem que cruzou seu caminho. Sua atenção estava toda concentrada num BlackBerry, demonstrando tamanha habilidade na digitação que o ventre de Lindsay se contraiu.

Uma gota de chuva desceu por sua nuca. O contato suave com água fria fez com que a experiência de observá-lo se tornasse fisicamente mais intensa. Atrás dele, os vidros transparentes revelavam o céu cinzento do fim da tarde. A chuva escorria pelas janelas do terminal. Aquele mau tempo era inesperado, e não apenas porque o relatório meteorológico não previa chuva. Ela sempre tinha sido capaz de sentir a proximidade das chuvas com uma precisão incomum, mas essa tempestade lhe havia passado despercebida. Fazia sol quando ela aterrissou, e pouco depois o céu desabou.

Ela adorava chuva, e em outra ocasião qualquer não se importaria de sair no meio do aguaceiro para pegar o ônibus que a levaria até o avião. Naquele dia, porém, o mau tempo parecia carregar consigo um mau agouro. Uma sensação de melancolia, ou de luto. E ela havia se deixado levar por isso.

Desde que era capaz de se lembrar, Lindsay sentia que o vento se comunicava com ela. Fosse gritando em meio a uma tempestade ou sussurrando através de uma brisa, ela sempre conseguia decifrar a mensagem. Não por meio de palavras, mas de sensações. Seu pai chamava isso de sexto sentido e fez de tudo para demonstrar que era uma coisa exótica e interessante, e não alguma espécie de aberração grotesca.

Esse radar interior era o que direcionava seu olhar para aquele homem no portão de embarque, mais ainda que a beleza dele. Em sua aparência, havia algo de melancólico que a fazia lembrar a tempestade que tomava força atrás da janela. Era aquela qualidade que a atraía... além da ausência de uma aliança no dedo dele.

Lindsay se virou, ficou de frente para o homem e desejou que ele a olhasse.

Ele ergueu a cabeça. Seus olhares se encontraram.

Foi como se ela tivesse recebido uma rajada de vento no rosto, fazendo com que seus cabelos se arrepiassem. Mas a sensação não era de frieza, e sim de um calor úmido e sedutor. Lindsay manteve os olhos fixos nele por um instante que pareceu infinito, hipnotizada por seus olhos azuis cintilantes, que demonstravam sintonia com a fúria ancestral da tempestade lá fora.

Ela respirou fundo e tomou o caminho de uma lojinha de *pretzels* ali ao lado, dando a ele a oportunidade de retribuir o óbvio interesse manifestado por ela... ou não. Meio que por instinto, ela sabia que ele não era o tipo de homem que corria atrás de mulher.

Lindsay foi até o balcão e olhou o cardápio. O cheiro da massa quentinha e macia e da manteiga derretida era de dar água na boca. A última coisa de que ela precisava antes de ficar sentada por mais uma hora num avião era uma bomba calórica como um *pretzel* gigante. Por outro lado, talvez uma boa dose de serotonina fosse capaz de acalmar seus nervos exaltados pela sensação de estar espremida numa multidão.

Ela fez o pedido. "Palitinhos de *pretzel*, por favor. Com molho marinara e um refrigerante diet."

A moça do caixa informou o valor. Ela remexeu na bolsa em busca da carteira.

"Pode deixar."

Minha nossa... aquela voz. Sedutoramente sonora. Lindsay tinha certeza de que era *ele*.

Ele se inclinou em sua direção, e ela sentiu o perfume exótico dele. Não era colônia. Era um cheiro de homem. Natural e viril. Puro e límpido, como o ar depois de uma tempestade.

Ele fez a nota de vinte dólares deslizar pelo balcão. Ela sorriu e deixou que ele pagasse.

Era uma pena que estivesse vestida com um jeans velho, uma camiseta larga e coturnos. Nada poderia ser mais confortável, mas para aquele homem ela preferia estar bonita e arrumada. Ele evidentemente pertencia a um outro mundo, o que ficava claro pela beleza de astro de cinema e pelo relógio Vacheron Constantin que ostentava no pulso.

Ela se virou e estendeu a mão para ele. "Obrigada, senhor...?"

"Adrian Mitchell." Ele aceitou o cumprimento e aproveitou para acariciar seus dedos com os polegares.

Lindsay sentiu uma reação visceral ao toque dele. Ficou quase sem fôlego, e seu coração disparou. Visto de perto, ele era irresistível. Ferozmente masculino e terrivelmente lindo. Impecável. "Olá, Adrian Mitchell."

Ele se agachou e pegou a etiqueta da mala dela com seus dedos longos e masculinos. "Prazer em conhecê-la, Lindsay Gibson... de Raleigh? Ou está voltando de viagem?"

"Estou indo para o mesmo lugar que você. No mesmo avião."

Os olhos dele tinham um tom de azul muito pouco habitual. Como a coloração cerúlea que se vê no coração das chamas. Combinados com a pele morena e emoldurados pelos cílios compridos, eram simplesmente deslumbrantes.

E estavam concentrados nela como se não houvesse mais nada no mundo para se ver.

Ele a observou da cabeça aos pés com um olhar intenso. Lindsay se sentiu exposta e envergonhada, como se ele a tivesse despido em pensamento. Seu corpo reagiu à provocação. Os seios incharam, a tensão nos músculos foi se dissipando.

Qualquer mulher teria amolecido toda diante dele, porque não havia nada naquele corpo que denunciasse um sinal qualquer de insegurança. Dos ombros largos e os bíceps delineados até as feições milimetricamente esculpidas do rosto, cada ângulo do corpo dele parecia afiado e preciso.

Ele se inclinou sobre ela para pegar o troco, movimentando-se de maneira ágil e naturalmente elegante.

Aposto que ele deve ser um animal na cama.

Excitada pelo próprio pensamento, Lindsay apanhou a mala pela alça. "Então você mora no Orange County? Ou está viajando a negócios?"

"Estou indo para casa. Para Anaheim. E você?"

Ela foi até o outro balcão, para pegar seu pedido. Ele a seguiu com uma passada mais comedida, mas que não escondia a determinação de ir atrás dela. Essa característica um tanto predatória fez com que ela ficasse ansiosa. Sua sorte enfim havia mudado — seu destino final também era Anaheim.

"O Orange County é o meu futuro lar. Estou me mudando para lá, a trabalho." Ela preferiu não entrar em detalhes, como a cidade em que ia morar. Sabia bem como se proteger quando era necessário, mas não estava disposta a arrumar mais problemas além dos que já tinha.

"É uma grande mudança. Para o outro lado do país."

"Estava na hora de mudar."

Ele abriu um leve sorriso. "Vamos jantar juntos."

O tom aveludado da voz dele fez o interesse dela crescer ainda mais. Ele era carismático e tinha uma personalidade magnética, duas qualidades capazes de produzir relacionamentos memoráveis, ainda que de curta duração.

Ela pegou o saquinho de papel e o refrigerante que a atendente entregou. "Você vai direto ao ponto. Eu gosto disso."

A chamada para o voo fez com que sua atenção se voltasse para o portão de embarque. Na verdade era o anúncio de um pequeno atraso, o que deixou os passageiros um tanto inquietos. Adrian não tirava os olhos dela.

Ele apontou para uma fileira de assentos logo adiante. "Ainda temos tempo para nos conhecer melhor."

Lindsay o acompanhou até lá. Deu outra espiada ao redor, e viu que não eram poucas as mulheres com os olhos vidrados em Adrian. A sensação de que ele era como uma tempestade em pleno curso não parecia mais tão intensa, e a chuva lá fora se tornou pouco mais que uma garoa forte. A correlação entre os dois eventos era intrigante.

A reação feroz que sentiu ao ver Adrian Mitchell e aquela capacidade sem igual de despertar seu radar meteorológico interior foram determinantes para a decisão de deixá-lo se aproximar. As anomalias de sua vida sempre mereciam uma maior investigação.

Ele esperou que ela se sentasse antes de perguntar: "Algum amigo vai buscar você no aeroporto? Ou algum parente?".

Não havia ninguém à espera dela, apenas uma van reservada para levá-la ao hotel onde se hospedaria até encontrar um apartamento. "Não é aconselhável fornecer esse tipo de informação a um estranho."

"Então vamos amenizar os riscos." Ele se inclinou com um gesto fluido, levando a mão ao banco de trás para pegar a carteira. Tirou um cartão de visita e entregou para ela. "Ligue para quem estiver à sua espera e diga quem eu sou e como entrar em contato comigo."

"Você é bastante determinado." *E claramente está acostumado a dar ordens.*

Ela não se importou. Lindsay tinha a personalidade forte e, se não encontrasse resistência, acabava ela mesma assumindo o comando. Homens dóceis e gentis eram desejáveis em certas situações, mas não em sua vida pessoal.

"Sou mesmo", ele concordou, sem hesitação.

Lindsay apanhou o cartão. Seus dedos se tocaram, e a eletricidade subiu pelo braço dela.

Ele respirou fundo, pegou a mão dela e acariciou a palma com os dedos. Parecia que estava mexendo entre suas pernas, porque o nível de excitação foi o mesmo. Ele a olhava com um desejo sexual quase palpável, intenso e implacável. Como se soubesse exatamente o que fazer para deixá-la toda entregue... ou estivesse prestes a descobrir.

"Você está me parecendo encrenca certa", ela murmurou, fechando a mão para que ele não tirasse os dedos.

"Vamos jantar. E conversar. Prometo que vou me comportar."

Sem largá-lo nem por um minuto, ela pegou o cartão de visita com a outra mão. O sangue pulsava com força em suas veias por causa daquela excitação tão imediata e imprevista. "Mitchell Aeronáutica", ela leu. "E você está viajando num voo regular."

"Eu tinha outros planos." O tom de voz dele ficou sério. "Mas meu piloto me deixou na mão."

O piloto *dele*. Ela abriu um sorrisinho. "Você não odeia quando isso acontece?"

"Geralmente, sim... Mas aí apareceu você." Ele sacou o BlackBerry do bolso. "Use o meu telefone, assim quem atender já vai ter o número."

Não sem alguma relutância, Lindsay o soltou e pegou o celular, apesar de poder muito bem usar o seu. Deixou o refrigerante no chão acarpetado e levantou. Adrian fez o mesmo. Ele era rico, elegante, educado, solícito e lindo de morrer. Apesar de parecer um sujeito civilizado, havia um quê de perigo pairando sobre ele, algo que apelava para os instintos mais elementares de uma mulher. Talvez o aeroporto lotado tivesse aguçado seus sentidos. Ou talvez fosse o indicativo de uma química sexual volátil entre os dois. Fosse o que fosse, ela não estava achando nada ruim.

Deixando o saquinho com os *pretzels* no assento, ela se afastou um pouco e digitou o número da oficina mecânica de seu pai. Enquanto isso, Adrian foi até o balcão do portão de embarque.

"Linds. Você já chegou?"

Ela ficou surpresa com o modo como ele atendeu. "Como você sabia que era eu?"

"Eu vi o número que estava ligando. O código é da Califórnia."

"Ainda estou em Phoenix, na conexão. Estou ligando de um celular emprestado."

"O que aconteceu com o seu? E por que ainda está em Phoenix?" Eddie Gibson criou sozinho a filha durante vinte anos, e era um pai superprotetor, o que não era de estranhar ao levar em conta as circunstâncias terríveis da morte de Regina Gibson.

"Não aconteceu nada com o meu, e eu perdi a conexão. É que conheci uma pessoa." Lindsay explicou quem era Adrian e passou as informações contidas no cartão de visita. "Não estou com medo. É que ele é o tipo de cara que parece estar precisando de um freio. Acho que não está acostumado a ouvir a palavra 'não' com muita frequência."

"Acho que não mesmo. Mitchell é uma espécie de Howard Hughes."

Ela levantou as sobrancelhas. "É mesmo? Dinheiro, filmes, estrelas de cinema? Ele está metido com tudo isso?"

Lindsay observou Adrian por trás, aproveitando a chance de estudá-lo melhor enquanto estava distraído. Era tão atraente como de frente, tinha as costas largas e um traseiro apetitoso.

"Se você conseguisse se concentrar em alguma coisa por mais de cinco minutos, saberia disso", respondeu seu pai.

De fato, ela não era capaz de se lembrar da última vez que tinha lido uma revista, e havia desistido de assinar a TV a cabo fazia muitos anos. Alugava filmes e temporadas inteiras de seriados, porque não queria perder tempo com os intervalos. "Não estou conseguindo dar conta nem da minha vida, pai. Onde é que vou arrumar tempo para cuidar da vida dos outros?"

"Da minha você está sempre cuidando", ele provocou.

"Você eu conheço. E amo. Mas celebridades? Não é a minha praia."

"Ele não é uma celebridade. Na verdade sabe proteger muito bem sua privacidade. Vive numa propriedade enorme no Orange County. Eu vi na TV uma vez. É tipo uma maravilha da arquitetura. Mitchell parece o Hughes porque é um zilionário recluso que adora aviões. A mídia fica em cima dele porque o pessoal adora aviadores. Isso sempre foi assim. E dizem que ele é bonitão também, mas isso eu não sei julgar."

E ela o havia distinguido no meio de uma multidão. "Obrigada pela informação. Eu ligo quando chegar."

"Eu sei que você pode muito bem se cuidar sozinha, mas juízo."

"Claro. E você, nada de porcaria no jantar. Faça uma comida de verdade. Ou melhor, arrume uma gata para cozinhar para você."

"Linds...", ele começou, fingindo irritação.

Aos risos, ela encerrou a ligação, depois acessou o histórico de chamadas do celular e apagou o número.

Adrian apareceu com um resto de sorriso ainda nos lábios. Seus movimentos eram tão fluidos, demonstravam de tal forma sua força e sua confiança, que ela os considerava ainda mais atraentes que sua aparência. "Tudo certo?"

"Certíssimo."

Ele estava segurando um cartão de embarque. Lindsay viu seu nome nele e franziu a testa.

"Eu tomei a liberdade", ele explicou, "de pegar assentos vizinhos para nós."

Ela pegou a passagem. Primeira classe. Assento número dois, mais de vinte fileiras à frente do que ela tinha reservado. "Eu não tenho como pagar por isso."

"Você não precisa pagar por uma passagem que foi mudada por iniciativa minha."

"Não dá para mudar a passagem de alguém sem ter um documento com foto."

"É, mas eu mexi uns pauzinhos." Ele pegou de volta o celular que ela entregou com a mão estendida. "Tudo bem para você?"

Ela acenou com a cabeça, mas seus sinais de alerta estavam todos acionados. Com as normas de segurança em aeroportos mais rígidas do que nunca, seria preciso um ato divino para alterar a passagem sem sua permissão. Talvez a atendente da companhia aérea tenha sucumbido ao charme de Adrian, ou talvez ele tenha molhado a mão dela pra valer, mas Lindsay não tinha o costume de ignorar seus sinais de alerta. Ela teria que repensar sua atitude com relação a ele, e reavaliar as expectativas de um caso breve e ardente, algo passageiro e sem maiores consequências.

Na verdade, um cara como Adrian nem precisava se esforçar tanto para levar alguém para a cama. Todas as mulheres do aeroporto estavam vidradas nele, lançando olhares que diziam: "Se você quiser, eu sou sua". Ora, até alguns homens estavam olhando para ele daquele jeito. E ele conseguia manter um clima de sedução com tamanha maestria que Lindsay sabia que já devia ser considerada presa fácil para ele. Adrian estava distraído, com o olhar perdido e um ar de indiferença que parecia funcionar como um escudo. Ela o havia encarado diretamente, em um convite sexual explícito, mas não acreditava que ele tinha mordido a isca. Ela estava molhada de chuva e malvestida. A confiança era um fator que atraía os homens poderosos, claro, e isso Lindsay tinha de sobra, mas ainda não era uma explicação plausível para o fato de estar se sentindo cortejada.

"Só para deixar tudo bem claro", ela começou. "Fui criada para querer que os homens abram a porta para mim, puxem a cadeira e paguem a conta.

Em troca, eu fico bonita e tento ser agradável. É assim que funcionam as coisas. O dinheiro para mim não compra o sexo. Tudo bem para você?"

Ele curvou os lábios em um sorriso leve que já estava se tornando familiar para ela. "Tudo perfeito. Vamos ter uma hora para conversar no avião. Se você ainda estiver incomodada com alguma coisa quando chegarmos, eu me contento só em pegar seu telefone. Caso contrário, nós podemos ir embora juntos do aeroporto no meu carro."

"Combinado."

Ele a olhou com o que parecia ser uma pontinha de satisfação. Lindsay retribuiu com um olhar parecido. Quaisquer que fossem seus motivos, Adrian Mitchell era um mistério que valia a pena desvendar.

TIPOLOGIA Adriane por Marconi Lima
DIAGRAMAÇÃO Verba Editorial
PAPEL Pólen Soft, da Suzano S.A.
IMPRESSÃO Geográfica, junho de 2022

A marca FSC® é a garantia de que a madeira utilizada na fabricação do papel deste livro provém de florestas que foram gerenciadas de maneira ambientalmente correta, socialmente justa e economicamente viável, além de outras fontes de origem controlada.